SHADOW BOXER

Du même auteur

L'Art du film noir : les affiches de l'âge d'or du film policier, Calmann-
    Lévy, 2003.
Dark City : le monde perdu du film noir, Clairac éd. 2007.
Mister Boxe, Fayard Noir, 2007.

Eddie Muller

Shadow Boxer

roman

Traduit de l'anglais (États-Unis) par Patrice Carrer

Fayard

Ouvrage publié sous la direction de Patrick Raynal.

ISBN : 978-2-213-62964-3

© Librairie Arthème Fayard, 2008.

© Eddie Muller, 2003. Première édition Scribner, New York, 2003.

Titre original : *Shadow Boxer*

Note du traducteur : les multiples jeux de mots et de sonorités étant pour la plupart intraduisibles, j'en ai transposé une pincée aux endroits où cela venait naturellement dans le texte français, pour rendre en partie la dimension ludique du texte original.

À F. X. Toole

NOTE DE L'AUTEUR

Des personnes ayant réellement existé apparaissent dans ces pages comme dans celles de *Mister Boxe*, la première aventure de Billy Nichols. Le lecteur peut être assuré que la manière dont elles s'y comportent est entièrement inventée : Jake Ehrlich, Artie Samish et Edmund G. Brown n'ont jamais participé aux activités évoquées dans *Shadow Boxer*.

Si Billy se retrouve en possession des documents de la fondation du mont Davidson à son corps défendant, c'est également à l'improviste que m'a été fournie la matière de ce roman, il y a de cela des années, par Ron et Maria Blum. Ils seront surpris de l'apprendre ; je ne les en remercie pas moins. Ma gratitude va aussi à Bill Selby, Christine Okon, Marc Kagan, Russel Pleech, Lisa Greene et Dennis Parlato, ainsi qu'à ma merveilleuse épouse, Kathleen.

Mes vifs remerciements à mon agente, Denise, « le Fléau de Manhattan » Marcil, à ma lectrice, Susanne, « la Vérité » Kirk. Et, comme d'habitude, Erik, « l'Érudit » McMahon mérite l'essentiel de ma reconnaissance.

La différence entre un honnête homme et un homme d'honneur, c'est que ce dernier regrettera un geste indigne, même si ce geste lui a été profitable et qu'il n'a pas été pris.

Henry Louis MENCKEN

ENTRE LES CORDES
par Billy Nichols

Hack Escalante raccroche les gants.

Lors d'un récent entretien téléphonique, ce cogneur poids lourd, favori des fanas de la région depuis des années, nous a signalé qu'il quittait le ring et comptait s'installer en Californie du Sud.

Contre l'avis de son manager, Sid « Sourire » Conte, Hack a refusé d'affronter Joe Louis, le « Bombardier Brun », qui proposait de le rencontrer dans le cadre de son come-back. La bourse était modeste : cinq mille dollars, le montant déjà touché par Escalante pour son combat contre le champion Chester Carter.

Cette rencontre au sommet, qui fit trembler les murs du Cow Palace en août dernier, restera dans les annales comme l'une des plus belles auxquelles on ait assisté.

Difficile de reprocher à Hack de se dérober. Quel boxeur a jamais pris plus de coups *en dehors* du ring ? Pour commencer, son manager Gig Liardi a joué les filles de l'air au printemps dernier. Afin de continuer à faire bouillir la marmite, Hack l'a remplacé par Sid Conte, bien connu comme mouche du coche.

Là-dessus, découverte du corps de Liardi dans le Golden Gate Park. Il s'est avéré que c'était un assassinat. Beaucoup de gens, y compris au sein de la police, ont soupçonné Hack d'avoir été mêlé à cette affaire. Et, avant qu'il ait eu le temps de se remettre de ce sale coup, son épouse, Claire Escalante, était retrouvée morte à leur domicile de Sunset District.

La plupart d'entre nous ne se remettraient jamais d'une telle tragédie, ou de la flétrissure du soupçon. Chose incroyable, quelques semaines seulement après le décès de sa femme, Escalante se battait pour le titre. Et il a failli signer la plus grande surprise de l'histoire récente du noble art.

Sa seule consolation ? Que la police de San Francisco ait arrêté le promoteur Burnell Sanders pour le meurtre de son épouse. Arrestation suivie de cette révélation sensationnelle, trouvée dans une confession rédigée par madame Escalante avant de mourir : c'est elle qui avait supprimé Gig Liardi, le manager de son mari.

Quoi d'étonnant à ce que ce garçon veuille prendre un nouveau départ ? N'importe qui, à sa place, ne réagirait-il pas de la même façon ?

CHAPITRE 1

Elle a tendu le cou par la fenêtre de son automobile, côté passager, pour me jauger du regard. Yeux sombres, teint olivâtre, lèvres pleines : un ex-yacht de luxe en route vers les récifs de l'âge mûr.

– C'est vous qu'on appelle « Mister Boxe » ?

Les nanas mordues de boxe ne sont pas aussi rares qu'on pourrait le croire. Gamines, elles écoutaient des matches de championnat à la radio avec leur père et ça leur est resté dans le sang. Je me suis approché en affichant le sourire circonspect que je réserve aux inconnus indiscrets :

– C'est moi. Billy Nichols, du *San Francisco Inquirer*.

Un battement de ses longs cils noirs et un coup d'œil derrière moi. J'ai été poussé contre le véhicule. Avant que je comprenne ce qui m'arrivait, un gorille m'avait catapulté sur le siège avant, la nana s'était glissée derrière le volant et elle écrasait le champignon. On s'est éloignés en trombe du trottoir.

– Qu'est-ce qui se passe, bordel ? j'ai beuglé.

J'essayais de ne pas avoir l'air totalement terrifié. On a traversé sur les chapeaux de roues l'artère principale de San Francisco, Market Street, avant de remonter Kearny Street en se faufilant dans la circulation de l'après-midi.

– Je vous emmène au pénitencier.

D'accord, c'était une plaisanterie. Encore une petite blague de Dewey Thomas. Il avait recruté deux complices pour m'« enlever » et me transporter au Royal Athletic Club, que je regarde s'entraîner les jeunes qui n'allaient pas tarder à faire leurs preuves au tournoi des Gants d'Or, cuvée 1948. Thomas avait visiblement choisi avec soin le malabar tassé contre mon flanc droit. Tout à fait la gueule de l'emploi. La peau basanée comme celle de la gonzesse, mais plus grêlée qu'un melon. Ce type me rappelait quelqu'un, un boxeur… Ça faisait un bail.

Histoire d'entrer dans le jeu, j'ai demandé d'un ton moqueur :

– De quoi suis-je accusé, m'dame l'agent ?

– De ne pas avoir pris au sérieux les lettres de mon mari, a-t-elle répliqué avec hargne. De ne jamais l'avoir rappelé. Il a droit à un seul appel par jour, vous savez. Franchement, ça ne vous ferait pas de mal de montrer un minimum de politesse.

– Je pourrais vous retourner le compliment. Qui êtes-vous, bon Dieu ?

Elle n'a pas tourné à gauche dans la rue qui nous aurait conduits au Royal. Merde, on allait *vraiment* à la prison du comté.

– Florence Sanders. C'est mon foutu mari que vous essayez de faire tomber pour meurtre. Il vous a envoyé cinquante millions de lettres et il n'arrive pas à vous joindre. Quasiment un courrier par jour depuis un mois, en vous suppliant de venir le voir. C'est quoi, votre problème ? Pas de temps pour les vieux copains ?

– Désolée, Florence, j'ai eu du pain sur la planche, ces derniers temps. Je ne peux pas dire que votre époux soit une priorité.

– Pas une *priorité* ? Une accusation de meurtre ? Et ce serait *quoi*, une priorité, aux yeux de monsieur le gros bonnet ?

– Astiquer l'argenterie. Pour ma femme.

– Enfoiré ! Vous trouvez ça drôle ? D'abord il n'arrêtait pas de gueuler, comme quoi c'était de votre faute qu'il se retrouve en taule. Ensuite, il s'est mis à seriner que vous étiez le seul à pouvoir l'aider. J'en ai marre de l'entendre. Vous ne voulez pas aller le voir ? Merde, je vais vous traîner là-bas par le fond de la culotte, ne serait-ce que pour lui faire fermer son clapet. Vous allez causer à Burney dans sa taule, c'est clair ? Mon cousin, ici présent, s'assurera que vous ne vous défilez pas au dernier moment.

Elle fumait. Pas à cet instant précis, mais chaque fois qu'elle en avait l'occasion. Le tabac lui avait éraillé définitivement la voix, et des émanations s'échappaient du tissu de sa veste. Une habitude sans doute due à la nervosité – normal, une femme de tueur.

J'avais besoin de parler à Florence Sanders comme j'avais besoin d'une balle dans la tête. Quelques mois plus tôt, son époux était encore le principal promoteur de matches de boxe de San Francisco ; c'est effectivement à mes bons offices qu'il était redevable de cette accusation de meurtre. Non pas que j'en aie grand-chose à cirer : j'aurais été ravi qu'il pourrisse en taule jusqu'à la fin de ses jours – mieux, que les autorités se débrouillent pour l'envoyer à la chambre à gaz.

J'observais le cousin de Florence, en me préparant à lui filer entre les doigts dès que nous serions sur Washington Street, quand il a revendiqué un rôle parlant au sein de cette farce ambulante :

– C'est quand même pas la mer à boire. Vous pouvez lui causer dix minutes, non ? Vous en mourrez pas.

– Excuse-moi, Buddy, a aboyé madame Sanders, on t'a pas sonné. Je ne te paie pas pour faire des commentaires, alors boucle-la.

J'ai demandé à mon voisin, à présent aussi renfrogné qu'il était moche :

– Vous ne seriez pas Silva, par hasard ?

Son visage a reflété quelque chose ressemblant à de l'animation :

– Vous vous souvenez de moi ?

– Bud Silva. Poids moyen. Beaucoup de combats au début des années 1930. Ensuite, on t'a perdu de vue.

– Je suis passé à autre chose. Mais j'étais pas mauvais, hein ? Dites-lui. Parlez-lui du soir où j'ai battu Lawless. Vous vous en rappelez, de ce match ?

– Bien sûr. Inoubliable, c'est le moins qu'on puisse dire.

– T'entends ça ? Il se rappelle de mon comb…

– Ferme ta gueule, j'ai dit ! T'es censé lui faire peur, pas lui demander son putain d'autographe. Abruti. J'aurais dû m'en douter.

– Hé, Florie, a grondé Silva, surveille un peu tes paroles.

Les nerfs à vif tous les trois, nous avons longé quelques pâtés de maisons. Je me demandais si Burney Sanders avait parlé à sa chère et coriace de ses activités de maître chanteur, et précisé comment je les avais parasitées.

– Pourquoi Burney vous a-t-il affirmé que j'étais le seul à pouvoir l'aider ?

– Aucune idée, a-t-elle répliqué avec un soupir théâtral.

Florence connaissait l'itinéraire par cœur ; elle a tourné dans Clay Street sans vérifier les panneaux.

– Y a pas longtemps, Burney voulait vous descendre. Il prétendait que vous l'aviez piégé et jurait de vous rendre la monnaie de votre pièce. Maintenant, c'est un autre son de cloche, il n'arrête pas de répéter que vous êtes son dernier espoir.

– Et vous ne voyez pas du tout ce qu'il veut dire ?

– Écoutez… Mon mari fricote depuis que je le connais. Faudrait pas croire que je suis miraude. Mais pour ce qui est de m'affranchir sur les détails – vous croyez peut-être que j'ai *envie* de les connaître ? Tout ce que je sais, c'est que cette fois il est *vraiment* dans la merde. S'il plonge pour un truc aussi grave, faudra que je me débrouille toute seule.

Elle a braqué dans Dunbar Alley et freiné brutalement, près de l'entrée de derrière de la prison centrale du comté.

– Je vois qu'il peut compter sur votre soutien inconditionnel, ai-je remarqué.

– Tout le monde a ses limites. Descendez de cette bagnole.

– Vous ne venez pas ?

– Je lui ai dit que je vous amènerais ici. Vous y êtes. J'ai mieux à faire.

– Merci d'être enfin venu, m'a accueilli Sanders.

– L'idée ne vient absolument pas de moi.

Il a désigné de la tête l'entrée du parloir.

– C'est Florence qui t'a amené ?

– Elle est très persuasive.

– Elle attend dehors ?

– Partie faire un tour au salon de beauté. Qu'est-ce que tu me veux ? J'ai encore une rubrique à pondre aujourd'hui.

Je m'attendais à voir cette tête brûlée réagir au quart de tour, comme d'habitude. Mais Burney, le regard perdu à travers les barreaux de sa cage d'acier, n'avait plus grand-chose sous le capot. Dans la lumière crue réfléchie par les murs glauques de l'établissement, son teint terreux virait au cireux. Son corps grêle flottait dans sa combinaison de travail réglementaire ; il avait perdu plus de poids qu'il ne pouvait se le permettre et risquait de caner d'inanition avant qu'on lui serve le cyanure.

— Si le gardien se montre curieux, a-t-il chuchoté, on fait mine de causer de boxe, d'ac ? Ils doivent croire que t'es venu récolter des infos sur mon procès, des fois que je tomberais pour cette accusation à la noix.

Son regard insistant me transperçait. Je lui devais moins que rien, à ce petit enfoiré, et il n'a obtenu de ma part qu'un léger hochement de tête. Il a jeté un coup d'œil au maton en uniforme qui soutenait le mur, une demi-douzaine de mètres plus loin, et le fixait sans relâcher son attention un seul instant.

— Elle est bien bonne, hein ? a repris Sanders en baissant la voix. Que je fasse appel à toi quand je suis dans cette merde.

— Accouche.

— Écoute, ce chantage que je suis censé avoir exercé… Les photos de toi avec Claire. Soyons honnêtes, je suis pas blanc comme neige. Mais c'est de la roupie de sansonnet à côté des autres éléments de cette affaire. Le racket, c'était un à-côté. Le sommet de l'iceberg. Je suis juste une petite main au service de gros poissons. Tu leur as rendu un fier service en me poussant sous les projecteurs. Pendant ce temps-là, ils restent dans l'ombre.

J'ai enlevé mes lunettes pour en frotter les verres avec l'extrémité de ma cravate.

— Écoute bien ! a aboyé Burney. Je peux pas te mettre complètement au parfum. Je crois qu'on nous écoute. Si on entend ce que je te dis, c'est après *toi* qu'on en aura – et tu me serviras plus à rien.

— Merde, pourquoi je t'aiderais ? Au cas où ça t'aurait échappé, j'espère qu'on va te régler ton compte.

L'ancien Burney aurait réagi à cette provocation en me collant un pain. Si le nouveau était offensé, il n'en a rien laissé paraître.

– Je sais que je t'ai joué un sale tour et que tu me dois rien. T'as fait ce que t'avais à faire pour qu'on soit quittes, alors peut-être qu'on l'est. Je t'ai entubé, tu m'as entubé deux fois plus profond. Mais là, ça va trop loin. J'ai pas buté Claire. Je paie pour un truc que j'ai pas fait. Si je suis mis hors circuit, les mecs qui sont derrière ça s'en tireront à bon compte.

– Je suis censé comprendre quelque chose à ce que tu me racontes ?

– Je te demande juste de m'écouter. Je me suis fait jeter par trois avocats sans raison valable. Le dossier du proc était bidon, t'es bien placé pour le savoir, et n'importe quel bavard moyennement véreux aurait dû sauter sur l'occase. C'est là qu'ils ont passé cet accord avec Daws pour me faire plonger. Et c'est comme ça que je me retrouve traité comme un lépreux, avec un morveux d'avocat commis d'office, sans mise en liberté sous caution.

Daws était un poids mi-lourd plus ou moins doué que Burney Sanders employait comme garde du corps et à qui il confiait des missions de persuasion ponctuelles. Je m'étais laissé dire que son témoignage allait lui garantir l'immunité et sceller la condamnation de Burney – les flics ayant fait parler un voisin qui avait vu les deux hommes quitter la maison où l'on avait retrouvé le cadavre de Claire Escalante. Il suffisait de bien regarder pour voir que quelque chose clochait. Daws étant un nervi professionnel et Sanders un avorton, c'était le monde à l'envers et ça sentait le coup monté à plein nez.

– Putain, comment c'est possible que j'aie pas droit à la liberté sous caution ?

– Tu te serais éclipsé à la première occase.

– Pour me retrouver en cavale avec ma femme et mon gosse ? Pas de danger.

J'aurais pu l'informer que sa pendaison en prison n'aurait pas arraché une larme à son épouse, tant qu'il était assuré sur la vie. Mais je me suis retenu. Il était père, après tout – première nouvelle, d'ailleurs. Enfin, ce n'était pas que j'en aie grand-chose à foutre.

— Je vois pas ce qui t'étonne, a-t-il bredouillé. Je suis marié depuis six ans. Mon fils en aura cinq le mois prochain.

Le mercure grimpait. Burney s'est trop approché de la grille et le gardien lui a gueulé de faire gaffe.

— Au train où ça va, je serai au pénitencier de San Quentin quand mon gosse soufflera ses bougies.

— Je suis désolé pour toi, Burney.

J'ai écarté mon pouce et mon index d'un centimètre.

— À peu près comme ça. Menteur, maquereau, maître chanteur, tueur – qu'est-ce que j'en ai à battre de ce qui peut t'arriver ?

Pourquoi m'en serais-je soucié ? C'est moi qui l'avais signalé à l'attention des flics. Sanders dirigeait une entreprise de racket, en se servant de Claire Escalante comme appât, et il l'avait tuée après qu'elle m'avait fourni la preuve photographique du chantage qu'il exerçait sur des gens comme, entre autres, Eddie Ryan, propriétaire du champ de courses Golden State.

Je faisais partie des « autres ».

— T'as raconté aux poulets une histoire comme quoi je rançonnais Ryan, a répliqué Sanders. Tu crois vraiment que c'est le sujet ? Ça va beaucoup plus loin que Ryan ou toi. Le gratin de cette ville est impliqué là-dedans. J'étais juste un mec prêt à se salir les mains à condition de toucher sa part. Seulement, une fois qu'on est engagé sur cette voie, y a plus moyen de faire marche arrière. Tous les gens que tu rencontres tu te demandes ce que tu peux en tirer, t'essaies de te les mettre dans la poche.

— Pourquoi tu m'as coincé, moi ?

— Je vais te le dire, pourquoi. D'une façon ou d'une autre, Claire, Hack et toi, vous étiez tous mêlés à la mort de Gig Liardi. Je savais pas au juste ce qui s'était passé, mais je voyais que *Mister Au-dessus-de-la-mêlée* n'était pas au-dessus de la mélasse. J'ai vu une occasion de te niquer. Quand t'es avec des arnaqueurs, tout le monde est un pigeon potentiel. J'étais comme un boxeur, tu vois ? Je commençais à croire que je pouvais démolir *n'importe qui*. Que je *devais* le faire. C'était le jeu. Je me suis mis à le faire pour *eux*. Quand ils ont essayé de me baiser, c'est là que tout est parti en vrille. Moi qui croyais me débrouiller comme un chef, regarde où ça m'a mené.

Le flic s'est décollé du mur pour se diriger lentement vers nous. Burney a continué tout bas :

— En tant que journaliste, tu peux chercher des tuyaux sans éveiller les soupçons. Tu sais y faire. Si je recrute un privé, ils lui tomberont dessus comme la vérole sur le bas clergé.

Sans se presser, en caressant de sa main droite la matraque pendue à sa ceinture, le gardien s'est avancé dans le dos de Sanders. Qui a improvisé :

— J'ai lu dans ta rubrique que Hack raccrochait les gants. Je suppose que ça serait pas évident pour lui de rester dans les parages, maintenant qu'on a mis le meurtre de Gig sur le dos de sa femme.

Burney m'a jeté un regard censé me transpercer jusqu'à la moelle des os. Comme je ne bronchais pas, il a ajouté :

— Un arrangement vachement commode, si tu veux mon avis.

— Je n'en veux pas.

J'ai changé de sujet :

— Enrôle ta femme sur ce coup-là, Burney. Elle a l'air assez redoutable.

— Je lui fais pas confiance.

Cette remarque m'a arraché un grognement :

— Parce qu'à *moi*, tu me fais confiance ? C'est la meilleure.

Le gardien avait repris sa promenade et il était maintenant trop loin pour entendre. Burney est passé à la vitesse supérieure :

— Ils ont retourné Daws contre moi, il va déclarer que j'ai battu Claire à mort. C'est pas vrai et tu le sais.

— Décidément, à qui se fier ? Le petit personnel n'est plus ce qu'il était.

— Je l'ai pas tuée, Bill.

Il la jouait sincère.

— Exact. Tu lui as juste fait faire la pute dans ton petit racket de merde.

24

– Eh bien, qu'on me juge pour ça ! De mon poste d'observation à moi, ça fait une sacrée bon Dieu de différence. Je l'ai pas tuée. Et Larry non plus, mais c'est lui qui l'a cognée. J'ai beau le répéter depuis le début, on veut pas me croire. On veut que ce soit *moi* qui plonge. Ils feront tout pour avoir ma peau.

– Burney, tu parles comme tous les mauvais perdants : « C'est pas *moi*, c'est *eux*. » Va te faire foutre. Toi et ces fameux « ils » que tu n'arrêtes pas de mentionner.

– Écoute, je peux pas te dire carrément qui est impliqué. Mais bon Dieu, Bill, y a pas besoin d'être un génie pour le deviner.

Il a désigné d'un geste le décor minable et déprimant du parloir. Non loin de là, les épaules rentrées, quelques-uns de ses confrères en scoumoune sortaient un baratin pathétique à leurs visiteurs avant de replonger dans les profondeurs de notre système judiciaire. Ce corral pour criminels était la chasse gardée du procureur Edmund G. « Pat » Brown, le seul magistrat de la ville assez puissant pour faire trembler les avocats et négocier des témoignages.

– Ça ne tient pas debout, Burney. Pourquoi le proc en aurait après toi ?

Il me fixait de ses yeux brillants :

– Voilà ce que je dois découvrir.

L'amusement qu'avait pu me procurer ce tissu d'insanités s'était dissipé et je ressentais surtout de la colère. Pas seulement parce que Sanders était un trouduc. C'était un trouduc chiant – et chronophage. Un amateur. Acculé à un *vrai* délai, il s'avérait infoutu de mettre les faits essentiels à la une.

– Tu veux la vérité, mon pote ? Claire est morte. On s'en tape, des détails. Elle a laissé trois petits orphelins et quelqu'un va devoir payer. C'est sur toi que ça tombe.

– Tu parles d'une justice.

– Elle est morte et toi tu vis. Tu parles d'une justice, en effet.

– D'accord, appelle Jake Ehrlich. Y a un téléphone juste là, dehors. Vous êtes grands copains, tous les deux. Dis-lui de s'occuper de mon affaire. Il pigera tout de suite que c'est un coup monté.

J'ai éclaté de rire. Gaspiller mon crédit auprès du meilleur criminaliste de la ville pour aider Burney Sanders, escroc à la petite semaine qui avait projeté de me faire chanter – et tué la femme que j'aimais ?

– Dans tes rêves, Burney.

– Tu crois ? Si un ou deux trucs avaient tourné autrement, c'est *toi* qui te retrouverais ici à essayer de sauver ta peau. C'est pour ça que j'ai fait appel à toi, tu vois. Tu connais la vérité. T'avais une liaison avec Claire. T'as réussi à tirer ton épingle du jeu quand elle est morte, en racontant aux flics une histoire bien ficelée. Mais comme je disais, c'est que le sommet de l'iceberg. Tout ce que je demande, c'est la possibilité de réfuter cette accusation. Je l'ai pas tuée. C'était un accident. S'il y a un procès et qu'on essaie de m'avoir avec des témoignages bidon, des preuves fabriquées de toutes pièces, je balancerai des noms, un vrai annuaire. Les noms de toutes les personnes impliquées, y compris *le tien*. Qu'est-ce que j'aurai à perdre ? Rends-moi ce service. Aide-moi à débusquer les vrais salauds, et j'oublierai de mentionner au tribunal que tu sautais l'épouse de notre héroïque poids lourd local.

J'avais fait disparaître toute trace d'un quelconque lien entre ma personne et les décès de Claire Escalante et Gig Liardi – manager de son mari, le boxeur Hack Escalante ; et il y avait peu de chances que l'on vienne me demander des comptes. Mais, si le journalisme m'a enseigné quelque chose, c'est qu'on n'a pas besoin de faits pour détruire quelqu'un. Que le nom de Mister Boxe soit associé, au tribunal, à des passe-temps populaires tels que le chantage, l'adultère ou le meurtre, et je pouvais faire une croix sur ma réputation de mec propre dans un milieu pourri. Après quoi, ce serait la chute directe du dessus du panier au bureau du chômage.

J'ai ignoré la menace voilée de Burney :

– Pas question que je marche. Tu ne m'as pas fourni un seul détail qui m'indique dans quoi ont trempé « ces gens » qui s'en tirent à bon compte. *Même* si je le voulais, je ne saurais pas par où commencer.

– Jette un œil à la rubrique nécrologique de mardi dernier. T'y trouveras un de mes associés, Dexter Threllkyl. On a fait des trucs ensemble. Tu te souviens de la gonzesse qui bossait pour moi ? T'as pas intérêt à mentionner son nom ici, mais tu te souviens d'elle ? J'imagine, vu que c'est elle qui doit avoir aidé Claire à chouraver ces photos de vous deux dans mon bureau. Seulement, elle s'est pas arrêtée là. Elle a aussi pris ce que *les autres* recherchent. Retrouve-la, cette nana. Retrouve-la et tu pigeras un tas de trucs. Concernant Threllkyl, notamment.

Le gardien a enfoncé sa matraque dans le dos de Burney, en annonçant :

– Fin du parloir.

Tandis qu'on le ramenait vers les entrailles de la prison, Burney s'est efforcé d'arborer une expression convenablement pathétique. J'ai jeté un œil à ma montre : il n'avait eu droit qu'à la moitié de ses vingt minutes réglementaires.

CHAPITRE 2

Plutôt qu'à mon génie littéraire, mon succès comme reporter et mon accession au statut de Mister Boxe étaient dus à ma mémoire. Je pouvais restituer n'importe quel combat à la demande, plus fidèlement qu'un enregistrement radiophonique. Retrouver le nom d'un type que sa propre mère n'aurait pas reconnu. Je me rappelais toutes les manœuvres, qui les avait exécutées et comment. J'étais capable de dire qui avait assommé qui, telle ou telle année, pour remporter le titre des poids welter, en précisant non seulement à quelle reprise et grâce à quel enchaînement de coups, mais ce que les boxeurs avaient pris au petit déjeuner.

C'est un don, les gars n'arrêtent pas de me le répéter, de préférence après avoir perdu un pari. Un don qui devient pénible si l'on essaie de tourner la page.

Lorsque Florence Saunders m'avait traîné jusqu'à la prison du comté, j'essayais diligemment d'oublier mes malheurs des mois précédents en me replongeant dans le « circuit » de la boxe. Et j'avais découvert que ma mémoire n'en faisait qu'à sa tête. Au journal, il arrivait que le rire rauque de Claire résonne sans prévenir à mon oreille ; sur le banc de la communion, à l'église, je sentais le creux parfumé de sa gorge et le goût de sa peau ; dans le tramway, aux préoccupations pratiques de mon quotidien venaient se substituer sans ménagement les flashes d'une scène de crime – des photos de Claire étendue sans vie au milieu d'une mare de sang, les yeux encore ouverts.

Donc, il va de soi que je me rappelais Virginia Wagner. La fille qui travaillait pour Burney Sanders. Son numéro de téléphone était gravé dans mon souvenir ; je l'avais composé des dizaines de fois au cours des mois précédents, après avoir découvert ses relations avec Claire Escalante. Elles avaient torpillé à elles deux le racket de Burney, en soulevant la collection de clichés compromettants qui lui permettait de s'y livrer.

Claire était morte, et j'avais redouté que Virginia Wagner ne connaisse le même sort grâce aux bons soins de Burney. Mais son nom n'était jamais apparu dans les nécrologies. Ni ailleurs.

Ce soir-là, une fois revenu au bureau, après les matches, j'ai refait son numéro. J'ai écouté la sonnerie pendant une minute avant de raccrocher, effaré. *Nom de Dieu, pourquoi j'appelle cette gonzesse ?* Parce que Sanders m'avait demandé de la retrouver ? Dieu m'en garde ! Je me posais des questions, voilà tout. Je me demandais ce qu'était devenue cette blonde aux manières brusques, aux traits anguleux, à la serviette bourrée à craquer. On s'était rencontrés une seule fois, au National Hall, le vénérable club de boxe que Burney Sanders avait entrepris de rénover. Je ne l'avais jamais revue depuis. Mais cette serviette de Virginia, je l'avais remarquée chez Claire après sa mort – vide. Peut-être contenait-elle ce que « tout le monde recherchait ». *Tout le monde*, c'était qui, bon Dieu ?

J'ai pivoté sur mon siège et reporté mon attention vers la machine à écrire. Il manquait encore trois pouces-colonne à ma rubrique. Merde, pas question de les consacrer au procès imminent de Burney Sanders ou à une vamp évaporée dans la nature. *Laisse pisser*, je me suis dit.

Et j'ai décidé de remettre une couche de boniment pour les prochains Gants d'Or, qui allaient débuter dans trois semaines. Aucun autre quotidien n'acceptant de s'y coller, j'étais devenu à moi seul l'agence de promotion de ce tournoi amateur parrainé par l'*Inquirer*. Pendant quinze jours, comme chaque année à la même époque, la boxe professionnelle abandonnerait le devant de la scène aux purs et durs. Ce qui m'a rappelé de me procurer des fiches d'inscription supplémentaires pour les jeunes participants. Le nouvel imprimeur n'était pas aussi fiable que ma précédente source d'approvisionnement en matière de fiches et de programmes : Burney Sanders.

Il avait monté sur York Street une bonne petite boîte, dont tous les employés devaient appartenir au même syndicat. Avec ça, Sanders fournissait en pancartes et affiches de nombreux clients de la région, pour la plupart liés au sport. Il touchait un peu à tout ; dans le milieu de la boxe, il faut avoir un filet de sécurité, une entreprise stable, réglo, qui permette de se relever quand on est allé au tapis.

Alors que je cherchais le numéro du nouvel imprimeur, j'ai levé les yeux. Les cent trente-cinq kilos de Manny Gold traversaient le service des sports – on aurait dit un cuirassé pressé de trouver un mouillage. Quand vous bossez dans un journal, les gens savent toujours où vous trouver.

Mon bureau a été obscurci par l'ombre immense de Manny.

– William, mon ami ! Regarde-toi ! Regarde-toi !

C'était la formule de salutation standard de Gold, une tactique de vente éprouvée, appropriée à n'importe quelle circonstance. Vous étiez tombé sur le couplé gagnant ? *Regarde-toi ! Regarde-toi !* Vous étiez tombé par terre, renversé par un camion ? *Regarde-toi ! Regarde-toi !* Manny était un membre éminent de la faune locale, et le seul de la bande à m'appeler William. Obligé de faire réaliser sur-mesure par Omar, le fabricant de tentes, ses costumes à fines rayures blanches, il portait toujours son chapeau avec le bord relevé, comme les anciens pratiquants de boule italienne de Washington Square.

– Je ne t'ai pas vu ce soir, Manny. Ça ne te ressemble pas de manquer un match.

– Priorité aux affaires, hélas. Mais c'est toi l'heureux bénéficiaire. On vient de recevoir ces articles, je voulais te réserver les tout premiers.

Il a contourné mon bureau et sorti de sa poche de veste un mince rectangle de plastique blanc. J'ai eu un instant de panique – quand sa masse avait plané au-dessus de moi, on aurait dit le zeppelin *Hindenburg*. Délicatement, Gold a cueilli trois crayons dans la poche de ma chemise de soirée, pour les remplacer avec adresse par ce bidule en plastique ; le rabat dépassant de la poche portait, en caractères gothiques bleus, l'inscription « monarque des quotidiens ».

– Tu ne laisseras plus jamais de traces de mine de plomb sur une belle chemise. Et, à ce propos…

Ouvrant le poing, il a fait apparaître comme par magie une douzaine de Ken Extra Gras 722 bien aiguisés – mon crayon préféré. Sur chacun d'entre eux était gravée en lettres d'argent la formule : « Billy Nichols, Doyen de la fraternité pugilistique ».

– Manny, tu n'aurais pas dû…

Il a soigneusement aligné les crayons, pointe vers le bas, dans la pochette en plastique qui garnissait maintenant la poche de poitrine de ma chemise ; puis, il les a tapotés pour les mettre en place.

– Avec mes compliments. Autant qu'il t'en faudra. Tu me fais signe.

Emmanuel Goldstein, dit Manny Gold, avait investi avec des associés dans un commerce de gadgets publicitaires, C. J. Enterprises, opérant à partir d'un banal entrepôt de la 16e Rue, au pied de la colline de Potrero Hill. Les spéculations allaient bon train sur les autres marchandises qui pouvaient transiter par cet établissement ; on se demandait également de quels mots les lettres « C. J. » étaient *vraiment* les initiales – les camarades et les clients de Gold ayant quant à eux décrété depuis belle lurette, à l'unanimité, qu'elles signifiaient « Colossal Juif ». Manny trempait dans des trafics d'un bout à l'autre de la ville. Je le connaissais depuis plus de dix ans ; période durant laquelle je ne me rappelais pas l'avoir vu une seule fois *ne pas* bonimenter. Pendant les matches, c'était le type le plus actif de l'arène ; il se baladait des premières aux dernières loges en baratinant et en flairant les scores.

Tout le monde convenait que son plus gros coup avait été de réussir à glisser une alliance au doigt d'Elizabeth « Peggy » Winokur. Avant-guerre, ce mannequin du cru avait été l'une des femmes les plus photographiées de San Francisco. Les agents des studios de Hollywood la pourchassaient de bals en défilés et une brillante destinée l'attendait, ou du moins semblait l'attendre, au-delà des limites de la ville. Pour blaguer, nous avions tous l'habitude de dire que la cour faite par Manny Gold à cette beauté très demandée avait représenté l'une des ventes les plus remarquables du siècle. En lui répondant «Oui», Peggy Winokur avait transformé Manny non seulement en type honnête, mais en légende locale.

– William, comment va ta belle épouse ? Et le petit ? Ce sera une vedette du cinéma, avec les parents qu'il a. Tout se passe bien à la maison, j'espère.

– Ida se porte comme un charme. Le petit est sage.

– Comment s'appelle-t-il, déjà ? Je suis désolé…

– Vincent.

– Ça lui fait quel âge, maintenant ?

– Six mois.

Je brassais des papiers sur mon bureau, en espérant que Manny comprenne et se casse. Mais pas lui, aucune chance. Jamais pendant le travail. J'étais encore bon pour cinq minutes de son numéro de beau parleur bien élevé. Si, au bout de ce délai, il n'avait toujours rien ferré, il redeviendrait lui-même.

– Vous y avez mis le temps. Peggy et moi, on commençait à croire que vous n'auriez jamais d'enfants.

– Comme quoi il ne faut jurer de rien, hein ?

J'ai indiqué le siège placé près de mon bureau, certain que Manny le refuserait.

– Oh, non, merci, je vais rester debout.

Et comment, bon Dieu. Il aurait *peut-être* réussi à coincer son cul dans ce fauteuil, mais un treuil et une grue auraient été nécessaires pour l'en déloger.

– Est-ce qu'Ida a retrouvé sa silhouette ? Parce que je voudrais que tu l'amènes dans mon entrepôt, un de ces quatre. J'ai eu la chance de faire main basse sur une cargaison de robes arrivée de Thaïlande. Une marchandise magnifique, magnifique. Ida pourra choisir ce qu'elle voudra. Presque tout est en soie. Ça te coûterait la peau des fesses chez Magnin, c'est moi qui te le dis. Je les ai eues pour trois fois rien. T'en parles à personne, parce que je négocie avec la Ville de Paris, ils n'ont pas besoin de savoir où je me fournis. Ni ce que je paie, bon Dieu. Mais passe au magasin, je m'occuperai de toi. Et venez dîner à la maison, Peggy cuisinera. Elle aimerait rencontrer Ida et le petit… Vincent.

De l'un des crayons offerts par Manny, j'ai tapoté la pile des décombres du jour amoncelés sur mon bureau. Et j'ai souri. *Marre-toi*, me suis-je rappelé pour la centième fois de la journée. Indéniablement, à petites doses, Manny était toujours marrant, avec son stock intarissable de salades et d'arnaques. Mais il était vingt-deux heures et quarante-cinq minutes, je n'avais pas encore tout à fait terminé et, dans un quart d'heure, Tony Bernal m'attendrait dehors pour me ramener à la maison.

— Qu'est-ce que tu dis de ce protège-poche ? Pas con, hein ? La classe, pour un environnement professionnel tel qu'un bureau de rédaction.

— J'ai remarqué l'inscription.

— « Le monarque des quotidiens. » C'est fort mais subtil, tu ne trouves pas ?

— Tu as prononcé le mot « subtil », Manny ?

— Je peux en avoir soixante-mille en un clin d'œil. Douze cents dollars le lot, tout compris. À deux *cents* la bête, ça équipe l'ensemble du personnel et le reste peut aller aux nouveaux abonnés. À qui dois-je parler ?

— On sort d'une campagne promotionnelle.

— Vous avez offert quoi, en cadeau de bienvenue ?

— Deux mois d'abonnement gratis.

— Ridicule. Ça représente un vrai manque à gagner. Ce truc, là, c'est deux *cents*.

— Ce truc, là, c'est un petit bout de plastique. Ce qui ne veut pas dire que je n'apprécie pas sincèrement le mien.

— Attends de voir la différence dans tes notes de blanchisserie !

— Je ne sais pas s'ils seront séduits, Manny. Je ne sais même pas si…

– Deux *cents* l'unité ! Tu veux dire que Hearst ne peut pas montrer deux *cents* de gratitude à son personnel et à ses nouveaux abonnés ? Putain de bordel, il chie des briques en or après le petit déj' !

Avec un remarquable sens de l'à-propos, c'est l'instant que le garçon de bureau a choisi pour reparaître. Je l'avais dépêché à la morgue plus d'une demi-heure auparavant. C'était un lambin de première classe et il se retrouvait toujours à travailler de nuit.

– Voilà l'édition que vous avez demandée, m'sieu Nichols. Celle de mardi dernier.

Le petit gars regardait Gold, bouche bée, comme s'il avait eu affaire à un dinosaure ramené à la vie. J'ai pris le journal que me tendait le gamin et lui ai lancé une pièce de cinq *cents* trouvée dans le tiroir du bureau.

– Je ne voudrais pas être impoli, Manny, mais je dois terminer cette rubrique.

J'ai jeté un coup d'œil à ma montre.

– Et je dois me barrer d'ici dans cinq minutes. Alors…

– Cinq minutes, tu dis ? Je vais attendre. Je redescendrai avec toi.

– Comme tu voudras.

Et j'ai reporté mon attention vers ma machine à écrire. J'avais horreur qu'on se tienne derrière moi pendant que j'écrivais ; en l'occurrence, j'avais l'impression d'être cerné par tout un bataillon. J'ai néanmoins martelé mon clavier de mon mieux, en alignant d'ultimes ragots pour remplir l'espace du jeudi. J'arrachais la feuille du chariot lorsque Gold m'a demandé, l'air de rien :

– Comme ça, t'es allé voir Burney ?

Il brandissait un des messages de Sanders, qu'il venait d'extraire du désordre encombrant mon bureau. Foutu fouinard.

– Ouais, ai-je admis. Une brève visite.

– Et il tient le coup ? J'ai entendu dire qu'on est en train de monter un sacré dossier contre lui. Difficile à croire, hein ? Qu'il ait tué la femme de Hack. Qu'est-ce qu'il en a dit ?

– Pas grand-chose. On a surtout causé affaires.

– Difficile à croire, a répété Gold.

Il a replacé la lettre sur le monceau de paperasses. S'il avait lu le gribouillis de Sanders, mon mensonge devait effectivement lui paraître « difficile à croire ». Les efforts désespérés déployés par l'accusé pour trouver une oreille attentive n'avaient aucun rapport avec de quelconques « affaires ».

Manny m'a regardé en secouant la tête :

– Difficile de croire que cette petite merde ait vraiment pu tuer quelqu'un. Quel monde !

Chapitre 3

On s'est retrouvés dans l'ascenseur avec une meute de filles du service de production, libérées à la fin de leur longue journée de travail. La descente a été dominée par la corpulence de Manny. Quand l'une des employées a esquissé des pas de côté furtifs pour éviter son contact, moi qui l'avais souvent vu fendre une foule à la façon d'un tank, j'ai été surpris de voir le rose de l'embarras lui monter aux joues. Encore une petite humiliation, histoire de couronner une journée de merde, ai-je soupçonné. Mes façons cavalières n'avaient pas arrangé les choses.

– Hé, les filles !

Je m'étais exprimé assez fort pour attirer leur attention et celle de Manny. Écartant les revers de mon manteau et de ma veste, je leur ai montré le « protège-poche », avec son inscription :

– Plutôt bath, non ?

J'ai eu droit à quelques expressions légèrement perplexes, mais une des filles, bénie soit-elle, s'est penchée pour mieux voir :

– Formide ! Où l'as-tu dégotté ?

– Mon ami, que voici, est le principal distributeur d'articles publicitaires à San Francisco, et il pourra peut-être en procurer à tout le personnel – si on a de la chance.

Le visage de Manny s'est illuminé. Son énorme main a plongé dans la poche magique pour en ressortir trois gadgets brillants, dégageant encore l'odeur chimique du plastique fraîchement pressé. Il zieutait les nanas comme s'il allait d'un instant à l'autre leur accrocher les protège-poche sur la poitrine, mais la plus plantureuse du lot lui a cassé sa baraque :

– Les filles n'ont pas de poche à cet endroit-là, a-t-elle objecté en faisant la moue.

Sur quoi, elle s'est redressée pour donner du relief à son argument. Joli impair de la part de Manny – j'ai vu son regard se ternir. En une fraction de seconde, la moitié de son marché venait de s'évaporer. Son baratin promotionnel avait besoin d'un coup de peinture, et vite.

– Offrez-en à vos petits amis, a-t-il proposé pour se rattraper.

La porte de l'ascenseur s'est ouverte sur le hall de l'immeuble. Deux filles se sont éloignées nonchalamment, les mains vides. La mignonne qui avait saisi ma perche s'est emparée des trois pochettes en plastique que Manny serrait dans sa pogne.

– Merci mille fois, vieux, a-t-elle gazouillé.

– Je te trouverai le nom du mec à contacter au service des promos, ai-je assuré à Manny. Tout ce que je peux faire, c'est te mettre le pied à l'étrier. Ensuite…

– Je ne t'en demande pas plus, mon ami.

Retrouvant des couleurs, il m'a passé un bras autour des épaules et escorté solennellement jusqu'à la sortie du Hearst Building :

– Tu me fais la courte échelle, je m'occupe du reste.

Les filles se bousculaient pour franchir les lourdes portes donnant sur le croisement de la 3e Rue et de Market Street. Freinées dans leur élan par la fraîcheur imprévue de la température, elles se sont rapprochées les unes des autres en bavardant bruyamment avant de traverser la rue au trot, aiguillonnées par le vent hurlant qui faisait rage le long de l'artère principale. Autour des lampadaires tourbillonnaient des halos de brume. Les quelques malheureux qui se gelaient en attendant un tramway pour la banlieue penseraient à prendre un pardessus, le lendemain. Cette année-là, l'été indien avait fini tôt.

– Je peux te déposer quelque part ? m'a proposé Manny. Je suis garé dans Sutter Street.

– C'est bon, on va passer me prendre. Mais je te remercie.

– Tu m'appelleras pour me filer le nom du mec des promotions ?

– T'inquiète.

– Merci, William.

Au moyen de mon journal plié – l'édition que le gamin était allé me chercher dans les archives –, je lui ai donné une tape d'adieu. Manny a traversé Market Street en se dandinant avec une prudence et un manque d'aplomb inhabituels.

Le regard tourné vers la 3e Rue, je croyais déjà voir Tony Bernal tirer sur sa vingtième sèche de la journée, assis sur l'aile de son coupé au commencement de Stevenson Alley; mais il n'était pas là. Vingt-trois heures dix à ma montre, ce retard ne ressemblait guère à Tony.

Je me suis installé bien en vue sous le réverbère et, en attendant mon chauffeur, j'ai déplié le journal et fait défiler les coins des feuilles sous mon index. Pas besoin de vérifier les numéros, je connaissais l'*Inquirer* sur le bout des doigts. Parvenu à la bonne page, j'ai replié le journal d'un geste sec, en habitué des trajets en tram, et je me suis plongé dans la rubrique nécrologique.

> THRELLKYL, Dexter. A trouvé le repos éternel à l'âge de 63 ans, le 25 octobre 1948, en paix avec le Seigneur, à San Francisco (Californie). D'après Astrid Threllkyl, sa femme depuis trente-sept ans, qui a découvert le corps dimanche soir à leur domicile de Vallejo Street, monsieur Threllkyl aurait succombé à une crise cardiaque. Ce natif de l'Oklahoma (Gutherie, 1885), avocat respecté et spécialiste du droit des sociétés, comptait parmi ses clients nombre des plus importantes entreprises de San Francisco. L'intelligence précoce de monsieur Threllkyl lui avait valu une bourse à l'université de Princeton, où il obtint son diplôme avec mention en 1903. Avant de s'établir à San Francisco, il avait travaillé à Washington pour l'Office fédéral du logement et pour le Bureau de l'aménagement du territoire. Outre son épouse, il laisse deux filles, Devin et Dulcie. Le service funèbre aura lieu dans la plus stricte intimité.

Je ne voyais vraiment pas le rapport entre Burney Sanders et un jongleur de contrats sélect comme Threllkyl; ni ce que Burney espérait me voir retirer de la lecture de cette nécrologie. Les deux hommes évoluaient de toute évidence dans des sphères différentes et j'avais du mal à imaginer les circonstances qui auraient pu les amener à collaborer. Cela dit, certains éléments pouvaient m'échapper. Après tout, je ne m'étais pas représenté non plus Burney en père de famille.

Par acquit de conscience, j'ai relu l'article plusieurs fois. L'éclat de ce réverbère était faiblard, les caractères petits et je ne les déchiffrais qu'en clignant des yeux. Pour ne pas avoir entendu l'accident, je devais être sacrément concentré.

Lorsque les cris ont retenti, j'ai levé le nez du journal. Il m'a semblé qu'une bourrasque d'appréhension, soudain, réchauffait l'air nocturne. Des jeunes couraient sur la 3e Rue, l'air de se dire : «Faut pas rater ça.» Puis il y a eu la sirène. À deux rues de là, vers le sud, j'ai vu des feux arrière bouchonner et se coaguler à l'angle de la 3e et de Howard Street. Et, dans un éclair de magnésium, j'ai distingué une carcasse de voiture fumante. J'étais prêt à parier ma chemise que ce photographe surgi au bon moment n'était autre que Jack Early, du *Call-Bulletin*. Odieux salopard dénué de scrupules, il n'avait pas son pareil pour décrocher des photos sensass. On aurait cru que c'étaient des coups montés.

Je me suis avancé vers le lieu de l'accident. À la lueur du flash, j'avais cru reconnaître la carrosserie du véhicule de Tony Bernal. Un nouvel éclair ne m'a laissé aucun doute : en débouchant de Howard Street sur la 3e Rue, son coupé vert avait défié un camion de livraison – et perdu.

J'ai pris le trot pour ne pas être distancé par les étudiants qui me précédaient, et c'est au triple galop que j'ai atteint le carrefour. Le bitume était constellé d'éclats de verre; des cris s'échappaient de l'automobile. Un flic s'efforçait d'ouvrir la portière, côté passager, tandis que son coéquipier circonscrivait le périmètre au moyen de balises lumineuses. Ils avaient garé leur propre véhicule en travers de la 3e Rue, de manière à bloquer la circulation. Dressé sur le pare-chocs du semi-remorque, Jack Early se préparait à prendre un nouveau cliché en braquant son appareil vers le coupé démoli; à l'instant du

40

flash, alors que je longeais au pas de course un groupe clairsemé de badauds, j'ai aperçu le visage de Tony Bernal, ruisselant de sang et déformé par la douleur, derrière les vestiges du pare-brise.

Tony était un type bien. Son frère Mitch, employé au service de distribution de l'*Inquirer*, avait été champion des Gants d'Or dans les années 1930, catégorie poids coq. Tony avait trois gosses, dont un qu'il amenait régulièrement au bureau. Ce petit avait le virus de l'écriture, particulièrement du journalisme ; on voyait sur son visage qu'il aimait ce genre de pression, qu'il l'absorbait comme une éponge. À tel point que je l'avais laissé se tenir derrière moi au Cow Palace, près du ring, pendant que je tapais à la machine mon article sur le match de championnat des poids lourds Carter-Escalante. Ça faisait presque vingt ans que Tony composait des textes à l'*Inquirer* ; et, depuis plus longtemps que je n'aurais su le dire, il me conduisait aux matches, ou m'en ramenait, ou me reconduisait à la maison après le travail. Il adorait me servir de chauffeur et discuter le bout de gras.

Le flic a enfin réussi à ouvrir la portière passager. Il ne pouvait pas faire grand-chose d'autre, à part encourager le blessé :

– Tenez bon, mon gars.

En reculant, il s'est cogné contre moi et a juré dans sa barbe. Son coéquipier a sauté sur le marchepied du semi-remorque et vérifié l'état du conducteur, hébété mais conscient. Sur le flanc du camion était peinte au pochoir l'inscription « *Major Liquor Company* ».

De nouveaux hululements de sirènes s'approchaient du carrefour. Je me suis penché pour adresser quelques mots de réconfort à Tony et j'ai aperçu, du côté de la voiture qui avait subi le choc, sa jambe gauche horriblement tordue et coincée. Le siège avant et le plancher étaient jonchés de débris de verre. C'était peut-être sa tête qui avait cassé le pare-brise ; il avait de la chance d'être encore en vie. J'ai gueulé :

– T'en fais pas, Tony, ils vont te sortir de là !

Il m'a fixé de ses yeux remplis de larmes. Je ne jurerais pas qu'il savait, à ce moment-là, qui j'étais – ou qu'il en avait quelque chose à cirer. Au cours des vingt minutes suivantes, Tony n'a rien dit d'autre que « Ma putain de jambe… », tandis que les sauveteurs s'efforçaient de le sortir du métal broyé. Le temps que les flics débarquent pour interroger les témoins, ceux qui avaient effectivement assisté à l'accident étaient partis depuis longtemps. Seuls traînaient encore quelques retardataires animés d'une curiosité morbide. Personnellement, je n'ai pu fournir que l'identité du blessé.

À ce stade, Jack Early s'était lui aussi éclipsé. Un reportage exclusif à préparer pour une exceptionnelle cinquième édition du *Call-Bulletin*, qui allait être distribuée dans les rues, à cette heure tardive, déjà datée du lendemain. Les épreuves de Jack Early, sensationnelles à n'en pas douter, étaient sans doute déjà sèches lorsque l'ambulance a embarqué ce qui restait de Tony Bernal.

CHAPITRE 4

Quand je me suis finalement traîné à table pour le petit déjeuner, avec vingt minutes de retard, ma femme a remarqué que j'étais dans un sale état. Pendant la nuit, aucune des ficelles qui m'avaient servi ces derniers temps à apaiser ma conscience coupable n'avait tenu le choc. Je m'étais douché et rasé, mais je n'avais fait que rafraîchir la façade.

— Qu'est-ce qui ne va pas ? s'est enquise Ida.

Sans cesser de nourrir le bébé qui s'agitait sur sa chaise haute, elle m'a versé une tasse de café avec dextérité. J'ai marmonné :

— Un ami à moi a eu un accident de bagnole hier soir. En venant me chercher.

— Il va bien ?

— Je ne sais pas. Il avait vraiment l'air amoché quand on l'a emmené.

— Tu étais *là* ?

— C'est arrivé à deux rues du bureau.

Ida s'est mise à méditer sur l'ordre des choses. Elle tâchait d'évaluer à quelle distance de son petit univers cette tragédie venait de se dérouler. Je connaissais trop bien la manière dont fonctionnait son esprit ; le manuel d'utilisation n'était pas sorcier à comprendre.

— Tu aurais pu être *tué* ! s'est-elle exclamée en serrant le fragile avant-bras du bébé. Quelques minutes plus tard, tu te serais trouvé à bord de cette auto.

Souligner l'égoïsme ou l'absurdité de sa réaction ne m'aurait rien rapporté. Pas de prise de bec entre époux dès le début de la matinée. Je me suis contenté d'approuver :

— Ouais, je suis un petit veinard. J'aurais raté ton café.

Elle a souri. L'infortune de mon ami lui était déjà sortie de la tête.

Dans le cadre de ma politique de retour au calme, je tenais à la ménager. Il fallait admettre qu'elle était devenue plus facile à vivre depuis qu'elle avait un enfant. Pour peu qu'elle apprenne à rentrer ses griffes, notre arrangement expérimental aurait des chances de tenir. Je me disais que si, de mon côté, j'apprenais à rire des malheurs quotidiens, je deviendrais peut-être capable de ne pas voir le visage du vrai père de ce bébé chaque fois que je le regardais. *Ne t'en prends pas au petit*, me remémorais-je. *Il n'a pas demandé à être là.*

— J'ai vu Manny Gold hier soir, après les matches. Il voudrait qu'on passe dîner un soir. Tous les trois.

— Comment va Peggy ? a pépié Ida. Tu veux quelque chose ? Des œufs ?

— Absolument. Et peut-être un ou deux toasts.

Une porte isolait notre coin-repas de la cuisine, où Ida est allée s'affairer tandis que je reprenais du café.

— Il a dit que Peggy avait très envie de voir le g… Vincent. Leur garçon a quel âge, maintenant ? Je n'ai même pas demandé de ses nouvelles à Manny. Impossible de me rappeler son nom.

— Daniel, a fusé la réponse depuis la pièce voisine.

J'ai entendu deux œufs se casser dans une poêle.

— Ça doit lui faire huit ou neuf ans.

Souriant timidement, Ida s'est penchée à la porte du coin-repas :

— Tu te souviens de son cadeau de mariage ?

— Oh, bon Dieu.

Je me suis mis à rire.

— Qu'est-ce qu'il a pu nous bassiner avec ça !

Manny s'était fendu d'un titre de bourse censé correspondre à des actions privilégiées dans une mine d'argent, au fin fond du comté de Stanislaus. Il avait réduit au silence les invités de notre réception au moyen d'un discours sur la valeur exceptionnelle de son présent. On n'aurait plus de soucis à se faire pour envoyer nos enfants à l'université…

– ... Grâce à ce petit bout de papier, s'est esclaffée Ida en agitant sa spatule pour singer Manny.

Elle avait lu dans mes pensées. Alors qu'elle gonflait les joues afin d'accentuer la ressemblance, j'ai demandé :

– Au fait, on l'a toujours, ce truc ?

– Je l'ai mis de côté, a-t-elle soupiré en vidant l'air de ses joues. Quelque part. Tu crois que ça pourrait vraiment avoir de la valeur ?

J'ai fait la grimace :

– Est-ce que Manny Gold vendrait des stylos personnalisés au porte-à-porte s'il avait découvert un filon d'argent ?

La pâle lueur apparue dans son regard s'est évanouie et elle est retournée à son fourneau :

– Sur le plat ou bien cuits des deux côtés, les œufs ?

– Sur le plat, ça ira.

Le bruit du grille-pain qu'elle abaissait.

J'ai encore siroté un peu de café, tandis que le gosse frottait joyeusement une poignée de nourriture contre son bavoir. Tiens, j'avais oublié de placer ma protection « Monarque des quotidiens » dans la poche de ma nouvelle chemise.

En sortant, j'ai trouvé l'*Inquirer* du matin sur le perron. Je l'ai ramassé et glissé dans le vestibule pour Ida, après avoir prélevé la page sportive. La veille au soir, j'avais envoyé ma rubrique si tard que Fuzzy n'avait guère eu le temps de la tripatouiller :

San Francisco Inquirer, le jeudi 4 novembre 1948

ENTRE LES CORDES
par Billy Nichols

« Quelle est la pire décision dont vous vous souveniez ? »

Cette question m'est souvent posée, au téléphone ou sur le « circuit » de la boxe. Presque aussi souvent que : « Quel est le meilleur pugiliste de tous les temps, à armes égales ? »

Celle-là est facile, je n'ai pas besoin de réfléchir pour répondre : « Joe Louis ». Je choisis Louis parce qu'il prenait les choses en main rapidement et efficacement. Si l'on veut s'assurer une place dans les annales du noble art, il faut régler la question en personne. La laisser entre les mains des juges, c'est s'exposer aux ennuis.

La pire décision ? Elle remonte aux débuts de ma carrière. Un poids welter prometteur du nom de Sammy Lawless disputait le match principal de la soirée au Civic Auditorium d'Oakland, en dix reprises, contre un tâcheron nommé Bud Silva. Silva travaillait méthodiquement, plaçant un coup au corps de temps en temps. Pour l'essentiel, Lawless boxait en cercle autour de son adversaire désorienté, qui ne savait plus sur quel pied danser ni à quel saint se vouer. Au septième round, je ne donnais pas seulement Lawless vainqueur aux points, je le voyais déjà s'attaquer au champion des welters, Jimmy McLarnin.

Pourtant, les trois juges accordèrent le match à Silva. Avec une confortable longueur d'avance. Tandis que Lawless, fermant sa porte aux journalistes, râlait dans son vestiaire, j'ai réclamé des explications aux juges. Chacun d'eux, le plus sérieusement du monde, m'en a fourni. Cela allait de : « Silva a dicté le rythme de la rencontre » à : « Il était meilleur au corps à corps », en passant par cet incroyable commentaire : « Lawless a passé la soirée à courir. » La rédaction de ma rubrique m'a donné du fil à retordre, tant j'étais troublé que des arbitres expérimentés aient pu noter le match d'une manière aussi éloignée de ce qui m'avait crevé les yeux. N'étant encore qu'un bleu, j'ai résisté à la tentation, bien connue de mes collègues, de comparer ces experts aux « trois souris aveugles » de la comptine.

Au cours des mois suivants, je devais beaucoup apprendre. Notamment, qu'un des arbitres avait une dent contre le manager de Lawless, remontant à l'époque où ils évoluaient tous deux sur le ring. Un autre de ces juges « objectifs » était aux ordres du nouveau promoteur de l'Auditorium, qui n'avait aucune intention de payer à Lawless la somme qu'il aurait mérité en tant que favori. Le troisième larron était littéralement aveugle, comme il allait le démontrer quelques années plus tard en traversant une rue devant un tramway. Complètement découragé, Lawless remit sa considérable science de la boxe dans sa poche avant de partir vers le sud. Aux dernières nouvelles, il travaillait sur des plateformes pétrolières, près de la côte.

J'ai eu beau les cuisiner au fil des ans, pas un de ces juges n'a jamais admis avoir dépossédé Lawless de sa victoire. Ils défendaient mordicus leur notation et j'ai fini par comprendre que, ce soir-là, nous avions *vraiment* vu un match différent, eux et moi.

Vous avez sans doute entendu cette expression : « Il faut le voir pour le croire. » Le problème, c'est que chacun d'entre nous, pour diverses raisons, a ses propres opinons préconçues. La vérité, comme la beauté, est une question de point de vue : « Il faut le voir pour le croire. »

De ces observations, certains pourraient être tentés de conclure que les matches sont parfois truqués. Je leur répondrais que ce point de vue est beaucoup trop étroit.

C'est la *vie* qui est truquée.

Voilà pourquoi je donne toujours le même conseil aux amateurs quand ils passent professionnels : « Mon gars, ne t'en remets pas aux juges. Trouve-toi suffisamment de punch pour gagner par KO. »

Fuzzy Resnor, chef du service des nouvelles sportives, se tenait près de mon bureau. Mon papier dactylographié, corrigé pour la publication, lui pendait entre les mains.

– Ta rubrique de ce matin est intéressante, Bill. Tiens, j'ai pensé que tu voudrais peut-être la préserver pour la postérité.

Il a placé la feuille au sommet du chaos qui régnait sur mon bureau. Ses corrections brutales, griffonnées à la hâte, ne dépassaient pas la première moitié du texte.

– Je vais sans doute prendre un savon pour avoir publié ça, mais je me suis fait avoir. Merde, je ne savais vraiment pas quoi faire. Tu m'as pris de court, là. Je m'attendais, je ne sais pas, à ce que tu fasses un peu de réclame pour les Gants d'Or.

– L'inspiration m'a submergé.

47

Fuzzy aurait aimé asseoir une fesse sur mon bureau, car c'était sa position favorite lorsqu'il souhaitait avoir une conversation à cœur ouvert ; mais il ne restait plus d'espace libre. Jugeant prudent de ne toucher à aucune des pyramides en équilibre précaire, il a néanmoins développé son sujet :

– La dernière fois que j'ai vérifié, tu te débrouillais plutôt bien. Et tu ne viens pas d'être augmenté ? Assez grassement, je crois. Alors, pourquoi mordre la main qui te nourrit ? Tu connais la musique, je la connais aussi, alors à quoi ça rime, *ça* ?

Il a giflé ma dernière œuvre d'un revers de main dédaigneux. Je n'allais pas me hasarder à discuter ; mais mon crayon s'est mis à tambouriner nerveusement sur une pile de papelards.

– Par ailleurs, on n'a pas intérêt à ce que les gens pensent que nous publions des éditoriaux politiques à la page sportive.

J'étais sincèrement perplexe :

– Merde, qu'est-ce que c'est censé vouloir dire ?

– Avec tout ce tapage autour de la présidentielle, on pourrait s'imaginer que tu insinues quelque chose sur la corruption dans le processus électoral.

– Oh, pour l'amour de Dieu !

J'ai balancé mon crayon sur la table encombrée. Les bureaux de vote avaient fermé deux jours plus tôt, mais l'*Inquirer*, avec une circonspection inhabituelle, s'était gardé de pronostiquer prématurément la victoire de l'un ou l'autre des candidats. À son arrivée sur le ring, Tom Dewey avait été donné comme grand favori, mais Harry Truman avait fini par se ressaisir. Ils arrivaient au coude à coude aux portes de la Maison Blanche et il était trop tôt pour les départager.

– Ma rubrique n'a rien à voir avec cette foutue élection !

Reasnor suivait du doigt la ligne imprimée sur le papier. Il m'a cité :

– « C'est la *vie* qui est truquée. » Tu t'es peut-être laissé emporter, qu'est-ce que tu veux que ça me foute ? Contente-toi de faire ton boulot. Le sport *rassure* les gens. Tu trouves que le monde va mal ?

Écris un bouquin. Tu veux te confesser ? Va voir un prêtre. Ici, tu écris des articles sur la boxe. C'est ce que les gens veulent, c'est ce à quoi ils s'attendent, c'est ce que tu fais de mieux. Aux chiottes la philosophie, sers-nous de la boxe. D'ac ?

Vers quinze heures, apprenant qu'on avait sorti Tony de la salle d'opération pour le transférer dans le service des soins intensifs, j'ai foncé en taxi à l'hôpital central de San Francisco. J'aurais mieux fait de rester au bureau. Comme j'écartais les rideaux pour m'avancer d'un pas hésitant vers la famille de Tony, réunie en silence autour de son lit, sa femme m'a lancé d'une voix sifflante :

– C'est de votre *faute* ! S'il rentrait directement à la maison, le soir, au lieu de vous promener à travers toute la ville, ça ne serait jamais arrivé.

C'était un petit bout de femme en vêtement d'intérieur quelconque, une planche à pain au visage agréable mais fatigué. Elle avait noué un foulard de laine violet autour de ses cheveux noirs en broussaille. Ses yeux brillaient de l'éclat dur de l'agate. D'un geste méprisant, elle a balancé mon bouquet de fleurs et ma boîte de chocolats assortis Whitman's Sampler à l'un de ses trois fils silencieux.

Tony avait l'air d'un cadavre. Ses draps désinfectés, habilement disposés, ne révélaient qu'une jambe horriblement momifiée, soulevée en l'air par un réseau complexe de poulies qui aurait pu être inventé par le professeur Nimbus. Madame Bernal n'en avait pas fini avec moi :

– Qu'est-ce que vous comptez faire pour lui, maintenant ? Hein ? Lui fournir des billets pour les matches, c'est ça qui va l'aider à remarcher ? Vous pourriez venir pousser son fauteuil roulant, histoire d'inverser les rôles.

J'avais l'impression qu'on me maintenait la tête au-dessus d'une casserole d'eau bouillante. De l'autre côté du lit, mon grand admirateur, l'aîné des fils Bernal, celui dont le nom ne me revenait toujours pas, se mâchonnait la lèvre comme si c'était un chewing-gum.

Incapable de croiser mon regard ou celui de sa mère, il contemplait fixement, d'un œil mort, le visage terreux de son père enfoncé dans les oreillers amidonnés. Chacun de nous tripotait le bord du chapeau qu'il tenait à la main.

Soudain, les traits du petit se sont animés. Désignant son vieux de la tête, il a murmuré sur un ton anxieux :

– M'man...

Tony a bougé ses lèvres desséchées et ses doigts se sont repliés sur les draps. Madame Bernal s'est quasiment jetée sur le lit, en pressant son visage contre celui de son mari ; leur progéniture s'est approchée. Je m'écartais discrètement quand l'un des garçons a demandé à sa mère :

– Qu'est-ce qu'il a dit ?

– Tu l'as entendu ? s'est enquis un autre.

– Non, a-t-elle répondu en se redressant. Il est trop faible.

– Il a dit : « Boucle-la, nom de Dieu », a suggéré Nate.

Dont le nom m'est revenu à cet instant. Sa mère lui a jeté un regard noir, en faisant mine de lui coller une beigne.

– Ben, c'est ce qu'il a dit, a insisté Nate, en journaliste consciencieux.

Une fois repassé de l'autre côté des rideaux, j'ai aspiré quelques bouffées d'air de l'hôpital, funeste cocktail de désinfectant et de détresse. Le vaste espace du service des soins intensifs s'étendait sous les lampes énormes suspendues à la poutre maîtresse du haut plafond ; le malheur collectif était cloisonné en « chambres » individuelles par des tiges d'acier et des tentures verdâtres. Je me suis consolé en me disant que nombre de ces chambres abritaient des destins bien pires que celui de Tony.

Mon attention a été attirée par des pas lourds.

– Hé, Mister Boxe, qu'est-ce que tu fiches ici ?

J'ai serré avec effusion la main que me tendait Woody, ancien collègue et l'un des meilleurs reporters de San Francisco. En lisant le nom « Woodrow Montague », on savait qu'on allait savourer la prose du journaliste le mieux documenté, non seulement de l'*Inquirer* mais de la ville entière. Il n'avait pas changé d'un poil depuis notre dernière rencontre : long et mince comme un bouleau, vêtu du costume-cravate d'un gris passe-partout qu'il appelait avec ironie son «déguisement». Sa belle gueule un peu chevaline était ornée de lunettes à la lourde monture de corne noire et surmontée d'une coupe en brosse tellement stricte qu'on voyait son cuir chevelu. Woody faisait penser à un malheureux musicien de jazz blanc, au style professoral, égaré dans un orchestre de Noirs à la coule. Jusqu'à ce qu'il montre de quel bois il se chauffait. Ce «bois», c'était son talent pour l'investigation. Ses articles péchaient peut-être par une certaine austérité, mais ils étaient toujours étayés par des informations en béton.

– Woodrow ! Ça faisait un bail…

Je me sentais heureux de retrouver ce vieux camarade. Après avoir promené un regard circulaire sur le service silencieux, j'ai ajouté :

– Pas de problème, j'espère ?

– Je viens voir Tony Bernal.

Du pouce, j'ai désigné le box que je venais de quitter :

– J'ignorais que vous étiez amis.

– On ne l'est pas. Je travaille sur une affaire concernant la Major Liquor Company et j'ai appris que monsieur Bernal avait été victime, hier soir, d'un accident dans lequel un de leurs camions serait impliqué.

– Ouais, j'étais sur place.

Montague a remonté ses volumineuses lunettes sur son nez et m'a jeté un regard gourmand :

– Tu as été témoin de l'accident ?

– Pas exactement. Je suis arrivé quelques minutes plus tard. Qu'est-ce que tu entends par «travailler sur une affaire» ? Tu n'es tout de même pas devenu avocat ? Pitié, pas ça.

– Eh bien, j'ai passé les examens, reconnais-moi au moins ce mérite. Mais je fais surtout le détective. Privé. Je continue à essayer de découvrir la vérité.

51

Montague avait bâti sa réputation sur une série de reportages, publiés par l'*Inquirer*, dévoilant des lézardes fiscales dans plusieurs contrats de construction municipaux. Lorsqu'il avait commencé à révéler que des grenouillages similaires se pratiquaient au sein de l'armée, William Randolph Hearst, notre grand patron, avait eu les gradés sur le dos. Ça faisait deux ans que Montague avait quitté le journal sans prévenir. Très surpris que sa signature n'apparaisse pas aussitôt dans un quotidien rival, je m'étais dit qu'il avait dû percer au plus haut niveau, peut-être à New York ou à Chicago.

– Tu étais notre meilleur reporter. Le journal a souffert de ton départ.

Sa moue sceptique laissait deviner une histoire longue et complexe :

– Je suis venu donner quelques conseils à la famille de Bernal. Vu ce que je sais sur Virgil Dardi.

Le propriétaire de la Major Liquor Company. On racontait depuis des années que Dardi était lié à la Mafia. Je savais qu'il se payait un quart de page de publicité dans les hebdomadaires de boxe ; mais c'est à peu près tout ce que mes dossiers contenaient sur lui.

– À quoi la famille peut-elle s'attendre ?

– Au pire. Surtout si elle veut le poursuivre. Dardi est arrogant. Ça paraît incroyable, mais il n'est même pas assuré. Il se sent suffisamment protégé, si tu vois ce que je veux dire.

– Tu veux dire par Samish ? Ou bien par... les gars du *syndicat* ?

– Il y a une différence ?

Chapitre 5

San Francisco et Oakland, sa parente pauvre, possédaient toutes deux au centre-ville un palais des sports nommé « Civic Auditorium ». Ce vendredi-là, confortablement assis au bord du ring de l'Auditorium de San Francisco – côté sud de la place Civic Center –, Artie Samish, la *grosse* légume en personne, assistait à une soirée de boxe en compagnie de l'avocat J. W. « Jake » Ehrlich. Sans doute était-ce pour affaires que Samish s'était absenté de son fief de Sacramento. Sa bedaine, gonflée par l'alcool ingurgité au fil des ans, tendait à craquer le devant de son pantalon pied-de-poule ; les bras nonchalamment croisés sur cette gigantesque circonférence, il s'est esclaffé quand Ehrlich lui a glissé une remarque à l'oreille. Stanton Delaplane, du *Chronicle*, avait récemment comparé Amish à l'acteur Sydney Greenstreet, l'onctueux señor Ferrari de *Casablanca*. C'était laisser entendre que ses manières dissimulaient une nature malfaisante. Personnellement, le « patron secret de la Californie » me faisait l'effet d'un tavernier rougeaud et bien nourri, distribuant avec une égale jovialité formules de bons sens et boissons fortes.

Une image appropriée pour un type qui avait distillé son influence politique par alcool interposé. L'Association des brasseurs de l'État de Californie était le premier groupe commercial que Samish ait représenté en tant que lobbyiste, en 1935. La taxe sur la bière n'avait pas augmenté dans l'État depuis qu'il s'était installé à proximité du Capitole local. Il s'était battu pour que le taux d'alcool soit maintenu à 3,2 pour cent ; ça donnait de la pisse de chat, mais distribuée partout, pas seulement dans les bars. Amish avait rapporté une fortune aux brasseurs. Il avait ensuite concocté et fait appliquer avec succès une nouvelle législation fiscale ruineuse pour les brasseurs des autres États, garantissant ainsi un quasi-monopole à l'Association californienne.

Ce n'était que le début. Samish était devenu un leader politique sans parti en créant des syndicats professionnels dans tous les corps de métier possibles et imaginables : ouvriers, camionneurs, machinistes, marchands d'alcool, employés de chemins de fer, de champs de courses, de crèches... Ces divers syndicats l'avaient ensuite désigné pour être leur agent à Sacramento ; comme chacun de leur membre représentait un vote, Samish n'avait pas tardé à faire élire en Californie, le plus simplement du monde, des candidats triés sur le volet auxquels il apportait des voix. Voilà comment ce type, qui n'avait pas plus le bac que moi, s'était créé sa Gestapo personnelle au sein de la législature de l'État.

Avant de gagner mon perchoir habituel dans la zone réservée à la presse, j'ai fait un détour pour aller saluer Jake Ehrlich. Depuis des années, il manquait rarement une soirée de boxe au Civic.

– Ravi de vous voir, Patron.

« Patron » étant le surnom que lui avaient valu ses nombreux succès du barreau, à haut coefficient de médiatisation. Le type le plus connu de la ville s'est levé pour me serrer la main. Vivant à San Francisco depuis son jeune âge, Ehrlich avait conservé des manières impeccables héritées d'une famille de planteurs du Sud.

– Mister Boxe, a-t-il fait aimablement.

Ses poignets mousquetaire étaient amidonnés, d'un blanc neigeux – et pailletés d'or. Jake avait pour signe distinctif un goût vestimentaire d'une invariable splendeur. Cols, poignets et pochette toujours immaculés et affûtés comme des rasoirs. Physiquement, c'était l'opposé de Samish : mince et léger, avec des yeux de reptile et un nez en forme de bec. Son regard trompeusement endormi derrière ses lourdes paupières avait hypnotisé bien des juges et des jurés. Il a ajouté, en désignant son voisin :

– Billy, vous devez connaître Arthur Samish.

– Seulement de réputation, ai-je répondu en serrant la louche au gros homme.

— Arthur, je vous présente Billy Nichols, notre meilleur journaliste de boxe.

— Ne gobez pas tout ce qu'on raconte sur ma personne, m'a avisé Samish. Seulement ce que moi je vous raconte. *Ha !* Je plaisante. Je vous lis depuis des années. Ça fait un bail que je m'intéresse aux matches disputés dans cette ville, vous pouvez me croire. Je me rappelle quand Jack Johnson était venu combattre Al Kaufman. J'étais encore en primaire, à l'école Fremont. Johnson passait tous les jours devant notre école au volant de sa grande décapotable tape-à-l'œil, et il s'arrêtait de temps en temps pour venir nous parler dans la cour de récré. Quel dandy ! Il m'avait fait une sacrée impression, avec ses bonnets de fourrure et ses bijoux fantaisie.

Difficile de ne pas se rengorger lorsque «l'Homme par qui les choses arrivent» vous caresse dans le sens du poil. J'ai réprimé un sourire pour lui demander :

— Vous avez boxé ?

— Je n'appellerais pas ça boxer. Mais pour me battre, merde, je me suis battu, surtout à l'époque où je vendais des journaux. Votre *Inquirer*, en fait. À l'époque où je vivais avec ma mère, Dieu ait son âme, je me levais tous les dimanches à trois heures du matin, je prenais le tramway à l'arrêt de Clement Street et j'allais au Ferry Building, sur les quais. J'étais équipé d'un cageot à pommes monté sur roues, je le traînais jusqu'aux locaux de l'*Inquirer* pour le remplir de journaux à ras bord. Après quoi, je le ramenais dans mon quartier pour vendre le canard à mes voisins. Fallait parfois que je fasse le coup de poing avec les autres vendeurs, ils essayaient de me voler mes exemplaires ou de me chasser de leur territoire.

— Vous aviez quel âge ?

— Dans les neuf ans. Ouais, à peu près. Ma mère et moi, on était allés vivre là-bas après le grand incendie de 1906 et je devais gagner des sous afin de subvenir aux besoins du ménage. Elle s'appelait Henrietta, Dieu la bénisse. Elle m'a élevé toute seule après le départ de mon père. Mon nom est Arthur *H.* Samish, vous savez. Le H., c'est pour ma mère, j'ai remplacé mon deuxième prénom par «Henrietta» à cause d'elle – que la foudre me frappe si je mens !

– Vous devriez écrire un livre.

Rien ne flatte autant un être humain que ce genre de remarque.

– Je le ferai un jour, et alors tout le monde saura où les corps sont enterrés. Le problème, c'est que je ne sais pas écrire. Je sais parler – alors, peut-être que je demanderai à un gratte-papier de me torcher ça. Je m'entends sacrément bien avec vous autres, les journalistes. Sans les journaux, je ne serais arrivé nulle part.

Difficile de ne pas remarquer le groupe chatoyant installé au deuxième rang. Un gringalet basané à la mise recherchée, vêtu d'un remarquable costume bleu à rayures blanches et entouré d'un cheptel de nanas pomponnées. J'ai tout de suite vu que c'était un étranger, avec ses sourcils accolés, broussailleux, et ses mèches noires ondulées maintenues en place par la brillantine. Les femmes croulaient sous la fourrure et ruisselaient de diams ; elles avaient dû faire une razzia sur les boutiques huppées de Union Square. Avec le pèze de l'avorton, à en juger par la manière dont elles le flagornaient.

Ehrlich a surpris mon regard.

– Le chah Mohammad Reza Pahlavi. Venu d'Iran pour s'offrir une petite cure de couleur locale. Et dépenser un peu de blé.

J'ai hoché la tête, comme si je savais qui était cet éminent personnage. En fait, je n'aurais pas pu trouver l'Iran sur une carte si l'on m'avait montré les cinq continents.

– Le harem fait partie du personnel, me suis-je enquis, ou bien ce sont des extras ?

Samish s'est mis à rire et, de son épaisse main droite, m'a asséné une claque sur la cuisse.

– Je vais vous dire quelque chose, mon ami. Si j'ai un talent, c'est de deviner quand un gars a envie de pommes de terre, de pognon ou de filles...

Samish a désigné le souverain d'un hochement de tête avant d'ajouter :

– ... et celui-là ne manque ni de patates, ni de dollars.

Le ricanement d'Ehrlich s'est interrompu ; il venait de reconnaître quelqu'un. J'ai suivi son regard.

— Très inhabituel, a-t-il déclaré. En voilà un que je n'avais encore jamais aperçu à un match.

Au milieu de la foule qui se pressait de l'autre côté du ring, j'ai repéré un individu qui ne m'était pas familier. Il n'avait rien de spécial, sinon la maladresse avec laquelle, flanqué de ses deux acolytes, il se faufilait parmi les habitués. Je me suis dit que ce nouveau venu devait être quelqu'un du palais de justice – le territoire de Jack, qui l'a identifié :

— William Corey. Le substitut du procureur général. Pas du tout dans son élément.

Espérant que mes importants interlocuteurs seraient sensibles à ce genre de badinage, j'ai suggéré :

— Il est peut-être en campagne ?

— Qu'est-ce qu'il pourrait briguer ? a objecté Ehrlich. Pas le poste de Brown. Et certainement pas une toque de juge. Vous avez vu ça, Arthur ?

Amish a haussé les épaules à la vue de l'importun qui faisait du zèle. Apparemment, Corey ne méritait même pas une estimation.

— Vous l'avez déjà affronté au tribunal ? ai-je demandé à Ehrlich.

Il aimait assimiler ses plaidoiries à des rencontres de boxe, sport qu'il avait pratiqué en professionnel dans les années 1920 pour payer ses études de droit. Ses lèvres minces se sont étirées dans un cruel sourire :

— Il n'a pas eu ce privilège. Je le ridiculiserais. Corey n'est qu'un tâcheron dénué de panache.

Au bout de quelques minutes de palabres, j'ai commencé à me flatter d'avoir suffisamment de couilles pour sonder Samish au sujet de Virgil Dardi. J'impressionnerais Woody Montague en glanant des infos confidentielles. Seulement, lorsque s'est présentée dans la conversation la pause idéale, le nom de Dardi m'est resté coincé en travers de la gorge. *Ce n'est pas mon foutu problème*, me suis-je entendu me dire.

À cet instant précis, un essaim de photographes nous est tombé dessus. Jake Ehrlich les a dirigés comme autant d'acteurs, en déployant une subtilité que Cecil B. De Mille lui aurait enviée. Jake savait s'y prendre avec les journaux ; il n'était pas seulement le meilleur avocat de la ville, mais aussi le plus habile des attachés de presse. En quelques instants, il a réussi à aligner cinq rivaux énervés en une phalange ordonnée, prête à immortaliser la sortie du chah en ville. Un ordre a claqué sèchement :

– Hé, les gars… là-haut !

Tous les yeux se sont levés vers le ring, près duquel s'était posté Jack Early. L'éclair de magnésium était tellement inattendu que personne n'a eu le temps de mettre son masque officiel.

– Gagné ! a caqueté Early, abandonnant ses concurrents aux directives d'Ehrlich.

Qui m'a demandé, quand la fusillade de flashes a fini par se calmer :

– Qui était ce type ?

– Jack Early, du *Call-Bulletin*.

L'avocat a sorti une feuille de papier de la poche de son manteau et remarqué, après l'avoir consultée :

– Il n'était même pas sur ma liste. Drôlement fort, ce type.

Tard, peu avant le match principal de la soirée, le « tâcheron » s'est approché du fauteuil que j'occupais au bord du ring. Sa démarche se voulait souple, mais il rebondissait avec trop d'insistance sur la pointe des pieds ; ses mains, en se balançant dans ses poches avec une nonchalance exagérée, y agitaient de la menue monnaie. Il n'avait jamais été des nôtres et ne le serait jamais.

– Billy Nichols, n'est-ce pas ?

Sous les projecteurs aveuglants, son sourire forcé était grotesque.

– William Corey, substitut du procureur. Je suis grand amateur de votre rubrique.

Si ce mensonge flagrant était un échantillon représentatif de ses facultés de persuasion, c'était un miracle qu'il ait jamais obtenu la moindre condamnation. Nous avons échangé une poignée de mains et mon impression s'est encore dégradée. Sa morgue était palpable. Je n'ai pas bronché :

– Enchanté de faire votre connaissance, moi aussi. C'est drôle qu'on ne se soit jamais croisés ici. Un grand amateur tel que vous.

– Je réussis trop rarement à m'échapper du bureau. Mais il me suffit de lire vos comptes rendus pour croire que j'ai assisté aux rencontres.

– Qui est votre favori dans le combat principal ?

J'ai replié ma feuille de match pour l'empêcher de tricher.

– La partie s'annonce trop serrée pour que je m'avance, a-t-il improvisé.

Serrée, mon œil ; Moore allait rafler la mise à la cinquième reprise. Corey a poursuivi :

– Je vous ai vu parler avec Jake Ehrlich. Vous êtes amis ?

– Je connais Jake depuis quelques années.

Mes antennes de journaliste commençaient à se dresser. Je n'ai pu m'empêcher d'ajouter :

– Vous, en revanche, vous ne devez pas être tellement copains.

Dans les affaires d'homicides, Ehrlich avait presque toujours damé le pion au bureau du procureur, ne perdant que quelques rares procès désespérés. Il était payé pour convertir les meurtres en homicides involontaires et y parvenait régulièrement. Si l'on tuait quelqu'un de sang-froid dans la ville ou le comté de San Francisco, il n'y avait qu'à se rappeler ces deux mots : « Appeler Jake. »

– Vous n'auriez pas causé de l'affaire Sanders, par hasard ?

Mes antennes étaient maintenant complètement sorties, et elles me picotaient. Comme s'il parlait du temps qu'il faisait, Corey a poursuivi :

– Vous êtes allé à la prison du comté, l'autre jour. Rendre visite à Burney Sanders, à ce qu'on m'a dit.

J'ai pivoté sur mon siège pour l'observer à nouveau, plus longuement :

– En effet.

– De quoi avez-vous parlé, si je puis me permettre de vous poser la question ?

Il faisait sonner la mitraille dans sa poche, juste au niveau de mon oreille. J'aurais voulu me lever mais il me serrait de près.

– Je ne suis pas sûr de voir où vous voulez en venir. Quelle importance ?

Corey s'est baissé pour me répondre, d'un ton qui n'avait plus rien de désinvolte :

– D'après mon expérience, les prisonniers reçoivent la visite de leur avocat, de leur famille et des amis désireux de les soutenir. En préparant le dossier de l'accusation, j'ai découvert qu'une partie des preuves décisives incriminant Sanders avait été fournie à la police par un certain Billy Nichols. Voilà pourquoi je trouve assez curieux que vous lui rendiez visite.

– Vous aussi ?

Mon air insouciant ne me convainquait pas moi-même.

La rumeur de la foule s'est amplifiée. Les boxeurs venaient de pénétrer dans l'arène et se dirigeaient vers le ring. Corey s'est encore approché, en posant une main sur le dossier de mon fauteuil :

– Il faudra peut-être que je vous convoque en tant que témoin de fait. J'aime autant éviter une surprise qui pourrait tout envoyer capoter.

– Quel genre de surprise ?

– Jake Ehrlich, par exemple.

Apparemment, les plaidoiries du Patron le faisaient faire dans son froc.

De même que j'avais rigolé quand Burney m'avait supplié d'Appeler Jake, je me suis moqué des suppositions de Corey :

– Monsieur le substitut du procureur, ai-je répliqué en me détournant, je crois que monsieur Ehrlich a d'autres chats à fouetter.

– C'est *moi* qui les fouette – lui, il les relâche. Je n'aimerais pas du tout voir la question traitée de manière déplacée dans votre page sportive. Cette situation n'est pas jolie-jolie, et elle nuit à l'image de la boxe. Le fait que quelqu'un de votre milieu soit un assassin, je veux dire. Voilà qui ne présente pas le noble art sous un jour très flatteur.

– Je demande « Quoi de neuf ? » à Jake et… vous en concluez tout ça ?

– Si vous étiez convoqué comme témoin par le ministère public, je ne pense pas que vous apprécieriez la perspective que monsieur Ehrlich vous fasse subir un contre-interrogatoire.

– Puisque vous avez des preuves sérieuses contre Sanders, je ne vois pas en quoi ça peut vous tracasser.

Trop impulsif. Mon antipathie instinctive avait pris le dessus.

– Sanders est coupable, a rétorqué William Corey, et je n'aurai aucun mal à le prouver.

J'ai glissé une feuille dans ma Royal et commencé à marteler le clavier. Sachant qu'il allait se pencher pour regarder, je reproduisais ses paroles le plus fidèlement possible.

– Je peux vous citer, n'est-ce pas ? ai-je demandé sans en avoir la moindre intention.

Il ne m'a pas répondu. Les combattants s'échauffaient à présent au milieu du ring et le gong a sollicité l'attention de la foule.

– J'ai été ravi de vous rencontrer, monsieur Nichols, m'a lancé le substitut du procureur avant de regagner son siège.

– Moi aussi, ai-je répondu avec une égale sincérité.

CHAPITRE 6

San Francisco Inquirer, le mardi 26 février 1946

ENTRE LES CORDES
par Billy Nichols

Moi qui aime regarder travailler un maître, et pas seulement sur le ring, je viens de voir à l'œuvre un combattant digne de ce titre. Son nom est Jake Ehrlich ; il est avocat, mais cela ne doit pas être retenu contre lui.

Hier, Ehrlich défendait Leo Leavitt, jeune et impétueux imprésario d'Oakland qui se surnomme lui-même « Leo le Lion ». Ses adversaires l'appellent « Leo le Million », et l'accusent de vouloir s'assurer le monopole des matches de boxe dans la région de la Baie de San Francisco. Sa stratégie consisterait à porter la double casquette de promoteur et de manager, cumul interdit par toutes les commissions de contrôle.

Les concurrents de Leavitt ont répandu une rumeur selon laquelle la rencontre organisée l'an dernier par ses soins entre le champion local Phainting Phil Brubaker et Eddie Simms, de Cleveland, avait pu être truquée. Simms aurait reçu de Leo vingt pour cent de la recette et une enveloppe de sept cent cinquante dollars pour saboter sa performance – et ainsi donner un coup de pouce à la carrière languissante de Brubaker, le poulain de Leo.

Attentif aux rumeurs, Jake Ehrlich avait assisté à ce match aux côtés de Slip Madigan, l'ex-champion de football de l'université de Notre-Dame, dans l'Indiana. Ce fut un four d'où semblait absente toute intention, bonne ou mauvaise. Harcelé par les sifflets insistants de la foule, l'arbitre, « Honest » Billy Burke, arrêta les frais à la septième reprise en ajournant le combat ; les bourses ne furent pas versées.

Leavitt, couvert d'opprobre, décida d'« appeler Jake ».

Hier, à l'audience de la Commission des sports pour l'État de Californie qui se tenait au Palace Hotel, Ehrlich a assuré avec pugnacité la défense de Leo le Lion, maniant le jargon juridique aussi habilement que Sugar Ray Robinson les enchaînements. Pendant près d'une heure, il a arpenté le plancher comme si c'était son tapis de boxe personnel, simulant pratiquement les coups, façon *shadow-boxing*, tandis qu'il retraçait l'histoire du noble art depuis Jules César jusqu'à Cesar Brion.

À un moment donné, Ehrlich a exhibé des agrandissements de mains tuméfiées :

— Sur quoi cognait-il, si ce n'est Simms ? s'est écrié l'avocat. Sur les poteaux du ring ?

Le public était trop fasciné pour exiger de voir la preuve que ces appendices maltraités appartenaient bien à Phainting Phil Brubaker.

Jake venait de citer Sophocle et Shakespeare à des poires à peine capables de déchiffrer des comptines. Quand il en a eu fini, les folliculaires locaux voyaient déjà en lui le prochain commissaire de la boxe.

— Une très mauvaise idée, pour le coup, a-t-il estimé.

Ce compte rendu datant de 1946 m'avait valu un tabouret à côté de celui du Patron lorsqu'il nous arrivait de nous rencontrer dans un bar ; mais, à ma connaissance, rien de plus. L'idée qu'il puisse me faire profiter de ses conseils juridiques à un tarif avantageux ne m'avait jamais traversé l'esprit.

Ça faisait un bail que Jake Ehrlich s'était débarrassé des sangsues désireuses de s'offrir ses services au rabais. La bande laquée jaune qu'il avait peinte sur son bureau était entrée dans la légende. Quand il estimait avoir suffisamment parlé gratis, il se contentait de tapoter cette ligne jaune : le moment était venu pour le client potentiel de mettre la main à la poche, ou les bouts.

Comment Jake aurait-il réagi, vendredi soir, si j'avais fait appel à lui de la part de Burney Sanders ? Aurais-je eu droit à son indulgence ?

Je n'étais pas impatient de le découvrir. Merde, je n'avais qu'une crainte, voir Sanders réunir assez de fric pour « appeler Jake ». À l'idée que le Patron puisse planter ses griffes dans cette affaire, je partageais la nervosité de Corey, le substitut du procureur. Jake démolirait les « preuves » réunies contre Sanders avant même que les jurés n'aient confortablement posé leurs culs sur leurs sièges. Je n'avais aucune envie d'avoir affaire au dandy célèbre et fatal qui, dans cette édition matinale du *Call-Bulletin*, fixait d'un air sévère l'objectif de Jake Early.

La similigravure était en bonne place dans les nouvelles. Un sacré cliché, sur trois colonnes à la une. L'approche indirecte de l'habile photographe lui avait permis de saisir l'expression calculatrice de Jake Ehrlich, mais aussi l'ample bedaine d'Artie Samish avant que celui-ci n'ait eu le temps de la rentrer. Les caniches femelles agglutinés autour du playboy persan avaient les regards froids d'ouvrières patientant dans un bureau d'embauche. L'angle furtif de la prise de vue, l'intensité du flash, la candeur des sujets contribuaient à conférer une atmosphère vaguement sinistre à cette photographie prise sur le vif, et j'étais heureux d'en avoir été écarté par le *Call*. En comparaison, la version de l'*Inquirer* était inoffensive : le souvenir standard, à hauteur des yeux, d'une soirée parmi l'élite du monde sportif – mézigue compris.

L'appareil photo ne ment pas, à ce que l'on dit ; mais il *peut* interpréter.

En sonnant, le téléphone m'a évité de continuer à broyer du noir.

– Sports, ai-je grondé.

– Je veux parler à Billy Nichols, le journaliste.

Une voix de femme. Pas une habituée.

– Nichols à l'appareil.

– Monsieur Nichols, à quelle heure quittez-vous le bureau, d'habitude ?

– Ça dépend. Qui pose la question ?

– Écoutez-moi. Il y a un arrêt de tramway à l'angle de la 3ᵉ Rue et de Market Street. Je veux que vous y preniez le premier tram qui partira pour la banlieue après cinq heures, cet après-midi. C'est clair ?

Le ton était sec et haché. J'avais déjà entendu cet organe quelque part.

– Qu'est-ce que vous racontez, bon Dieu ? ai-je protesté.

J'essayais de gagner du temps, pour associer un visage à cette voix impérieuse.

– Je n'aime pas parler au téléphone, monsieur Nichols. Montez dans ce tramway. Je vous trouverai, et alors on parlera.

– Virginia ? ai-je demandé mollement.

Il n'y avait déjà plus de tonalité.

Au croisement de Market Street et de la 3ᵉ Rue, je me suis avancé à petits pas dans la cohue de banlieusards qui prenaient le tramway d'assaut pour rentrer chez eux après leur journée de travail. Je me disais que mon interlocutrice ne devait pas avoir choisi une heure pareille sans raisons ; l'anonymat et la sécurité de la foule, probablement. Ma montre indiquait cinq heures du soir passées de six minutes. J'ai cherché, parmi tous ces visages, les traits délicats et anguleux et la crinière blonde qui étaient tout ce que je me rappelais de la secrétaire de Burney Sanders. Cela, et ses jambes. Splendides, si ma mémoire était bonne.

Heureusement, nous n'étions pas serrés comme des sardines. Un peu plus tôt cette année-là, la ville avait fait arracher les voies les plus rapprochées des trottoirs, et livré le boulevard à une nouvelle flotte de tramways sans rails. Ces véhicules vert et blanc, bien que toujours reliés à des caténaires par des perches, étaient dotés de pneus au lieu de roues métalliques. Ils accueillaient plus de passagers que les anciens, déjà cruellement démodés par rapport à leurs étincelants successeurs.

Une secousse, et nous avons quitté la 3e Rue. Renonçant à essayer de repérer mon inconnue, je me suis installé sur un siège – une planche de bois dure comme du caillou –, en occupant plus d'espace que les bonnes manières ne m'y autorisaient. C'est la fille qui me reconnaîtrait en premier, de toute façon. Ma trombine s'affichait dans le quotidien au-dessus de ma rubrique, « Entre les cordes » ; la caricature était assez ressemblante pour me valoir, chaque jour, des poignées de mains de parfaits étrangers.

Nous avons atteint la 5e Rue sans que personne ne se soit encore manifesté. Dans Market Street, devant le J. C. Penney Building, l'arrêt du tram était submergé par le flux de citoyens qui se déversait du bâtiment. Je me suis rappelé qu'il devait y avoir une inauguration : Louis Lurie, roi de l'immobilier à San Francisco et propriétaire de ce grand magasin en pleine expansion, y avait fait installer des escaliers mécaniques. Des centaines de clients et de badauds étaient venus voir couper le ruban et s'offrir un tour d'escalator.

Arrivé en tête de cette nouvelle vague de passagers, un jeune à tête de furet, affligé d'une acné florissante pour sa double peine, s'est assis à mes côtés avec une arrogance toute juvénile. Moi qui avais réservé cette place à l'intention de mon inconnue...

– On ne laisse pas son siège à une dame ?

L'adolescent mal embouché a levé un regard noir vers Virginia Wagner. Ses boucles blondes avaient disparu ; soit elle avait renoncé à l'eau oxygénée, soit elle se teignait. Ses tresses couleur cannelle étaient surmontées d'une toque noire brodée et elle portait des verres fumés. Je n'avais reconnu que la petite moue écarlate et le ton sec – Betty, mais pas Boop.

– J'étais là en premier, a râlé le gamin.

– Casse-toi, morveux.

Bon, d'accord, Betty Boop revue et corrigée par James Cagney. Quand le gamin maigrichon s'est levé, en s'efforçant d'adopter une attitude menaçante malgré les limites de son potentiel, elle l'a écarté d'un :

– Et apprends la politesse au passage !

Une fois assise, elle a arrangé les plis de sa cape de laine noire. Tel un écolier fier de répondre à la question clef de son examen, j'ai constaté :

– Virginia Wagner.

L'intéressée serrait son sac à main entre ses doigts gantés et regardait droit devant elle. Elle n'a pas plus réagi à mon sourire qu'à ma main tendue.

– Monsieur Nichols, a-t-elle chuchoté, croyez-vous que je puisse revenir à San Francisco sans danger ?

Son profil se découpait sur les costumes de ville des passagers secoués ; les traits de son joli visage de porcelaine étaient tirés et tendus. En remarquant le pouls qui tressautait au creux de sa gorge, j'ai su qu'elle avait le trouillomètre à zéro. J'ai détourné mon regard vers le panneau publicitaire de bière Rainier Ale qui défilait derrière la vitre sale.

– Tout ce que je peux vous dire, au cas où vous auriez peur de finir comme Claire, c'est que Sanders se trouve derrière les barreaux. Et qu'il risque d'y rester longtemps.

– S'il estime que je l'ai trahi en piquant ces trucs dans son bureau…

Sa phrase est restée en suspens ; elle a tangué légèrement de mon côté tandis que le tram repartait vers l'ouest.

– Vous avez raison, a-t-elle repris, je ne veux pas finir comme Claire.

– Après sa mort, j'ai désespérément essayé de vous joindre. Je supposais que c'était vous qui aviez… subtilisé ces documents à Burney – j'avais aperçu votre serviette chez Claire. Je craignais que Burney n'ait pu… vous faire quelque chose à vous aussi. Si vous m'aidiez à remplir les blancs ?

Elle s'est tournée vers moi. Derrière les verres fumés, je distinguais à peine ses yeux. Terriblement sérieuse, elle a encore baissé la voix :

– Tout ce que je veux, c'est reprendre ma vie, monsieur Nichols. Vous êtes plus concerné que moi par toute cette maudite affaire, pourtant vous n'avez pas l'air d'en subir de conséquences fâcheuses. Moi, de mon côté, je n'ai plus de travail. Il y a plus de deux mois que je n'ai pas mis les pieds dans mon propre studio. Je ne dors pas la nuit, je ne mange pas au restaurant, j'ai complètement cessé de sortir. Je ne vois plus mes rares amis. J'en ai marre d'avoir les jetons ! Tout ce que je vous demande, c'est de me garantir que Sanders n'a aucune chance d'éviter la taule. Dites-moi qu'il va y aller. Dites-moi que je peux encore marcher dans la rue sans risquer qu'un de ses hommes de main me fasse sauter la cervelle.

Virginia Wagner avait besoin d'être rassurée. La dernière chose à lui dire était que j'avais vu Burney en prison – pire, qu'il m'avait supplié de la retrouver. Elle ne comprendrait jamais. Moi-même, je n'y entravais que dalle, bon Dieu. Mieux valait l'informer que le substitut du procureur était fermement déterminé à envoyer son ancien patron au trou. Seulement, à l'annonce de cette bonne nouvelle, il était possible qu'elle se contente de filer… et que je ne la revoie jamais. Pour une raison ou pour une autre, je n'y tenais pas. J'ai réfléchi à ma réponse tandis que le tram s'arrêtait devant l'Orpheum Theater dans un grincement de freins.

– Que savez-vous de Dexter Threllkyl ? ai-je demandé à Virginia.

Elle a blêmi. On aurait dit que je venais de lui poser une question sur le sujet des lavements. Quelques secondes brûlantes se sont écoulées. Au croisement animé de Street et Market, des gens sont montés ou descendus dans un tourbillon de genoux, de coudes et de chapeaux.

De nouveau, elle s'est tournée vers moi. Le soleil de cette fin d'après-midi a posé sur son visage un rayon qui, derrière les lunettes noires, a presque éclairé ses yeux.

– Et vous, qu'est-ce que vous savez de lui ? a-t-elle riposté.

– Pas grand-chose. À part qu'il est mort.

Apparemment, Virginia tombait des nues. Elle a ouvert son sac d'un geste vif et s'est mise à fouiller à l'intérieur. Au milieu de l'habituel fatras féminin, j'ai aperçu, dressé telle une pierre tombale parmi des marguerites, la crosse d'un pistolet automatique.

– Nom de Dieu ! a-t-elle grondé.

– Qu'est-ce que vous cherchez ?

– Un bout de papier.

De la poche intérieure de ma veste, j'ai sorti un instrument de reportage, mon mince carnet à spirale. Virginia a ajouté plus doucement, en refermant son sac à main :

– Et un stylo.

J'ai pris un crayon dans le protège-poche de Manny, devenu un élément indispensable de ma garde-robe. Virginia a ouvert le carnet et, après avoir trouvé une page blanche, y a griffonné une adresse. Un homme d'affaires corpulent, qui occupait à lui seul une bonne portion du couloir, nous observait d'un œil perplexe.

– Mon appartement, a-t-elle expliqué.

Elle s'est levée en me rendant carnet et crayon.

– Venez ce soir. Après neuf heures. J'aurai quelque chose à vous montrer.

Virginia est passée devant le monsieur ventru. Il s'est laissé tombé sur le siège qu'elle venait de libérer, non sans l'avoir regardée se faufiler parmi les passagers descendant les marches à l'arrière de la voiture. D'un air admiratif, il a soulevé ses énormes sourcils en broussaille.

– Bien joué, a-t-il commenté. Très impressionnant.

CHAPITRE 7

Mentir à Ida – l'exercice exigeait du doigté. Son détecteur interne était réglé au poil près et elle savait voir le mal dans les remarques les plus innocentes. Des excuses telles que «J'ai encore quelques trucs à finir au bureau» ou «Je dois passer à la salle de sport», fournies au mauvais moment, pouvaient parfaitement éveiller ses soupçons. Si je voulais qu'elle morde à l'hameçon, il me fallait un bon appât.

Je me suis servi d'Ehrlich :

– Désolé, ma chérie, je ne peux pas rentrer dîner ce soir.

J'appelais depuis le téléphone public situé devant le bar de Jimmy Ryan, le Daily Double.

– Jake Ehrlich veut qu'on parle d'une affaire sur laquelle il travaille. On dirait qu'il a besoin d'infos.

– Il t'emmène dîner ? s'est-elle extasiée. Je pourrais être prête en moins d'une heure.

Pour mordre, elle mordait, comme je m'y étais attendu. Les célébrités lui faisaient toujours cet effet.

– C'est juste un pot. Dans un de ses rades des quartiers craspec. Mais il ne peut pas se libérer avant neuf heures, je vais devoir tuer le temps jusque-là.

J'ai perçu sa déception à l'autre bout du fil. Dès qu'elle l'aurait surmontée, elle donnerait un coup de bigo à ses frangines pour se vanter de mon entretien avec le Patron. Je ne craignais pas que la mèche soit éventée; Ida et les siens avaient à peu près autant de chances de tomber sur Ehrlich que moi de gagner le prix Pulitzer.

Avant d'aller dîner, j'ai fait un détour par le Royal Athletic Club. La saison des Gants d'Or avait commencé. La salle était remplie de débutants à la peau satinée, aux muscles à peine ébauchés, aux mouvements hésitants. Peut-être pour éviter de repenser à leur innocence perdue, ou à l'impatience de se distinguer qui les avait jadis taraudés, les professionnels avaient pris la tangente.

Il y avait plus de managers et d'entraîneurs que de gamins. Partagés entre le désir de les protéger et celui de les pousser du nid dans l'arène, pères, oncles ou frères, tous amateurs, surveillaient jalousement les débutants encore intacts. De nombreux habitués rôdaient autour des jeunes espoirs, prêts à recruter celui qui ferait la démonstration d'un direct sortant de l'ordinaire, ou d'une science innée du jeu de jambes.

Je contemplais le spectacle aux côtés de Dewey Thomas, directeur de cette salle. Un feutre brun cabossé coiffait sa crinière d'argent ; il avait enfilé, comme toujours, un coupe-vent par-dessus son cardigan, et ne se départait pas de son air habituel de chien battu.

– Pas de graine de champion en vue ?

– Personne n'a encore fait d'étincelles. Mais si ces ahuris, là-bas, continuent à s'appuyer sur le tablier, ils vont avoir une jolie surprise.

Dewey détestait qu'on s'asseye ou qu'on s'appuie sous les cordes, au bord du tapis. Il avait entouré le ring d'un fil électrique à peine visible et pouvait envoyer le jus depuis son bureau, d'une simple pression sur un interrupteur. Les gens mouraient de peur, et Dewey de rire. Jack Dempsey adorait ce système. Chaque fois qu'il était en ville, il passait une heure ou deux dans le bureau de Dewey, à électrifier les gars. Maintenant que tout le monde était… au courant, Dewey devait les payer pour prendre une châtaigne s'il voulait voir le champion pleurer de rire en s'en allant.

Histoire de causer, j'ai demandé :

– Tu as vu Larry Daws, récemment ?

C'est ça, juste histoire de causer.

– Je me plaindrais pas de ne jamais le revoir, cet enfoiré. Après le plongeon de Burney, je lui avais trouvé un bon match contre Whitlock, avec une bonne bourse, mais il a rien voulu entendre. Toujours les mêmes conneries. Si tu veux mon avis, il est fini. Quel dommage ! Tu te rappelles quand il était passé pro ? Putain de merde, il était *méchant*.

Je suivais Daws depuis ses débuts aux Gants d'Or. Dès qu'il s'était pris quelques gnons dans la tronche, il devenait enragé et se jetait sur son adversaire avec une férocité si démente que l'arbitre était obligé de le retenir. Je n'oublierai jamais son visage empourpré, son regard de fou furieux. Problème : il refusait d'affronter des boxeurs de couleur sur le ring. Daws les accusait de donner des coups en traître, alors que rien n'aurait pu être plus éloigné de la vérité. C'est lui qui était coloré : en *vert*, le vert de la peur. Trahir un gars qui, depuis des années, lui trouvait des combats mais aussi des petits boulots, c'était bien le genre de ce minable, de ce raté.

Pour tester la réaction de Dewey, j'ai relancé la balle :

– Au fait, Daws est le principal témoin de l'accusation contre Sanders.

– Sois sympa, me dis rien. Toute cette histoire me brise le cœur. Le fait qu'un gars comme Hack ait pu perdre sa femme de cette façon. Mais tu sais aussi bien que moi que si Daws et Burney étaient impliqués tous les deux, c'est Daws qui a fait le sale boulot. Ça tiendrait pas debout que ce soit l'inverse. Tu crois pas ?

– Désolé d'avoir abordé le sujet, Dew.

Après un léger dîner de fruits de mer au Maye's Oyster House, suivi de deux ou trois cocktails au Daily Double de Jimmy Ryan, ma petite promenade digestive m'a conduit à la résidence de la Pinède. Cet immeuble de six étages, façade Art déco en stuc, était situé entre les rues Franklin et Gough dans un quartier au nom quelque peu trompeur, Pacific Heights. Une femme qui sortait m'a tenu la lourde porte en fer forgé avec un sourire confiant. Disposés de part et d'autre du hall d'entrée, des miroirs créaient une illusion d'espace. Ce quartier avait connu un boom immobilier juste avant le krach de 1929. Les arabesques dorées du haut plafond auraient comblé les rêves d'un sultan et l'épais tapis grouillait de motifs byzantins ; pourtant, l'immeuble n'était ni assez grand ni assez luxueux pour employer un portier. C'était sans doute une des raisons du départ de Virginia Wagner.

Pas de liftier non plus ; j'ai donc appelé l'ascenseur moi-même. La montée jusqu'au quatrième étage a été trop rapide pour que j'aie le temps de me demander dans quoi je mettais les pieds. Les deux extrémités incurvées du couloir faiblement éclairé par des appliques en céramique se perdaient dans l'ombre. Je me suis avancé tout droit en suivant les numéros. Chaque porte était ornée d'un panneau ouvragé représentant une scène naturelle, un animal – ici un élan, là une grue. Le genre de décoration dont plus personne ne se soucie. Parvenu au bout du corridor, j'ai tapé deux fois sur le cheval qui agrémentait la porte de l'appartement 506.

– Qui est-ce ?

Sa voix caractéristique, étouffée derrière la porte.

– Nichols.

– On ne vous a pas suivi ?

– Je suis tout seul, lui ai-je assuré en jetant un regard circulaire.

À peine entré, j'ai remarqué les livres de tous formats précairement empilés le long des plinthes, tels des gratte-ciels. Virginia a tenu à jeter un coup d'œil dans le corridor, puis elle a refermé la porte et tapoté sur le panneau central, en me faisant remarquer ses charnières :

– Autrefois, ça s'ouvrait, comme dans un speakeasy. On pouvait voir qui se tenait derrière la porte. Pratique, non ?

– Les gens savaient encore bosser, à l'époque.

– Il paraît qu'un locataire s'est fait descendre en passant le nez par l'ouverture, après quoi ils ont cloué tous les panneaux. Dommage !

– La ville n'est plus ce qu'elle était, c'est sûr.

Un petit air de clarinette voletait à travers l'appartement. En suivant Ginny dans le bref couloir, j'ai remarqué qu'elle avait les pieds nus, sous l'ourlet de son peignoir de coton blanc nonchalamment noué. On aurait cru que je lui tombais dessus à l'improviste. La soirée n'était pas particulièrement douce ; pourtant, elle avait entrouvert une ou deux fenêtres de la confortable salle de séjour, et les rideaux transparents se gonflaient comme des voiles. Les murs étaient couverts d'étagères chargées de volumes à craquer. Elle avait converti ce studio isolé en annexe de la bibliothèque municipale.

— Vous m'excuserez, je sors du bain. Je mourais d'envie d'en prendre un, j'ai peur de ne pas avoir vu le temps passer.

Quelques mèches trempées confirmaient ses dires. Comme mon regard commençait à s'égarer, elle a resserré les pans du peignoir.

— Vous lisiez dans la baignoire, je suppose.

De la valise ouverte posée sur le canapé cascadait un fouillis de fringues. Virginia avait dû s'absenter de cet appartement pendant un bout de temps. J'ai humé le parfum dont elle venait de s'asperger, mêlé aux notes florales d'une huile de bain. Le sifflement d'une bouilloire l'a attirée dans la cuisine.

— Je faisais du thé. Vous en voulez ?

Espérant qu'il s'agissait d'un bar, j'ai ouvert furtivement un petit meuble et n'y ai découvert que la lueur verte d'un émetteur de radio, source de ce swing léger qu'on entendait. Il m'a semblé reconnaître Artie Shaw, mais je n'en aurais pas mis ma main à couper ; je lui ai refermé les battants au nez.

— Absolument, je vais prendre une tasse.

En m'asseyant sur le confident aux coussins roses, à côté de la valise, je n'ai pu m'empêcher de remarquer quelques petits dessous qui émergeaient du fatras. J'ai essayé de localiser le sac à main, à cause du flingue qu'il contenait, mais en vain ; je me suis distrait en feuilletant un des bouquins posés sur la table basse, *Le Cher Disparu*, par une certaine Waugh. Il y avait la photo de l'auteur sur le rabat de la couverture. Un mec. Moi aussi, j'aurais fait la gueule si mes parents m'avaient appelé Evelyn.

Virginia est revenue, portant en équilibre un plateau chargé d'une théière peinte à la main et de tasses assorties. Pour poser le plateau sur la table, elle a réussi à mettre un genou à terre sans que le peignoir ne s'ouvre.

– On va laisser infuser un peu, a-t-elle annoncé.

Son visage était rouge et humide. Ses vapeurs ou celle de la théière, comment savoir ? Elle a ajouté :

– Je crois que je devrais m'habiller un peu.

Je me suis abstenu de tout commentaire, en vrai gentleman – rôle de composition qui me donnait toujours du fil à retordre. Virginia a fait le tour de la table basse afin de mettre en hâte un peu d'ordre dans la valise. Tandis que je regardais les petits nuages s'échapper du bec de la théière, elle s'est éloignée à pas feutrés, en serrant contre sa hanche la valise rembourrée et mal fermée. Un rectangle de lumière est apparu sur le mur, derrière une arcade dont la courbe épousait celle du plafond voûté. J'ai gueulé pour couvrir la radio :

– Qu'est-ce que c'est que tous ces bouquins ?

Une fois qu'elle serait convenablement habillée, il ne serait sans doute plus question d'échanger des banalités.

– J'ai étudié la littérature anglaise à l'université de Berkeley !

Dans sa voix, une note de fierté – puis d'amertume :

– Pour ce que ça m'a apporté…

Elle n'a pas tardé à reparaître, toujours pieds nus mais désormais vêtue d'un splendide kimono brodé, d'un vert de jade. La principale différence était ce caraco de satin qu'elle avait passé dessous. Et l'épais dossier en accordéon, fermé par un ruban, qu'elle a posé sur *Le Cher Disparu*. J'ai désigné le dossier d'un hochement de tête :

– C'est ce que vous vouliez me montrer ?

– Minute, papillon, a-t-elle répondu en remplissant nos tasses.

Virginia s'est intéressée à une éclaboussure qu'elle venait de faire.

– J'aimerais commencer par le commencement.

Satisfaite de son examen, elle a disposé les deux tasses.

– Vous n'enlevez pas votre manteau ?

– Parce que ça va durer longtemps ?

– Je pensais que vous seriez plus à l'aise, a-t-elle fait d'un air penaud.

Soucoupe et tasse bien en main, je la fixais d'un regard dénué d'expression. Le manteau n'a pas bougé.

– Ôtez au moins le chapeau, a-t-elle insisté en me faisant signe de le lui tendre.

J'ai retiré mon feutre mais je l'ai placé à côté de moi, fond vers le bas, sur le coussin. «Ne te sépare jamais de ton chapeau», j'observais cette règle après avoir dû plusieurs fois, à prix d'or, lui faire redonner une forme ou redresser le bord.

– Comme il vous plaira.

Virginia a haussé les épaules, avant de prendre un paquet d'Old Gold presque vide dans la poche de son kimono. Elle a sorti une cibiche, en la pinçant entre deux ongles, et m'a tendu le paquet. J'ai décliné d'un geste. Je n'aimais pas les cigarettes et gardais mon dernier Macanudo pour le chemin du retour; elle a allumé la sienne puis a glissé les allumettes sous l'emballage de cellophane des clopes.

– Si vous changez d'avis… a-t-elle suggéré en jetant le paquet sur la table.

La pochette d'allumettes venait de Croll's Gardens, station balnéaire d'Alameda, de l'autre côté de la baie de San Francisco. Avant l'incursion de la marine, en 1949, ç'avait été un coin prospère grâce au parc d'attractions paradisiaque, surnommé «le Coney Island de l'Ouest», installé sur la plage de Neptune Beach. Un petit bar aux murs tapissés de photos de boxe, voilà tout ce qui restait de Croll's Gardens et de Neptune Beach.

– D'abord, je voudrais vous expliquer comment je me suis retrouvée en cheville avec monsieur Sanders.

Une fois perchée sur un fauteuil de cuir rembourré, assorti au canapé, et les genoux pudiquement joints, elle a tiré sur sa tige. Une vraie petite miss Muffet, l'héroïne de la comptine – «assise sur un pouf, buvant son lait caillé» et effrayée par l'arrivée d'une araignée –, ou plutôt sa grande sœur plus expérimentée. Le thé était parfumé par une agréable note d'orange. J'ai jeté à Virginia un regard interrogateur par-dessus le bord de ma tasse, tel le spectateur d'une première qui attend impatiemment le lever de rideau. En essayant de donner l'impression que j'en avais quelque chose à foutre.

CHAPITRE 8

– J'avais un petit ami, il y a deux ou trois ans. Un fieffé menteur, mais passons. Il s'est associé avec monsieur Sanders pour gérer un garage dans la rue Mason. La municipalité faisait arracher les voies de tramway à tour de bras et ils étaient convaincus, tous les deux, que les garages allaient faire un malheur. En plus, gagner de l'argent sans travailler, mon ami avait toujours apprécié cette idée.

– Il a un nom, cet ami ?

– Ce n'est pas important. *Il* n'est pas important.

– Peut-être que je le connais.

– Ce ne serait pas de chance pour vous. Appelons-le Cad. Quelques mois après l'ouverture du garage, ne voyant pas venir les profits espérés, Cad a soupçonné monsieur Sanders de se servir dans la caisse. Et, comme monsieur Sanders ne me connaissait ni d'Ève ni d'Adam, le jour où il a eu besoin de quelqu'un pour sa comptabilité, Cad m'a envoyée le voir sans lui laisser le temps de passer une annonce.

– C'était au garage ?

– Non, non, non – à son bureau de York Street. Monsieur Sanders n'allait jamais au garage. Il possédait aussi une imprimerie, d'où il gérait toutes ses campagnes de publicité pour les matches de boxe. C'était avant qu'il achète le nouveau bâtiment, le National Hall, à l'angle de la 16e Rue et de Capp Street, là où on s'est rencontrés.

Les locaux dans lesquels Burney avait récemment exercé ses activités m'étaient familiers. J'ai hoché la tête.

– Bon, j'ai fait semblant d'être à la recherche d'un emploi. Monsieur Sanders m'a lancé son chéquier et demandé de mettre ses comptes au clair. Fin de l'entretien d'embauche. Il ne m'a demandé aucune référence, rien, j'ai été recrutée sur-le-champ. Très naïf de sa part, j'ai trouvé.

Elle sirotait son thé en tenant sa tasse d'une façon charmante, comme un verre. Pas le genre à garder le petit doigt en l'air.

– Il vous avait peut-être jugée à son goût ?

– C'est censé être un compliment ?

Le tintement de la tasse qu'elle reposait sur la soucoupe.

– Si vous voulez, ai-je fait. C'était plutôt un commentaire sur Bur… sur monsieur Sanders.

– Il n'a jamais eu de geste déplacé, si c'est ce que vous suggérez.

J'ai jeté un coup d'œil au volumineux dossier en accordéon.

– Quand est-ce qu'on en vient à ça ?

Elle l'a placé hors de ma portée et de ma vue – sous ses fesses.

– Je travaillais pour monsieur Sanders depuis environ six mois lorsque j'ai remarqué quelque chose de louche. Bien sûr, à ce stade, j'avais rompu avec mon ami…

– Cad.

– Oui. Mais j'avais décidé de continuer à travailler pour monsieur Sanders. Il payait correctement, et toujours à temps. En fait, ce boulot était la seule bonne chose que m'ait apportée ma relation avec cet abruti de Cad. Ce boulot, et la voiture.

– Qu'est-ce qui était louche ?

– Je gérais des tas de paperasses qui, pour autant que je m'en rende compte, n'avaient rien à voir avec les affaires de monsieur Sanders. Celles que je connaissais, en tout cas. Il n'arrêtait pas de m'envoyer faire certifier des documents devant notaire. Fallait voir les sommes en jeu – faramineux. Actes de propriété, titres de bourse, billets à ordre, sous toutes sortes de noms différents, sociétés, trusts, holdings. Et un nom revenait, encore et toujours…

– Dexter Threllkyl.

– Exact.

Virginia s'est penchée vers la table basse pour secouer sa cendre dans un cendrier en forme de cygne.

– Qu'y a-t-il de louche là-dedans ? Jusque-là, tout me paraît réglo. Ce n'est sans doute qu'une façade, connaissant Burney, mais…

– À un moment, il m'a chargée de répondre au téléphone. Il recevait des appels de gens furieux. J'ai compris qu'ils étaient impliqués dans des transactions avec ce Threllkyl. C'était devenu très tendu.

– Burney vous chargeait de les faire patienter ?

– J'ai des manières désarmantes. En tout cas, on me l'a dit.

– Je suppose qu'il pourrait être jugé désarmant de mener ses affaires en kimono et les pieds nus.

– Je vous présenterais mes excuses… si je pensais que ça vous pose vraiment un problème.

Mes regards se portaient automatiquement vers les régions de sa chair qu'il lui arrivait de dévoiler par instants. Elle l'avait bien sûr remarqué et semblait s'en formaliser ; pourtant, ses intentions n'étaient pas si limpides. Ce n'était pas dans mes habitudes d'être invité chez des jeunes femmes, encore moins pour qu'elles me montrent leurs mollets et leur décolleté.

Un fait important m'est alors revenu en mémoire. Virginia était l'amie de Claire Escalante, qui l'avait sans doute informée de notre liaison. Peut-être qu'elle m'avait catalogué comme un Don Juan à la petite semaine, du genre à essayer d'amener toutes les nanas au pieu ; peut-être qu'il s'agissait d'un test pour savoir si elle pouvait me faire confiance.

Et peut-être que j'étais une vraie bille de me concentrer sur ses chevilles plutôt que sur son récit. Histoire de recadrer le débat, j'ai demandé :

– Quel rôle jouait Claire dans cette histoire ?

– On avait été collègues, dans le temps.

– Où cela ?

À la radio, une chanteuse interprétait une ballade. L'agencement du studio était si exigu que, pour augmenter le son, il a suffi à Virginia de se pencher et d'ouvrir la porte du petit meuble. Au cours de ce mouvement, son léger peignoir s'est entrouvert ; d'un croisement de jambes, elle en a ramené les pans vers elle, en recouvrant le genou brièvement dénudé.

– J'adore cet air, mais je n'arrive jamais à saisir le nom de la chanteuse. Vous la connaissez ?

Pendant quelques instants, nous avons tendu l'oreille. Les rideaux ondulaient doucement. La chanson avait quelque chose de frémissant, de funèbre. Franchement, elle me foutait la chair de poule. J'ai interrompu cette rêverie musicale :

– Aucune idée. Je ne me tiens pas au courant des nouveautés. Vous bossiez où, Claire et vous ?

– Dans un cabinet juridique.

Elle était visiblement déçue que je ne sois pas intéressé par le reste de la chanson.

– J'y étais entrée en 45, juste après la guerre. Avant, j'avais travaillé aux aciéries Bethlehem Steel, vous savez.

Je ne pouvais pas lui en vouloir de s'être exprimée avec autant de fierté. J'ai essayé de l'imaginer en kimono, riveteuse au poing.

– Quand Claire a débarqué dans ce cabinet d'avocats, a-t-elle poursuivi, je m'y trouvais depuis environ un an. On ne s'était pas revues depuis le lycée du quartier irlandais, Mission District.

– C'était quel cabinet ?

– Stout, McNally et Katz. Pourquoi ?

D'un geste, j'ai écarté sa question. Si jamais ç'avait été le cabinet d'Ehrlich, je me serais dégonflé et tiré de là en vitesse.

– J'étais secrétaire juridique. On avait recruté Claire pour gérer le dossier des audiences, mais elle n'est pas restée bien longtemps. Comme vous l'avez peut-être remarqué, elle pouvait se montrer têtue. Elle ne supportait pas qu'on la mène par le bout du nez, et les avocats lui ont tapé sur les nerfs une fois de trop.

– Démission ou licenciement ?

– Démission. On avait prévu de garder le contact, seulement vous savez ce que c'est. Je ne l'ai revue que le jour où elle est entrée dans le bureau de monsieur Sanders.

– Pourquoi aviez-vous quitté Clout et Spatz, enfin, ce cabinet juridique ?

– Je ne l'avais pas quitté. Je ne travaillais pour monsieur Sanders qu'à mi-temps, et j'exerçais toujours l'autre emploi.

– L'inaction doit vous peser.

– *Ha !* J'aime prendre des bains interminables, me plonger dans d'énormes bouquins, ne pas sortir pendant plusieurs jours. Mais ce n'est pas évident quand votre «chéri» vous a extorqué un prêt avant de s'esquiver en compagnie d'une nana facile à bord d'une Cadillac étincelante. Le petit salopard !

– L'oseille investie dans le garage, c'était *la vôtre*.

– En grande partie.

Cherchant des yeux quelque vestige de Cad à maudire, Ginny s'est planté une cigarette entre les lèvres avec une moue boudeuse.

– Pourquoi ne pas avoir dit la vérité à Burney ?

Je me suis aussitôt senti stupide. Emporté par l'empathie, j'avais oublié un instant dans quel monde nous vivions. Virginia, sans même se fatiguer à s'expliquer, a froncé les sourcils et m'a soufflé une bouffée moqueuse à la figure. J'ai repris :

– Eh bien, quand Claire s'est pointée chez Burney, qu'est-ce qu'elle a dit ?

– Au début, rien. Ça nous amusait, vous savez : «Quelle coïncidence !…». Mais je n'ai jamais bien compris ce qu'elle venait faire. Elle parlait de récupérer du fric que monsieur Sanders devait à son mari. Vous savez, le boxeur, Hack Escalante.

Un bref sourire rougissant – *désolée, bien sûr, vous êtes Mister Boxe, le grand journaliste* – avant de reprendre :

– Elle n'est venue que deux ou trois fois, et ça ne plaisait pas à monsieur Sanders. Leur relation me mettait mal à l'aise.

– Burney savait que vous étiez amies ?

– Claire m'avait demandé de ne rien dire. Elle se fermait comme une huître dès qu'il entrait dans le bureau.

– Ce qui contribuait à vous mettre «mal à l'aise».

– Oui. Je ne l'ai plus revue jusqu'à ce qu'elle m'appelle pour m'inviter chez elle. Six mois plus tard, à peu près.

– C'est là qu'elle vous a raconté ce qui se passait vraiment ?

– Elle m'a appris que Burney se livrait au racket. Qu'il faisait chanter les gens grâce à des photos et des documents en sa possession, ce qui pouvait expliquer la provenance de l'argent. Je veux dire, les sommes dépensées pour la nouvelle arène de boxe qu'il faisait construire, et qui ne collaient avec aucun des livres de comptes que je tenais.

— Alors, ces clichés, Claire vous a prié de les barboter. Elle a précisé ce qu'elle cherchait, au juste ?

— On la voyait sur les photographies. C'est ce qu'elle m'a dit.

— Vous les avez eues sous les yeux ?

L'instant s'est éternisé, tandis qu'une lamentation à peine audible s'échappait du poste de TSF.

— Une amie m'a demandé un service que j'ai été heureuse de lui rendre, ce n'était pas une raison pour que je me mêle de sa vie privée.

N'empêche qu'après m'avoir montré ses grands yeux toute la soirée, Virginia Wagner ne pouvait plus soutenir mon regard. J'en ai conclu qu'elle avait bien maté les photos. Claire et moi, nus comme des vers, tout à notre affaire dans cette chambre de l'hôtel Temple louée à l'heure.

J'ai toujours eu le sentiment que les souvenirs ont un poids tangible : celui que nous font porter les morts. Brusquement, la présence de Claire a semblé s'interposer entre Virginia et moi, comme si elle venait seulement de s'absenter de cette pièce, et non de ce monde. Nous avons échangé un bref regard coupable, tels des conspirateurs s'identifiant mutuellement pour la première fois. Après avoir tiré sur sa cigarette, puis écrasé le mégot entre les ailes de porcelaine du cygne, Ginny a soufflé la fumée et remarqué :

— Si j'avais su qu'en soulevant ces photos je signais son arrêt de mort...

— Vous ne l'avez pas tuée, ai-je objecté dans un soupir.

Objection très convaincante – à peu près autant que les innombrables fois où je me l'étais adressée à moi-même.

— Si j'avais laissé ces trucs dans le coffre-fort, Claire serait toujours en vie.

Impatiente de reprendre une clope, elle a empoigné le paquet d'Old Gold. J'ai resservi du thé, histoire de faire quelque chose.

– Après qu'elle a été tuée, vous avez décidé de vous planquer. À Alameda ?

Un éclair de suspicion a brillé dans ses yeux. J'ai attendu qu'elle ait reposé les cigarettes sur la table avant de désigner la pochette d'allumettes.

– Bien vu. Vous faites aussi détective ?

– Écoutez, mademoiselle Wagner, je suis désolé de ce qui est arrivé. Peut-être plus que vous ne le pensez. Mais si ça peut vous consoler, je crois que vous n'avez absolument pas à craindre d'être descendue par Burney.

– Ils vont le mettre sous les verrous.

– Sans aucun doute. Maintenant qu'il y a un témoin, il n'a aucune chance.

Ses doigts frôlaient sa gorge et s'y sont posés, comme si elle vérifiait son pouls.

– Lorsque vous bossiez pour Sanders, est-ce qu'il vous est arrivé de rencontrer un certain Larry Daws ? Un boxeur qui faisait des petits boulots pour lui.

– Ça ne me dit rien. Il faut dire je ne m'occupais pas de boxe. Je n'apprécie pas tellement ce sport.

– Daws va témoigner qu'il a vu Burney frapper Claire et la tuer. Mais je parierais que c'est lui qui a fait le coup.

Elle a réfléchi à mon observation, en sirotant son thé et en tirant sur sa sèche.

– Je suis d'accord avec vous, a-t-elle fini par lâcher. Monsieur San... *Burney* n'aurait jamais pu tuer Claire en lui cognant dessus. Sauf avec un gourdin. Ce Daws lui fait porter le chapeau.

Virginia s'est levée du fauteuil pour s'approcher de la fenêtre et humer l'air de la nuit, tandis que les rideaux se gonflaient autour d'elle. Au bout d'un moment, elle a poussé la fenêtre et, la laissant à peine entrouverte, est revenue s'asseoir. Une nouvelle cigarette entre les doigts, elle a pris le dossier et me l'a tendu :

– Dans le coffre de Burney, avec les photos compromettantes que je lui ai piquées, il y avait *ça*. Dites-moi si vous y comprenez quelque chose.

J'ai repoussé ma tasse de thé, défait le ruban et retiré de la chemise en carton une liasse de documents d'aspect officiel. Sur la première feuille de papier à lettres, en gaufrage, un logo et l'inscription «fondation du mont Davidson». Aussi doué en finances qu'en tapisserie au petit point, je me suis contenté de parcourir la page afin de piger l'essentiel : c'étaient les documents juridiques d'une société de portefeuille. Certaines pages affichaient un assortiment d'actifs aussi diversifié que lucratif : parcelles de terrain, mines, bosquets de bois de construction, puits de pétrole… Sous la rubrique «Actionnaires», une longue série de noms et d'adresses. J'en ai reconnu certains pour les avoir aperçus au hasard de bulletins syndicaux ou de réclames qui revenaient dans les programmes de boxe ; parfois, c'étaient des noms que j'avais entendu mentionner. Virgil Dardi en faisait partie.

– Sautez donc tout ça, m'a aiguillonné Virginia. Vers la fin, ils sont mentionnés tous les deux sur la même page. Sanders et Threllkyl. Regardez.

Cet avenant au volumineux fidéicommis consistait en un document d'une seule page, daté du 28 juin 1948, remplaçant tous les accords antérieurs et cédant à Burney Sanders une participation de cinquante pour cent dans la fondation du mont Davidson. L'avenant portait un sceau de notarisation que je n'ai pas réussi à déchiffrer. Comme les feuilles retombaient à plat, j'ai examiné à nouveau la page de couverture. Parmi les noms d'une poignée de responsables figurait celui de Threllkyl, à titre de directeur général ; au-dessous, celui de Jerome Califro, principal avocat-conseil. Le nom de Burney Sanders n'était nulle part en vue.

– D'où connaissiez-vous Threllkyl ? m'a demandé Ginny d'une voix neutre.

– Je ne le connaissais pas.

– Mais c'est vous qui m'avez parlé de lui. Tout à l'heure, dans le tram.

Pas question d'admettre qu'on m'avait soufflé ce nom, quelques jours plus tôt, à travers les barreaux de la prison du comté. C'était le meilleur moyen d'attiser la paranoïa de cette jeune femme. Une demi-vérité soigneusement manufacturée, voilà ce que la situation appelait :

– Plus d'une fois, j'ai entendu Burney mentionner ses relations avec cet avocat select nommé Threllkyl. En voyant sa nécro, l'autre jour… je me suis demandé si vous le connaissiez, ou si vous étiez au courant de sa mort.

Elle a évalué ma réponse. Comme mensonge, c'était improvisé et pas spécialement convaincant; seulement, c'est tout ce dont je disposais pour continuer à faire tourner la machine. Surmontant ses doutes, si elle en avait, elle m'a interrogé :

– Qu'en pensez-vous ?

– Je ne suis pas expert, mais j'ai l'impression que ça fait de Burney un millionnaire.

– À condition que ce soit réglo. Vous ne croyez pas que ça pourrait être une arnaque ?

Ce que je pensais, c'est que si Burney avait été millionnaire, il aurait pu « appeler Jake » sans passer par mon intermédiaire. Gardant cette opinion par-devers moi, j'ai remis les paperasses dans le dossier, que j'ai replacé sur la table.

– Je ne peux vraiment pas vous répondre, mademoiselle Wagner. Je ne suis pas juriste.

– Pour être tout à fait honnête, monsieur Nichols, c'est une des raisons pour lesquelles je vous ai demandé de venir. Pour voir si vous ne connaîtriez pas un avocat susceptible de m'aider.

– De vous aider à quoi ?

– Si ce document est le contrat original de la fondation du mont Davidson, vous ne pensez pas qu'il pourrait avoir une certaine valeur aux yeux des parties concernées ?

– Il peut s'agir d'un faux, comme vous l'avez suggéré. Auquel cas vous risqueriez d'être considérée comme complice.

87

– Voilà exactement pourquoi j'ai besoin d'un avocat, ou du moins de quelqu'un qui comprenne quelque chose à ce document et qui puisse me dire s'il est authentique.

– Quel rapport avec moi ?

– Je n'ai pas l'intention de mettre le nez à la portière au risque de me le faire couper… mais je ne cracherais pas sur une récompense pour avoir aidé à restituer ce document à qui de droit.

– Histoire de compenser vos pertes, côté garage.

– À vous entendre, je ferais ça par intérêt. Je vais être très claire, monsieur Nichols : s'il s'agit d'une arnaque, je remettrai ces papiers aux autorités ; s'ils sont réglos, je les rendrai à leurs propriétaires. Dans un cas comme dans l'autre, on voudra savoir comment ils sont entrés en ma possession. J'aimerais autant éviter le sujet, si vous voyez ce que je veux dire.

– Je vois.

Virginia a posé le dossier sur ses genoux et entrepris de renouer soigneusement le ruban.

– Connaissez-vous une personne de confiance qui pourrait m'expliquer de quoi il retourne ? Vous me rendriez service.

Elle m'a jeté un regard lourd de sous-entendus.

– En fait, vous me renverriez l'ascenseur.

Habilement, elle m'avait acculé contre les cordes. Sans se rendre compte des dégâts qu'elle pouvait causer. Burney Sanders voyait dans ce dossier, présentement perché tel un cadeau enrubanné sur les cuisses de son ex-secrétaire, son unique planche de salut. Pourquoi, je n'en avais aucune idée ; mais j'imaginais qu'un avocat quelque peu véreux pourrait découvrir dans la fondation du mont Davidson des éléments susceptibles de faire capoter l'accusation de meurtre portée par le procureur contre Sanders. Il fallait que je garde le contrôle de ce dossier, en m'assurant que cette femme ne s'en serve pas à la légère. J'ai opté pour une stratégie connue de tous les boxeurs, à utiliser principalement en cas de difficulté – je suis monté sur ma bicyclette et j'ai fait du sur-place :

– Cet acte fiduciaire mentionne un avocat principal, non ? On pourrait peut-être commencer par ce type. Il ne devrait pas avoir de mal à tout expliquer.

La déception a terni les yeux brillants de Virginia et abaissé les commissures de ses lèvres. Elle avait sans doute espéré me voir plonger la main dans mon chapeau pour en ressortir le nom de Jake Ehrlich.

– J'ai besoin de quelqu'un à qui je puisse me fier. Et si cet avocat était dans le coup ?

– Et s'il n'y avait pas de coup dans lequel être ?

J'ai pris mon feutre, indiquant par là que notre séminaire touchait à sa fin.

– Voilà ce que je suggère : vous localisez l'avocat qui a contribué à la rédaction de ce document, et j'irai le voir. À vous de décider si ça vous convient ou non. Si vous n'avez jamais rencontré ce type, vous pouvez vous faire passer pour un des actionnaires mécontents. De cette façon, Virginia Wagner resterait en dehors du *coup*.

Je me suis levé afin qu'elle pige que c'était à prendre ou à laisser. Comme prise de crampes, elle restait assise, pliée en deux, les bras croisés.

– Il y a un autre service que je dois vous demander, a-t-elle marmonné.

J'ai attendu. Au bout de trente secondes de silence, j'ai mis mon chapeau. Elle a fini par accoucher :

– Je dois emprunter un peu d'argent, je suis en retard pour le loyer. Comme je ne travaille pas, je… je n'ai pas pu le payer.

Tout cela n'avait-il été qu'une mise en scène compliquée pour me taper un peu de fric ? Dans ce cas, j'aurais dû ressentir du soulagement plutôt que de la colère. Je n'éprouvais ni l'un ni l'autre. L'expression blessée, embarrassée de Virginia, son regard humide ne laissaient planer aucun doute. Si elle n'avait eu besoin que de l'argent du loyer, elle aurait laissé glisser son kimono depuis longtemps.

J'ai pris un billet de dix dollars dans une liasse et je le lui ai tendu. Bien que l'affaire ait mal tourné, les photos qu'elle avait volées à Sanders valaient beaucoup plus que ce pourboire.

– Je vais vous trouver l'adresse de l'avocat, m'a-t-elle déclaré d'une voix pressante, voilée.

Elle m'a raccompagné le long de ses gratte-ciels de livres, jusqu'au couloir.

– Je vous rembourserai dès que possible. Promis.

CHAPITRE 9

Deux jours plus tard, ayant fourni à Fuzzy le prétexte d'un vague rendez-vous, je quittais de bonne heure les locaux de l'*Inquirer* pour me rendre au 235 Montgomery Street. Je tenais à la main une enveloppe livrée un peu plus tôt au bureau, contenant des reproductions photographiques d'extraits du dossier de la fondation du mont Davidson. Chaque page portait ce tampon rouge encadré : « COPIE ». Coûteuse initiative, surtout de la part de quelqu'un qui n'arrivait pas à payer son loyer. Virginia Wagner, naturellement, n'allait pas se séparer des originaux ; de toute façon, je n'aurais pas voulu en être responsable.

Une note manuscrite, attachée aux documents par un trombone, m'informait que Jerome Califro avait un bureau dans le Russ Building. Le jour où l'on avait inauguré, sur la rue Montgomery, ce bâtiment qui dominait tous les autres du haut de ses trente et un étages, je n'étais encore qu'un chenapan suspendu à un lampadaire au-dessus de la foule en liesse. À l'époque, en 1927, je n'avais pas encore perdu ma capacité d'émerveillement, et l'érection d'énormes gratte-ciel de pierre me faisait une sacrée impression. J'écoutais les rumeurs avec avidité : l'architecte se serait inspiré de la tour du *Chicago Tribune* ; le type qui avait donné son nom au bâtiment, Christian Russ, un bijoutier de New York, aurait acheté la parcelle de terrain en 1847 pour trente-sept dollars et un peu de mitraille... La bijouterie était vite devenue un bureau d'essai, et Russ, grâce aux profits considérables générés par la frénésie financière de la « ruée vers l'or », quelqu'un de riche et d'influent. Suffisamment pour qu'on finisse par donner son nom à un gratte-ciel.

Dans l'ombre duquel je me tenais, donc, vingt et un ans plus tard. Le 235 Montgomery Street évoquait de manière frappante une cathédrale gothique. Ses nids d'aigle richement ornés dominaient la rue. Je les avais crus jadis réservés aux statues de saints de l'ouest de Wall Street; mais, après la grande dépression, puis la dernière der des ders, il était devenu clair que le Russ Building n'était pas la chapelle Sixtine. Le style de haute finance pratiqué sur Montgomery Street ne favorisait pas l'accession à la sainteté.

Le liftier en livrée a arrêté l'ascenseur au vingt-quatrième étage. Je n'ai pas tardé à découvrir que Jerome Califro, maître du barreau, ne comptait plus parmi les abeilles peuplant cette ruche. D'un air découragé, un gars qui fermait un bureau d'import-export de l'autre côté du couloir m'a informé qu'il n'y avait pas eu de « clients dans ce placard à balais » depuis plus de deux mois. Il avait entendu dire que les locaux étaient à louer, mais n'avait aucune idée de ce qu'était devenu le précédent locataire.

En redescendant vers le rez-de-chaussée, j'ai envisagé divers moyens de rechercher cet insaisissable avocat. Déjà, questionner les taxis qui s'arrêtaient régulièrement au bord du trottoir. Peut-être était-il arrivé à l'un d'eux de ramener Califro à son domicile ? Pendant ma traversée du hall, j'ai levé les yeux à temps pour apercevoir la rangée de cabines téléphoniques, et un éclair de bon sens m'a foudroyé.

Jerome devait s'avérer l'unique Califro de l'annuaire.

Les Twin Peaks sont des collines jumelles qui se dressent au centre de San Francisco. En les abordant par l'est, on a pénétré dans un labyrinthe de rues tortueuses où est allé se perdre le taxi, ébloui par le prestige de son passager et trop occupé à retracer son parcours de boxeur amateur, catégorie welters. Même concentré, il aurait bien pu rater Argent Alley, car cette rue était un cul-de-sac; bordée de huit parcelles où se tassaient autant de maisons, elle ne donnait sur rien d'autre qu'une petite falaise abrupte. Juste au-dessous serpentait la voie par laquelle nous étions montés : le dernier virage de Market Street.

Alors que mon chauffeur, parvenu à l'extrémité d'Argent Alley, actionnait le frein à main, la vue impressionnante lui a arraché un sifflement. Le soleil déclinant répandait ses ors sur un panorama s'étendant du nord du centre-ville jusqu'aux jetées qui s'enfonçaient dans l'océan, vers le sud, tels des doigts. Au-delà de l'étendue bleue de la baie, Oakland et les collines, à l'est, étaient drapées de brume. Même le quartier de Mission District étincelait comme s'il avait été parsemé de joyaux. En hauteur, une nappe de brouillard commençait à se déployer sur les rochers escarpés, avant d'emmitoufler la ville et de la recouvrir pour la nuit. Ravi de l'escapade, j'ai admiré le spectacle. J'avais hâte de m'acquitter de cette petite dette, de retrouver ma routine professionnelle et d'enterrer les six derniers mois.

– Laissez tourner le moteur, ai-je lancé à mon taxi, je n'en ai pas pour longtemps.

Stuc et toit d'ardoises en pente, la maison de Califro était la dernière du pâté. Pas d'allée, pas de garage. Chez ce type, le goût du pittoresque l'emportait visiblement sur le pragmatisme. Un jardin luxuriant menaçait de déborder par-dessus la palissade entourant la propriété ; quelques fleurs, entre autres des glaïeuls doucement inclinés, tendaient le cou comme pour embrasser le paysage du regard.

Mes coups de sonnette sont restés sans effet ; mais, à force de taper sur la porte d'entrée rouge, j'ai fini par faire émerger la maîtresse de maison, une blonde bien en chair qui tutoyait la cinquantaine. Au-dessus de ses yeux méfiants, ses sourcils artistiquement dessinés se sont arqués avec curiosité.

– Je cherche Jerome Califro, ai-je annoncé en souriant.

– Il n'attend personne.

Cette réponse abrupte ne semblait pas me concerner exclusivement. J'ai montré l'enveloppe comme s'il s'agissait d'un passeport :

– Une minuscule question juridique à finaliser. Ça prendra moins d'une minute.

Ses yeux se sont plissés sous les sourcils artificiels. Appuyant une hanche volumineuse contre la porte, elle a répliqué :

– Il n'est pas disponible.

Elle s'imaginait peut-être que je venais le citer à comparaître et brandissais une assignation.

– J'ai besoin d'un petit renseignement, c'est tout.

Remarque accompagnée d'un clin d'œil qui se voulait dévastateur. Cette femme faisait un mètre soixante-cinq, à tout casser ; mais, de la poupe à la proue, c'était un sacré morceau. Pas question que je me fasse broyer le pied dans sa porte – surtout pour cette fondation du mont Davidson, dont j'ignorais la finalité. Je n'étais qu'à cinq minutes de taxi de chez moi, où j'allais pouvoir me préparer un cocktail avant d'appeler Virginia Wagner et de lui affirmer en toute sincérité : « J'ai essayé. »

– Del, il y a un problème ?

La voix masculine, étouffée, provenait du fond de la maison.

– Il y a quelqu'un à la porte ? Adele ? Qu'est-ce que c'est ?

Les larges épaules d'Adele se sont affaissées. J'ai bondi sur l'occasion, et posé la main sur le chambranle de la porte.

– Une ou deux questions, pas plus. Promis.

Adele a reporté son regard vers moi. Un regard las, vulnérable. Sa hanche s'est détendue et elle a reculé pour mieux m'évaluer, et mesurer ma détermination.

– Vous êtes *sûr* que c'est vraiment important ?

Je décelais maintenant un léger accent du Sud dans sa voix. J'ai franchi la porte d'entrée rouge pour m'avancer dans le vestibule. C'était propre comme un sou neuf, et austère : pas de photos ou d'effets personnels. De près, Adele sentait l'hamamélis, le talc.

– Il est dans le bureau, m'a-t-elle informé d'un ton résigné.

L'épuisement, soudain, avait submergé sa robustesse de façade.

– Par là.

Elle m'a conduit vers un couloir sombre, à l'arrière de la maison. Les deux battants lambrissés d'une porte escamotable étaient entrouverts d'une trentaine de centimètres, par où une étroite bande de lumière se répandait en travers du couloir.

— Tu as de la visite, mon chéri, l'a-t-elle avisé avant d'ouvrir les portes en grand d'un geste théâtral.

Jerome Califro, assis en tailleur sur un trône de cuir marron craquelé, présidait à sa propre ruine. Son box de moins de deux mètres carrés semblait avoir été dévasté par un cyclone. Cartons empilés à la diable, et pas une surface qui ne soit ensevelie sous des paperasses et autres dossiers baladeurs ; un tel fatras que, d'abord, je n'ai même pas remarqué les étagères, remplies n'importe comment, qui couvraient du sol au plafond les deux parois latérales du « bureau ». Il aurait été impossible à trois personnes d'occuper simultanément cet espace tout en continuant à respirer. Adele, dans l'encadrement de la porte, a croisé les bras sous sa généreuse poitrine et baissé les yeux vers le plancher.

L'avocat était complètement paf ; dominant son bureau cylindre grotesquement encombré, une bouteille de Lord Calvert presque vide paraissait le seul objet susceptible d'être commodément sauvé du naufrage. Le jour allait s'achever et Califro n'avait toujours pas quitté son pyjama froissé en flanelle jaune, décoré de cactus et de chevaux de rodéo. Il a essayé de tasser du tabac dans le fourneau d'une pipe copieusement mâchonnée, mais c'est son pyjama du Far West qui a presque tout reçu. Après quoi, il a cligné des yeux dans ma direction, en cherchant à déterminer auquel des trois il allait s'adresser :

— Est-ce que je vous connais, monsieur ?

Il a toussé et, pour sans doute la centième fois de la journée, a dilué le mucus dans un gargarisme au whisky. Le réseau de veines qui lui parcouraient le nez comme du fil barbelé, son front et ses joues ravinés, les poches au-dessous de ses yeux caves, tout indiquait l'alcoolo irrécupérable ; le dessin irrégulier de sa fine moustache, par ailleurs assez semblable à la mienne, trahissait le manque d'assurance de la main qui avait tenu le rasoir.

Au premier coup d'œil, j'ai opté pour la duplicité :

— Je m'appelle George Smith, et j'aurais une ou deux questions à vous poser concernant la fondation du mont Davidson. Je représente un petit porteur.

Je n'avais pas pris la peine de lui serrer la main. Adele s'est agitée derrière moi, mais la mention de la fondation n'a pas troublé son principal avocat-conseil. Estimant le fourneau de sa pipe suffisamment rempli, Califro a cassé deux allumettes en essayant de l'allumer. Je suis venu à son secours avec la flamme plus stable de mon briquet. Il ne m'avait pourtant pas offert de verre et, ivrogne ou non, l'étiquette prescrit d'offrir un rafraîchissement à ses invités.

Une fois la tête drapée de fumée, Califro m'a demandé :

– Avez-vous jamais songé, monsieur Smith, à quel point notre eshpèche est gouvernée par des impératifs biologiques ?

Le Calvert entraînait un léger problème de diction.

– Comment cela ?

– Une hypothèse erronée mais communément répandue veut que notre société soit civilisée. Elle ne l'est pas, pas du tout. Loin de là. On postule que les lois humaines promeuvent notre progrès, mais ce n'est qu'un mensonge confortable que nous avons concocté pour nous illusionner. Un baume destiné à adoucir la barbarie de la vérité. La propagachion de l'eshpèche, vous ne voyez pas ? Le but unique et primordial de l'existence humaine. C'est ça. Voilà votre réponse, votre Chaint Graal. En gros.

J'ai jeté un regard à Adele, et traduit son expression : *Vous l'avez cherché.* Califro continuait à déblatérer :

– La fonction d'un être humain, c'est d'assurer la reproduction de son propre groupe. Pour qu'il soit plus nombreux que les *autres* et finisse par les envoyer aux oubliettes. Peu importe que ce soit par la paix ou par la guerre. Les nazis ? Trop impatients, vous savez comme sont les Allemands. Vous ne voyez pas ? Vous n'avez pas lu *Le Monde est un*, le manifeste de Wendell Willkie ? Vous ne *voyez* pas ? Même en prénoc… en préconisant la fraternité, il parvient à la même conclusion – un monde où nous finirons par être soumis au « cherveau collectif ». Plus d'individus. Vous ne comprenez pas que l'ordre naturel *ch'impogera* ? On bossera aussi loyalement que des fourmis dans une conolie. *Un seul* monde. *Un seul* esprit. In*dus*trieux, diligent, *incinvible*. Vous n'êtes pas d'accord ?

– Si, bien sûr.

J'ai sorti le dossier de l'enveloppe pour le lui brandir à la figure.

– Parlez-moi de la fondation du mont Davidson.

Altéré par son grand monologue, il s'est passé la langue sur les lèvres, versé quelques doigts de potion magique et mis à aspirer bruyamment. Son sourire d'alcoolique s'est mué en un vilain rictus :

– Voilà précisément la confirmation de ma théorie. La reine de la conolie, Astrid Threllkyl. L'exemple parfait de la manière dont la volonté de domination éclipse toutes les autres motivations et condisérations.

– Qui est Astrid Threllkyl ? me suis-je enquis d'une voix presque gémissante.

Je commençais à regretter que madame Califro, si c'était bien elle, ne m'ait *pas* écrasé le pied dans la porte. Depuis les tréfonds de sa biture, l'avocat m'a jaugé d'un regard soupçonneux. Des rouages un peu trop huilés commençaient à s'engrener dans son esprit :

– Vous ne connaissez pas les Threllkyl ?

– Non. Je suis sûr qu'ils sont formidables. Ce que je veux savoir, c'est si ces papiers sont réglos.

Les billes qui brillaient dans ses orbites creuses se sont tournées vers Adele, comme s'il espérait un signal. Ce regard-*là*, je le reconnaissais : c'était la confirmation qu'ils étaient mari et femme. Voyant qu'il ne répondait pas, j'ai insisté :

– En tant qu'avocat principal – c'est bien votre nom, là ? –, je suppose que vous avez un exemplaire de ce document qui traîne dans les parages.

J'ai jeté un coup d'œil dédaigneux à mon environnement.

– Vous pourriez peut-être me dire de mémoire si votre version comprend cette page-ci.

Je lui ai montré l'avenant, signé Threllkyl et Sanders, censé faire de Burney un type bourré de fric. Après avoir agité encore un peu de mucus dans ses poumons, Califro a farfouillé sur son bureau en geignant :

– Mes lunettes…

– Dans ta poche, lui a répondu froidement Adele.

Il a chaussé un pince-nez et fait semblant de lire. Comédie d'autant plus pathétique que tout le monde se rendait compte qu'en dépit de sa relative cohérence, il n'était même pas capable de reconnaître son propre nom.

– Je vais vous simplifier les choses, suis-je intervenu. D'après ce document, la moitié de la somme concernée revient en fidéicommis à Burney Sanders. Avez-vous avalisé cet avenant ? Reconnaissez-vous le sceau du notaire ?

Il a retiré son lorgnon et tenté de rendre à son anatomie décharnée un peu de la raideur de la salle d'audience :

– Je crains, monsieur Smith, d'avoir à consulter mon exemplaire personnel pour pouvoir confirmer la validité de ces addas… ces addenda. Si je dévoilais des informations confidentielles… Eh bien, les associés concernés, à commencer par monsieur Threllkyl, auraient du mal à l'avaler.

– Il n'avale plus quoi que ce soit.

Comme Califro n'avait pas l'air de comprendre, j'ai ajouté :

– La dernière chose qu'il a avalée, c'était son extrait de naissance.

En entendant cela, Adele s'est éclipsée de la pièce, laissant son mari contempler bouche bée l'espace qu'elle venait de libérer. Encore deux zozos qui ne suivaient pas plus religieusement les nécros que Virginia. Le nom de Sanders ne leur avait rien dit ; j'en ai déduit qu'ils ne lisaient même pas les journaux.

Un instant plus tard, Adele était de retour, armée d'un verre à cocktail. Son mari, la mâchoire pendante, l'a regardée se servir une dose généreuse de whisky.

– Santé ! s'est-elle exclamée.

Le couple a vidé son alcool de concert. On se serait cru aux festivités de la Toussaint, chez ces Califro. Comme si j'avais disparu dans un nuage de fumée, il s'est mis à papoter avec son épouse :

– Ils liquideraient aussitôt tous les actifs et disperseraient le fric dans des comptes impossibles à retrouver.

J'ai aboyé :

– Vous voulez dire que c'est réglo ? Tous les actifs mentionnés dans ce document, c'est du sérieux, pas du flan ?

– J'ai douze mille dollars de mon propre argent investis dans cette fondation, m'a confié madame Califro en me prenant le bras. Il y a là-dedans des biens et des avoirs très réels, mais j'ai peur que la plupart d'entre eux n'aient été saisis et que leur valeur ne se soit envolée. Ou que les actionnaires légitimes ne soient privés d'informations vitales les concernant. Quelqu'un devrait intenter un procès, afin que tout soit dévoilé au grand jour.

Brusquement, elle découvrait en moi une bouée de sauvetage et l'éventuel remplaçant – sur le plan juridique, du moins – de son éponge de mari.

– Je ne suis pas avocat, je représente seulement un ami. Il avait mis du blé dans cette affaire, comme vous.

– Qui est-ce ? a croassé Califro derrière un écran de fumée aromatique.

– Quelqu'un que vous ne connaissez pas, j'en suis sûr. Et vous, vous avez entendu parler de Burney Sanders ?

Ses traits ravagés se sont crispés sous l'effet de la concentration :

– Son nom me dit quelque chose. Il a travaillé avec Dex ?

– Un peu, mon neveu. La moitié du magot est censée lui revenir. Mais vous n'avez jamais eu affaire directement à lui ?

– Non. Seulement à Dex.

– Vous êtes là, en train de fêter la disparition de Threllkyl. Ça vous embêterait de me dire pourquoi ?

Vu leur silence, il semblait que j'aie mis dans le mille. Califro a fini par bafouiller :

– Je ne demande qu'à vous aider. Et à m'aider moi-même.

Il a jeté un regard honteux à son épouse :

– D'abord, il faudra que je réunisse les dossiers adéquats.

– Ce qui risque de prendre un moment, ai-je objecté en désignant la montagne de détritus.

Adele est intervenue :

– On a été cambriolés il y a quelque temps. Du coup, on a transporté une bonne partie de nos dossiers ailleurs, pour les mettre à l'abri.

Califro a hoché la tête d'un air grave :

– Au ranch. Il faudra qu'on les récupère. Peut-être vers la fin de la semaine. Je pourrais vous donner un coup de fil une fois que tout sera prêt.

J'allais sortir une de mes cartes de visite de la poche de mon costume quand je me suis rappelé un détail. Pas une d'entre elles n'était au nom de « George Smith ».

– Pas la peine. Moi, je vous appellerai.

Le taxi m'attendait dans le crépuscule. Le chauffeur a repris son récit à l'endroit précis où il s'était arrêté : le troisième round du championnat des Gants d'Or de 1926. Je ne lui prêtais aucune attention. Tandis qu'on s'éloignait de Twin Peaks, j'ai feuilleté la paperasse du mont Davidson à la lueur du soleil couchant, en regrettant d'avoir franchi cette porte rouge.

CHAPITRE 10

En rentrant à la maison, j'ai aperçu ma femme depuis le vestibule, par la porte-fenêtre de la salle à manger. Ida avait assis le gosse sous une affiche encadrée, souvenir du banquet d'honneur de l'année précédente ; et elle avait collé au bas du cadre une étiquette carrée, en papier kraft, portant la mention calligraphiée « Futur champion ».

– Tu tombes bien ! Je croyais pouvoir prendre cette photo toute seule, pour te faire la surprise, mais le petit n'arrête pas de se tortiller. Donne-moi donc un coup de main.

J'ai abandonné mon pardessus sur une chaise et me suis porté au secours d'Ida. Tandis qu'elle tripotait l'appareil photo, j'ai coincé le bébé d'une main et, de l'autre, j'ai saisi l'un des flacons de cristal qui se trouvaient à ma portée, pour me servir un bourbon. Derrière la porte à double battant de la cuisine, le dîner mijotait sur la cuisinière, répandant d'alléchants parfums. À côté du bébé était posée une paire de gants de boxe miniature offerts par Ernie Flores, ex-amateur formé au maniement des boules de cuir par le maître, Sol Levinson.

– Tu voulais qu'il les porte ? ai-je demandé à Ida.

– Pourrais-tu les lui mettre ?

Elle a inséré un rouleau de pellicule dans le Polaroïd que je lui avais offert à Noël, alors que ces appareils venaient juste de sortir. Folle de cette nouveauté, Ida avait tapissé tous les murs de portraits de ses sœurs dont je me serais volontiers passé.

Il s'est avéré à peu près aussi facile de glisser les mains minuscules du bébé dans les mini-gants que de faire enfiler une capote à un singe. J'y ai renoncé :

– Et s'il se contentait de les tenir ?

– D'accord, recule. Tu l'assieds sous l'affiche, et puis tu t'éloignes à toute vitesse.

Le gosse gazouillait en balançant les gants dans tous les sens. Le premier flash l'a tétanisé. Il a cligné des yeux comme un idiot, les gants nichés entre ses jambes, contre sa couche.

Un long bourdonnement mécanique. L'appareil a tiré la langue et Ida s'est emparé du cliché.

– Parfait, a-t-elle commenté en pressant de nouveau le bouton.

Le petit demeurait fasciné, ou peut-être aveuglé ; elle en a profité pour prendre quelques autres photos. J'ai prié pour ne pas avoir à payer l'ophtalmo.

Pendant qu'il louchait vers les deux forcenés dont il partageait le domicile, j'ai examiné le doux visage potelé de William Vincent Nichols. Il ne ressemblait guère à sa mère et, bien sûr, pas du tout au type représenté sur l'affiche placardée au-dessus de sa tête. Jack Downey avait bien réussi mon portrait, tout autour duquel les membres de la fraternité pugilistique avaient griffonné leurs amitiés. Une longue gorgée de bourbon s'imposait pour m'aider à anticiper l'expression sceptique qui se peindrait sur les visages quand ce gosse apparaîtrait en public avec un « père » auquel il ne ressemblait aucunement.

– Mon chéri ! Attrape-le avant qu'il tombe !

J'ai posé mon verre et rattrapé le bébé. Gloussant de plaisir, la tête renversée en arrière pour me scruter à son tour, il a promené une menotte dodue sur ma bobine et frotté ma joue râpeuse d'un air curieux. Ida, venue se blottir contre nous, a tiré impatiemment sur le rabat triangulaire de la photo. Quand elle a décollé le support, une âcre odeur de produits chimiques s'est répandue.

– Quelle puanteur ! s'est-elle exclamée en faisant la grimace. Mais ce truc me plaît.

Serrés l'un contre l'autre, nous avons attendu le développement. Si un vrai photographe était passé par là, il aurait pu, merveille des

102

merveilles, immortaliser une famille apparemment représentative de la classe moyenne américaine. D'un brouillard de formes indistinct, l'image du « futur champion » a émergé. Il arborait une expression radieuse. Ida, en extase, a agité le cliché pour le faire sécher ; elle semblait aussi fière d'avoir pris une bonne photo que d'avoir enfanté son sujet en chair et en os.

– Un gamin, lui ai-je demandé, c'était vraiment important pour toi, hein ?

J'ai reporté mon regard vers le visage du petit. J'essayais de me convaincre qu'un vieux poivrot comme Califro, l'avocat, avait pu avoir un jour une telle apparence d'ébauche, un tel air de *nouveauté*.

Ida était sidérée. On aurait cru que je venais de m'enquérir de son besoin de respirer.

– À quoi ça rimerait, sinon ?

La perplexité, dans son regard, a vite cédé la place à une lueur d'espoir. Elle m'a demandé d'un petit air entendu :

– Tu as une idée ? La même que la mienne ?

– Ça m'étonnerait, ai-je grommelé en lui tendant le gosse pour récupérer mon verre.

Voyons déjà ce que donne celui-là, me suis-je dit. J'ai ajouté :

– Il y a quelque chose qui sent bon. Passons à table.

J'avais demandé à Virginia de me retrouver au Russ Building après la fermeture des bureaux. Sans subalternes empressés dans les couloirs voûtés, ni portes battantes qui s'ouvraient et se fermaient, ou ascenseurs montant et descendant sans cesse tels des yoyos, l'endroit était d'un calme étrange. Un purgatoire professionnel. Au vingt-quatrième étage, où j'attendais Virginia, je ne pouvais apercevoir aucune des extrémités du couloir ; les ailes nord et sud s'enfonçaient dans la pénombre avant de disparaître au cœur des ténèbres.

Soudain, elle s'est trouvée à mes côtés. Elle avait surgi sans un bruit. Aucune des cabines d'ascenseur ne s'était ouverte, ou n'avait même carillonné. Virginia portait le même ensemble que dans le tram, cape et toque noires. Sous le bibi, une permanente de fraîche date. Elle a aspiré une dernière bouffée avant d'écraser sa cigarette dans le sable blanc, bien ratissé, d'un cendrier de bronze.

– Qu'avez-vous découvert ? m'a-t-elle demandé en soufflant la fumée.

Je l'ai prise par le coude :

– Le bureau est par là.

Elle a glissé son bras sous le mien et s'est collée contre moi. Nous avons progressé dans l'aile sud, brièvement aspergés, au passage, par le rayon de lumière bleu-gris provenant de l'unique fenêtre du couloir. On n'entendait que le son de mes pas, car Virginia ne portait pas de chaussures, ni même de bas. Je l'ai sermonnée :

– Vous allez prendre froid.

– Ne vous inquiétez pas, a-t-elle murmuré en approchant les lèvres de mon oreille.

Arrivés devant la porte, on a distingué une faible lueur derrière le verre cathédrale. Peut-être une lampe de bureau. Puis cette lueur s'est évanouie.

Virginia a glissé, et s'est agrippée à moi pour ne pas tomber.

– Il y a quelque chose par terre, a-t-elle balbutié, haletante. J'en ai sur les pieds.

Accroupi, les yeux plissés, j'ai deviné, plutôt que vu, quelque chose de sombre et tiède qui se répandait sur la pierre. Ça venait de dessous la porte du bureau. S'écartant de la mare grandissante, Virginia a chuchoté :

– Qu'est-ce que c'est ?

– Je ne sais pas. Je n'y vois rien.

Mais je le savais.

– Il faut nettoyer, a-t-elle décrété, soudain au bord des larmes. On ne peut pas laisser ça là.

Un instant plus tard, elle s'était éclipsée. Dans l'obscurité, ses petites empreintes de pas étaient à peine visibles – juste assez pour me permettre de la suivre. Elle marchait sur la pointe de ses pieds nus, en s'efforçant de ne plus trébucher.

Je l'ai retrouvée devant une porte de placard entrouverte, marquée « Gardien ».

– J'ai peur d'entrer, a-t-elle gémi.

Après avoir contourné Virginia, j'ai cherché à l'intérieur, à tâtons, un interrupteur. C'était moite, exigu. *Il faut peut-être tirer sur un cordon*, ai-je songé après avoir palpé les murs en vain. Virginia respirait par saccades. Ma main s'est avancée dans le noir. On apercevait une vague silhouette à l'intérieur du débarras.

– C'est toi ?

Une voix de femme. Pas celle de Virginia. Vers le fond. Étouffée.

Ma main a reculé d'elle-même, comme si je venais de la mettre dans une prise. J'avais le cœur battant.

– Vous avez entendu ? m'a demandé Virginia.

J'étais incapable de répondre.

– C'est l'ascenseur, a-t-elle ajouté, terrifiée. Quelqu'un arrive.

J'ai essayé de sortir du cagibi, où la chaleur était devenue torride, étouffante. Quelque chose me poussait dans le dos, m'interdisant de fuir.

Une lumière aveuglante s'est faite, dans laquelle est apparue une main de femme refermée sur un cordon, qui pendait d'une ampoule nue au-dessus de nos têtes. La main s'était tendue à travers des bâches éclaboussées de peinture, suspendues au hasard à des crochets. Par un interstice dans les plis de la toile, j'ai vu le visage.

C'était Claire.

En vie.

Les pupilles humides de ses grands yeux luisaient ; sa bouche cramoisie s'est plissée imperceptiblement, comme si elle me reconnaissait. Trébuchant sur des seaux, écartant des manches à balais, j'ai tendu la main vers elle, qui a lâché le cordon et basculé en arrière, empêtrée dans les bâches. J'ai mis une éternité à me frayer un chemin à travers les plis rugueux de la toile. Claire était adossée, rigide, au mur du fond, vêtue de la robe bleu foncé à pois blancs qu'elle portait quand je l'avais interviewée au restaurant.

J'avais envie de lui dire : *la mort ne t'a pas atteinte.*

– Sors-moi de là, m'a-t-elle supplié.

Des perles de sueur brillaient à son front. Il régnait une chaleur infernale, là-dedans.

– Dépêchez-vous, a gémi Virginia derrière moi.

La robe de Claire, déchirée à la taille, dévoilait tout le bas de son corps. Une touffe sombre chatoyait entre ses hanches. J'ai piqué un fard, honteux, voulant et ne voulant pas voir ses jambes cerclées de jarretières et gainées de bas, étroitement pressées l'une contre l'autre. C'était mal, de la voir ainsi. Je me sentais si coupable que ma poitrine s'est contractée.

J'ai regardé.

Ses pieds, coincés à l'intérieur d'un seau métallique, étaient pris dans un ciment dur comme de la pierre. Du milieu de son corps s'échappait du sang qui gouttait le long de ses jambes et s'est mis à couler à flots. Elle me contemplait sans un mot, implorante, la bouche grande ouverte.

La sonnerie de l'ascenseur a retenti dans le silence. Un bruit de pas sur le granit.

– Ils arrivent, a bredouillé Virginia.

– Ne le prends pas mal, mon chéri, mais tu as vraiment une sale tête.

En posant le café fumant devant moi, Ida m'a effleuré la main.

– J'ai passé une mauvaise nuit, ai-je grommelé. Ça doit être ce que j'ai mangé.

– Ce que j'avais préparé ? On a mangé la même chose.

– Non, je veux dire avant de rentrer à la maison, hier. J'essaie de me rappeler ce que j'avais pris au déjeuner.

Elle a posé une paume sur mon front moite.

– Tu devrais peut-être te faire porter pâle. Prendre une journée de repos.

De toute ma carrière, ça ne m'était encore jamais arrivé ; je n'allais pas m'y mettre à cause d'un cauchemar. Une fois debout, j'ai contraint mes traits à adopter une expression neutre.

– Je ne rentrerai pas dîner, ai-je fait en avalant mon caoua tiède, il y a un match à Oakland. Ne m'attends pas.

CHAPITRE 11

– Quel bon vent t'amène de ce côté de la Baie, Nich ?

Woody Montague était le seul type, je dis bien le *seul*, à m'appeler Nich.

– J'espérais justement que tu pourrais éclairer ma lanterne.

J'ai posé les documents de la fondation du mont Davidson sur son bureau impeccable. Son sous-main d'un vert billard était hérissé de piles de documents bien ordonnées, et chaque dossier, soigneusement coiffé de notes manuscrites. Woody a changé de sujet avant même que j'aie commencé. Comprimant sa longue carcasse dans un fauteuil tournant – et grinçant –, il m'a informé :

– Ton pote Bernal est un veinard.

Bouffé par mes rêves de cinglé, le boulot, les matches, Burney Sanders, Virginia Wagner, je n'avais pas trouvé le temps de retourner voir Tony à l'hôpital. Peut-être n'avais-je pas tellement envie de me faire chapitrer par sa femme. Je me suis assis en face de Woody :

– Comment ça ?

– Parce que je travaille pour lui, maintenant.

Avec un sourire satisfait, il a noué ses doigts derrière sa nuque.

– Il va bien ? ai-je demandé.

– On n'est pas sûr qu'il pourra remarcher. Et, comme je l'avais prévu, la Major Liquor Company se montre inflexible, en niant toute responsabilité dans l'accident. Les avocats ont averti que la société rejettera toute demande en dommages-intérêts.

J'ai parcouru du regard le modeste bureau de Montague, sans y apercevoir un seul souvenir de sa carrière de reporter, pourtant ponctuée de récompenses. Ni plaques, ni certificats, ni photos avec poignées de mains et grands sourires. Un portrait de famille sur le bureau et des cartes punaisées aux lambris : San Francisco, l'agglomération de l'East Bay, la Californie... Deux fenêtres, séparées par un classeur à tiroirs, donnaient sur un tronçon de San Pablo Avenue particulièrement dénué de charme. Avec un cerveau comme le sien, Montague aurait dû pouvoir occuper un appartement de grand standing au dernier étage d'un immeuble de Nob Hill ; au lieu de quoi, il semblait avoir du mal à joindre les deux bouts. Il s'était jeté sur l'accident de Tony à la façon d'une hyène affamée.

— Je ne savais pas que tu avais l'habitude de racoler ta clientèle aux urgences, Woody.

Pratique répandue chez certains tâcherons du barreau... J'oublie parfois de censurer ou de réviser mes remarques, et elles peuvent être plus blessantes que je ne l'aurais souhaité. Montague a paru légèrement offusqué, avant de se mettre à rire et d'ôter ses lourdes lunettes pour se frotter les yeux :

— Qu'est-ce qui te gêne, Nich, je ne suis pas assez bien roulé ?

— Du calme, Woodrow, les enfants sont rentrés de l'école.

Susan, son épouse, est entrée par une porte de derrière tout en triant le courrier. Ce bureau était une petite épicerie reconvertie ; les Montague habitaient la maison voisine. Une troupe de gamins criards, annoncée par les aboiements d'un chien, s'approchait dans l'allée séparant les deux bâtiments.

Femme délicate d'une trentaine d'années, Susan Montague avait un doux visage et des cheveux noirs relevés sévèrement en chignon. Woody lui a rappelé qui j'étais ; mais elle devait surveiller les gamins qui, parvenus à l'arrière de la maison voisine, montaient bruyamment les marches en appelant « m'man » et « p'pa » à tue-tête. Depuis la véranda, elle leur a expliqué où trouver collations et boissons, comment les partager équitablement et comment faire disparaître les preuves. Woody l'écoutait en passant la main dans ses cheveux coupés ras ; la voix de sa femme paraissait avoir sur lui un effet apaisant – comme, sur d'autres, la musique de Mozart. Susan s'est excusée de l'interruption, puis a continué de classer le courrier du jour.

– Quel fléau, ce Dardi ! s'est exclamé Montague.

Il a poursuivi son idée en faisant rouler le fauteuil jusqu'au bureau.

– Ça me rend malade, ce qu'il se croit permis. Le camion ne respectait pas son itinéraire, j'ai vérifié. Pendant ce temps-là, Dardi n'est pas assuré. C'est incroyable qu'il ait une licence de vente d'alcool – et, plus encore, qu'on le laisse fixer les prix et faire tout ce qu'il veut. Une telle arrogance est… abusive. C'est vrai qu'il peut compter sur Samish.

– Après cette histoire, il y a quelques années, j'aurais cru que Dardi était fini.

– Les « Cinq cents pigeons », s'est rappelé Woody avec un ricanement amer. Quelle arnaque !

Quand il avait débarqué en 1945 avec une force de vente persuasive et pleine de bagout, Virgil Dardi avait fichu une sacrée pagaille en ville. À grand renfort de boniments bien rodés et de grosses ristournes, ses représentants avaient passé des contrats avec environ cinq cents cafés et magasins de vins et spiritueux, et récolté près d'un million de dollars. Ces gars-là étaient des affranchis, capables de séparer les naïfs de leur fric en leur réclamant une avance.

Aucune livraison n'avait jamais été effectuée.

– Comment tout ça s'est-il terminé, Woody ?

– En eau de boudin. Les « Cinq cents pigeons » ont piqué une crise dans le bureau du procureur, mais Dardi n'a jamais été inculpé. Les taverniers ont récupéré environ deux cent mille dollars. Je n'ai jamais pu découvrir qui avait négocié cet accord. Dardi s'en est tiré avec zéro égratignure et huit cent mille balles de bénefs. La seule chose qui a changé depuis, c'est le nom de sa société. De nouveaux commis voyageurs viennent pleurer dans leur bière avec les mêmes mastroquets, en compatissant à leurs pertes – en leur promettant des avantages pour les aider à se refaire ! Et les autres ne se doutent même pas que c'est Dardi qui revient. Phénoménal !

Je l'ai titillé :

– Ça pourrait donner un sacré papier dans l'*Inquirer*. Belle occasion de come-back.

111

Montague a tourné les yeux vers la fenêtre, et son regard s'est perdu à mille mètres au-delà du dense flot d'automobiles. Dans le crépuscule de plus en plus sombre, des phares défilaient. Les oreilles de Susan se sont empourprées ; elle avait évidemment eu droit plus d'une fois à cette diatribe anti-Dardi.

— Woody n'a pas réussi à trouver de témoins, est-elle intervenue. Personne ne dira rien contre ce type, par crainte de ses relations. J'imagine que l'*Inquirer* aurait peur aussi. C'est une des raisons pour lesquelles Woody a quitté le journal. Un peu trop d'articles jetés au panier – sur des instructions venues d'en haut.

La voix de Susan dénotait du cran ; elle gardait un profil bas, mais devait être coriace.

— Pas la peine de revenir là-dessus, Susan, a commenté Montague en remettant ses lunettes.

N'empêche que son départ avait laissé perplexe beaucoup de ses anciens collègues. Il s'est tourné vers moi :

— J'ai besoin de savoir que mon travail compte, Nich. Je suis parti de l'*Inquirer* parce que j'avais beau soulever constamment des lièvres… une fois que la poussière était retombée, rien n'avait jamais changé. Je veux pouvoir apporter ma pierre à un édifice. Alors, j'en ai choisi un… plus concret.

— Pourquoi être allé t'installer de l'autre côté de la Baie ?

Aux yeux de la plupart des gens, Oakland représentait la sœur inférieure de San Francisco, l'endroit où étaient regroupés les quartiers des domestiques. Surtout depuis la guerre, avec tous ces Noirs venus du Sud pour travailler sur les chantiers navals.

— Disons que j'avais besoin d'un peu d'air.

— Mon mari a toujours été victime de campagnes de diffamation menées par des gens de San Francisco qui ne supportent pas sa passion de la justice.

— Bon Dieu, Susan, tu parles comme la narratrice d'un mauvais film.

— Et *toi*, tu t'étais engagé à ne plus invoquer en vain le nom du Seigneur.

– Devant les gosses, a-t-il répliqué en souriant. Et les gosses sont à côté.

Il s'est levé pour prendre sur son bureau quelques piles de paperasse, qu'il a entrepris de ranger dans le classeur à tiroirs.

– Nich, je crois simplement à la vérité. Je ne crois peut-être même qu'à ça. Quand ils connaissent la vérité, les gens se comportent correctement la plupart du temps. On ne peut pas prendre de bonnes décisions à partir de mensonges, et des mensonges, notre système en manufacture à la pelle. Surtout dans certains coins de San Francisco. Alors… il m'est plus facile de travailler ici.

De toute évidence, les Montague avaient leurs propres problèmes et ce n'était pas moi qui allais les régler pour eux. Je me suis penché pour feuilleter quelques pages du dossier que j'avais apporté. La fondation du mont Davidson.

– Woody, pourrais-tu me donner ton avis sur l'authenticité de ce truc ? Ces termes équivoques n'ont pas de secret pour toi. Moi, tu me connais, à part causer de types qui se tapent dessus…

Il a consulté le dossier, en promenant la pointe de sa langue le long de sa lèvre supérieure. Concentré, absorbé. Susan s'est perchée au bord d'une fenêtre donnant sur la cuisine de la maison voisine, de l'autre côté de l'allée. Elle surveillait les gosses, mais n'avait pas envie de s'en aller. Son intérêt pour les affaires de son mari semblait vif. Après avoir tout parcouru, y compris l'avenant, Woody a empoigné un journal posé sur le bord de son bureau.

Il l'a déplié d'un geste sec, puis replié en quatre avant de me le tendre. Le *Chronicle* du matin.

– Jette un coup d'œil.

Un entrefilet noyé dans le fatras de la page huit :

PROCÈS CRIMINEL IMMINENT

Le parquet du district de San Francisco a fait savoir hier que l'inculpation d'un promoteur de boxe, Burney Sanders, inculpation dont il a pris l'initiative, devrait être examinée par le juge Harlan White d'ici à deux semaines. Sanders est accusé d'avoir assassiné Claire Escalante, épouse du champion de boxe poids lourd, Hack Escalante. Le substitut du procureur, William Corey, établit un lien entre le meurtre de madame Escalante et l'implication de celle-ci dans un racket dirigé par Sanders. D'après nos sources au palais de justice, le ministère public souhaite accélérer diverses poursuites judiciaires qui lui « tiennent à cœur », dans l'espoir de régler ces affaires avant les vacances.

– C'est lui, ton contact ? Ce Sanders ? m'a demandé Woody en se remettant à triturer le dossier.

– Indirectement, ouais.

Nom de Dieu, ce type était *fort*. Il aurait dû enquêter pour un grand quotidien.

– Tu fais partie des actionnaires ?

– Non. Mais j'essaie d'en aider un.

– Pas Sanders ?

– Pas Sanders. Qu'est-ce que tu penses de cette histoire ?

– Qui est son avocat ?

– Aucune idée.

– Si l'affaire est réglo, il pourrait faire appel à Ehrlich. C'est assez pour me donner des soupçons. Le procureur est au courant ?

– Pourquoi ?

– Élémentaire. Un cadavre à côté d'un tas de fric pareil ? Je te parie des dollars contre des beignets que tu trouveras un lien. Arnaque ou pas, *cherchez l'argent*[1]. C'est Sanders qui t'a filé ces papiers ? Ce serait intéressant qu'il se fasse extorquer son pognon à cause de l'accusation de meurtre.

Woody a jeté un coup d'œil à sa femme :

– Je me demande quels précédents on pourrait trouver.

Il a reporté son regard vers moi :

---

1. En français dans le texte (les notes sont du traducteur).

114

– Jusqu'à quel point es-tu engagé là-dedans ? Sanders est coupable, à ta connaissance ?

J'ai eu la sensation désagréable – détestable – qu'en faisant flairer ces documents à Woody je venais de lui fournir une corde pour me pendre.

– Mon chéri, a fait Susan en s'écartant de la fenêtre, monsieur Nichols ne t'a pas demandé d'intervenir, seulement de lui donner ton opinion.

Je lui ai souri. J'avais envie de l'embrasser.

– Ouais, du calme, Woody, ai-je lancé avec un rire de faux derche. Tout ce que j'attends de toi, c'est ton opinion sur l'authenticité de ces documents. Qu'est-ce que je devrais faire ? Voilà ce que j'essaie de déterminer.

– Je serais à ta place, je passerais une annonce dans le journal. Pour demander à toute personne ayant un rapport avec la… fondation du mont Davidson d'entrer en contact avec toi. Tu verras ce qu'ils te racontent.

– Il y en a une palanquée.

Son visage s'est éclairé.

– Appelle-les. S'ils ont été escroqués, un recours collectif peut être envisagé.

– Je n'ai pas le temps.

– Paie quelqu'un pour le faire. Ensuite, tu me les envoies.

Susan en avait assez entendu :

– Woody, tu travailles déjà sur cinq affaires, il n'est pas question que tu en acceptes d'autres.

– Je pourrais mettre Jeff Monroe sur le coup. S'il y avait vraiment quelque chose.

Je me suis levé. Pas d'autre moyen d'endiguer la vague.

– Woody, encore une fois, je suis venu solliciter un conseil amical. Je ne suis pas un client.

– Tiens-moi au courant si Sanders a besoin d'aide juridique. Il pourrait avoir des choses intéressantes à raconter. Entre-temps, si tu as envie de petites vacances avec ta bourgeoise, emmène-la faire une virée dans le nord. Va jeter un coup d'œil à quelques-uns des coins mentionnés là-dedans. Par exemple, cette station touristique de Cold Springs. Tu verras en quoi ça consiste vraiment. Rien de tel que des informations de première main.

– Bonne idée, ai-je répondu en consultant ma montre. Mince, je n'ai pas vu le temps passer. Faut que je file à l'Auditorium.

Quand j'ai fait mine de reprendre les documents, Woody les a couverts de sa paume :

– Laisse-moi ça, Nich, je vais trouver de quoi il retourne. Je n'en ai pas pour plus de deux jours.

– Ça m'embête de laisser ce dossier, Woody. Il ne m'appartient pas.

Il a désigné le tampon rouge vif apposé sur la feuille du dessus :

– Ce n'est qu'une copie, et elle ne sortira pas de ce bureau. Je ne vois pas où est le problème.

Son assurance sapait ma volonté. Personne d'autre que je connaisse, ou en qui j'aie confiance, ne saurait faire parler ce dossier plus vite que lui. Woody aurait tout tiré au clair avant que cette grande gueule de Jerome Califro ait surmonté son accès de delirium tremens et retrouvé ses clefs de bagnole pour se rendre au « ranch ». Woody Montague adorait les complications. Pas comme moi. J'ai temporisé :

– Faut que je sois prudent sur ce coup-là, vieux. Je sais pouvoir compter sur ta discrétion. Je ne peux pas me permettre d'être impliqué. Rappelle-toi que je rends seulement service à un ami.

Il a griffonné quelque chose sur un bloc-notes, avant d'arracher la feuille et de la poser au sommet du dossier de la fondation :

– « Pour information seulement. »

– Je n'ai pas l'intention de te faire bosser à l'œil, évidemment.

Remarque destinée surtout à Susan, qui n'allait pas manquer de soulever des objections dès que je me serais éclipsé. Son mari avait ignoré délibérément tous les signaux qu'elle lui avait envoyés ; elle

116

mourait d'envie d'empoigner les documents et de me les rendre, puis que j'aille me faire voir ailleurs.

– Eh bien, Nich, si j'acceptais de l'argent de ta part… ça ferait de toi un client, non ? Et tu viens de me dire que tu n'en étais pas un.

– Exact.

Je m'orientais dans cette histoire comme un type aux yeux bandés abandonné au milieu des bois.

– Dès que j'ai trouvé quelque chose, je t'appelle, m'a-t-il assuré en souriant.

Abandonnant le dossier à Woody, j'ai salué la compagnie et pris un taxi pour aller voir les matches au Civic Auditorium.

CHAPITRE 12

On s'apprêtait à quitter la ville par le pont à péage du Golden Gate.

– Qu'est-ce que vous avez raconté à votre femme ? m'a demandé Virginia.

Avec un regard oblique et circonspect, je lui ai tendu les quatre pièces de vingt-cinq *cents* nécessaires à notre admission dans le comté voisin.

– Vous avez déjà été mariée ?

– Jamais.

Ses doigts gantés de blanc ont égrené la monnaie au creux de la paume épaisse du péagiste. Par ce brumeux lundi matin, la circulation vers Marin County était plutôt fluide. Il ne faisait pas assez beau pour que Virginia baisse la capote.

– Une fois que vous le serez, je vous communiquerai la liste complète des alibis. Ce sera mon cadeau de mariage.

– Pour que je sache quand mon mari me mentira ?

Virginia a changé de vitesse. On s'est fondus dans le flux de véhicules qui se constituait sur le pont.

– Vous en aurez peut-être besoin pour votre propre usage.

Elle a tourné vers moi une paire de lunettes noires. L'œuvre de son coiffeur était protégée par un foulard rouge noué sous le menton. Un coupé bleu a essayé de passer en force dans notre voie, mais Virginia n'a prêté aucune attention à ses coups de klaxon.

– Vous insinueriez que je suis du genre à tromper ?

– Il faudrait d'abord que vous soyez du genre à vous marier. C'était une innocente plaisanterie, oubliez-la.

Lancée sur la voie de gauche, Ginny frôlait les voitures qui filaient dans la direction opposée, plein sud.

– Heureusement pour vous que j'aime les petits malins.

Elle n'aurait eu qu'à tendre le bras pour toucher les banlieusards roulant en sens inverse vers leur lieu de travail, à San Francisco.

– Étant moi-même une cynique habituée à évoluer parmi des gens susceptibles, j'apprécie votre style acerbe.

– Je viens de passer un exam ?

J'ai enfoncé les mains dans mes poches pour résister à la tentation de m'accrocher au tableau de bord.

– Ouais, l'oral d'anglais, a-t-elle répliqué.

Avant de plonger dans la voie adjacente. Je ne dirais pas que c'était une mauvaise conductrice ; mais je peux témoigner qu'elle était terrifiante. Ce qui avait de quoi étonner, vu la majesté de sa machine.

« Coupé décapotable Buick Roadmaster de 1942, huit cylindres en ligne, s'était vantée Ginny en m'embarquant devant la boulangerie Fantasia. Cad l'avait eu pour une bouchée de pain, il appartenait à un type tué à la guerre. La fréquentation de ce minable m'aura quand même rapporté quelque chose. »

Miraculeusement, c'est entiers que nous avons atteint le bas de la côte de Waldo et pénétré dans Marin County. Non sans être restés coincés pendant plusieurs secondes pleines de suspense au milieu d'une bretelle de sortie, ni avoir failli emboutir un break bondé de jeannettes piaillantes, puis l'arrière d'une bétaillère. Virginia avait paru étonnée de la voir surgir brusquement devant nous, alors qu'on respirait le fumier à plein nez depuis cinq cents mètres. Quand on n'est pas conducteur soi-même, il est délicat de critiquer la conduite d'autrui. Je m'étais donc mordu la langue. Plusieurs fois.

– On s'arrête ?

Elle prenait une bretelle qui nous faisait quitter l'autoroute pour nous mener au centre-ville de San Rafael.

– J'ai besoin d'une cigarette, et je ne fume pas en auto.

– Pourquoi pas ?

Le cendrier était immaculé – ainsi que le reste du véhicule, dedans comme dehors.

– Cette petite merveille est tout ce que j'ai à mon nom, a expliqué Virginia en tapotant affectueusement le tableau de bord. Je ne tiens pas à ce que le cuir empeste.

On s'est arrêtés en douceur dans une ruelle. Elle s'est appuyée contre l'aile avant droite et a allumé sa cibiche. Je suis resté sur mon siège ; ma vitre était baissée. Soit Virginia avait vraiment besoin de sa dose de nicotine, soit il lui fallait juste se remettre de sa propre conduite casse-cou.

– Vous avez des enfants, non ? s'est-elle enquise à propos de rien.

– Un enfant.

– Auriez-vous une photo ?

Voilà qui était nouveau ; mais ce n'était pas la dernière fois qu'on allait me poser cette question. J'ai tourné mes paumes vers le ciel.

– Ça vous plaît, d'être père ?

Elle a fait tomber sa cendre dans le caniveau. La cigarette étant loin d'être consumée, nous en avions encore pour quelques minutes. Je me suis dit que je n'avais rien à perdre :

– Techniquement, je ne suis pas père.

Je l'ai regardée en plissant les yeux. Le soleil avait commencé à percer.

– Qu'est-ce que vous me chantez là, petit malin ?

– Ce n'est pas mon gosse.

Une longue bouffée l'a aidée à absorber cette information.

– Le père est quelqu'un d'autre ?

J'ai anticipé la question suivante :

– Il est loin.

Elle m'a pris au dépourvu :

– Alors, vos relations avec Claire, c'était pour rendre la pareille à votre femme ?

Après avoir retourné dans mon esprit diverses ripostes blessantes de petit malin, je les ai remises au fourreau. On n'avait pas besoin d'un front froid pour assombrir la journée. En entraînant

121

Ginny dans cette improbable pêche aux renseignements, je savais bien qu'on aller passer ensemble des heures en voiture ; mais j'étais surpris qu'elle se montre aussi directe, aussi tôt – et je l'ai été plus encore de lui répondre honnêtement :

– J'ai fait payer l'autre type, pas ma femme.

– C'est-à-dire ?

Elle avait l'air sceptique.

– Je l'ai fait démolir et chasser de la ville.

– Vous rigolez.

– Non. Au cours des six derniers mois, je n'ai pas cessé de violer les dix commandements. Vous savez ce que ça m'a valu ? Une belle augmentation, des appels de journaux de New York et de Chicago souhaitant publier ma rubrique, et un certificat doré sur tranche du comité de gestion de la ville... pour mes « importantes contributions au développement social, économique et culturel de San Francisco ».

– Vous ne vous êtes pas contenté d'égaliser la marque, a-t-elle fait avec un petit sourire en coin. Vous êtes arrivé en tête.

– C'est seulement en boxe que je compte les points. Qu'est-ce que Claire vous avait dit sur mon compte ?

– Pas grand-chose. Je ne lui posais pas de questions. Elle vous trouvait doué pour raconter des histoires.

J'ai dû prendre un air interrogateur, car Virginia a tout de suite ajouté :

– C'était bien intentionné.

Quand elle a jeté son mégot, il a chuinté sur l'asphalte humide. Elle a vérifié qu'il n'y avait pas de cendres sur son manteau beige à ceinture, puis m'a demandé :

– Vous n'avez pas l'intention de me raconter d'histoires, à moi, si ?

Pas évident de garder cette fille dans ma ligne de mire. C'était une cible mobile – et rapide, pour le même prix. J'ai riposté du tac au tac :

– Tout le monde raconte des histoires. À commencer par vous.

L'autoroute 121 zigzaguait à travers les collines jaunies du comté de Napa; comparée à la 101, elle était non seulement étroite mais déserte, et les risques d'accident de la circulation calamiteux m'ont paru nettement réduits. Une heure plus tard, ayant enchaîné les routes en lacet et les lignes droites, nous arrivions, étourdis et affamés, au beau milieu de Nullepart.

On s'est arrêtés dans une station-service Texaco pour faire le plein. À l'étal de fruits voisin, Virginia a acheté un sac de cerises d'un kilogramme. J'ai dû demander trois fois le chemin de Cold Springs avant d'obtenir une réponse plus détaillée que : « Y reste que couic, là-haut. »

Armés, donc, d'une vague carte verbale, on s'est engagés sur une petite route forestière mal entretenue, tachetée de lumière, qui montait vers les collines. J'ai passé une bonne partie de cette ascension à cracher des noyaux de cerise par ma fenêtre. « Balancez-en un seul dans ma bagnole, m'avait averti Virginia, et vous rentrez chez vous à pied. »

Le havre de paix bucolique attendant le voyageur à Cold Springs n'était annoncé par aucun panneau, et on s'est estimés heureux de localiser notre destination. Virginia râlait à cause de la poussière et des graviers qui esquintaient la finition cirée de sa carrosserie, peinte en « crème séquoia ». Du haut d'un tertre, nous avons découvert l'hôtel et une rangée de chalets nichés au fond d'un vallon boisé surplombant Napa Valley. De toute évidence, il y avait *quelque chose* de tangible dans les actifs de la fondation du mont Davidson.

Avec son aspect rustique, façon Frontière, ce grand ranch construit en bois de la région paraissait tout droit sorti d'une brochure touristique à la gloire du Redwood Empire – cet « empire du séquoia *redwood* » regroupant huit comtés le long de la côte, jusqu'à l'Oregon. Une retraite champêtre, à l'écart des rythmes frénétiques de la vie urbaine. Nous avons dépassé un panneau usé, déformé, à la peinture écaillée depuis longtemps; il ne donnait aucune indication sur la date de création de cette station touristique.

Ginny s'est garée devant l'hôtel, mais personne ne s'est empressé de venir nous accueillir. Dans le genre retraite champêtre, c'était radical – *tout le monde* avait foutu le camp.

Ma conductrice a tenté de discerner quelque chose à travers le nuage soulevé par les pneus, et soupiré :

– En tout cas, ça existe.

J'ignorais si je devais attribuer son ton désabusé à l'air d'abandon des lieux ou à la poussière déposée sur le capot naguère étincelant du Roadmaster.

– Allons jeter un coup d'œil, ai-je suggéré.

Avant d'avoir parcouru deux mètres, on s'est arrêtés net pour échanger un regard. Malgré l'absence de tout signe visible de vie, l'odeur fraîche du pin n'était pas la seule chose à flotter dans l'air.

– Qu'est-ce que c'est que ça ?

– De l'opéra, m'a éclairé Virginia. En italien.

Le chant mélodieux d'un ténor de première bourre s'élevait derrière l'hôtel. Souriant involontairement, nous avons examiné de nouveau, incrédules, le bâtiment apparemment désaffecté. Je me suis approché de l'entrée à grands pas, en grommelant :

– À quoi ça rime, bon Dieu ?

Chaussée de souliers à talons au bout ouvert, Virginia s'avançait avec précaution, dans mon sillage, sur le gravier irrégulier de l'allée.

La porte n'était pas fermée à clef.

À l'intérieur nous attendait une décoration typique du Far West, depuis le plancher bruni jusqu'au chandelier formé d'une roue de chariot, en passant par la tête de cerf six-cors montée au-dessus de la vaste cheminée en pierre. De vastes baies vitrées donnaient sur un verger, mais aussi sur un jardin entouré d'un grillage où étaient alignées des rangées de légumes cultivés avec soin ; vers le flanc de la colline, derrière la station de villégiature à proprement parler, s'étendait un champ de maïs aux longues tiges. Le Caruso agreste, quelque part, continuait à pousser la sérénade.

Le hall était désert, à l'exception d'un seau et d'un balai à franges placés devant l'âtre. Sur le plancher luisant, fraîchement lavé, se dessinaient des empreintes humides qui disparaissaient dans le couloir – où j'ai aperçu un filet de jour, juste avant que la porte ne se ferme.

Virginia me regardait depuis l'autre côté du hall. Le chant du ténor s'est interrompu et elle a sursauté :

– Qu'est-ce qui se passe ?

Nous avons attendu. Je suis allé contourner le bureau de la réception et, quand j'ai soulevé le combiné du téléphone mural, j'ai obtenu une tonalité. Il y avait donc des occupants vivants chez ces tauliers.

– Oh, mon Dieu ! s'est exclamée Virginia.

Comme propulsée par un canon, elle a filé se cogner contre le bureau en faisant cliqueter ses talons.

Dehors, derrière les baies vitrées, j'ai vu des silhouettes s'avancer furtivement. Rien que des types de couleur, dont aucun ne semblait avoir plus de vingt ans. Certains portaient une chemise de travail, d'autres avaient la poitrine nue. Leurs corps noirs, musclés, luisaient de transpiration ; plissant les paupières d'un air pas spécialement accueillant, ils nous zieutaient à travers les vitres comme si nous étions des poissons rouges dans un bocal.

– Barrons-nous ! m'a lancé Virginia en me tirant par la manche de mon pardessus.

On avait presque atteint la porte lorsque la masse imposante d'un type au teint charbonneux a rempli l'embrasure. Il portait une casquette de base-ball marquée « Oakland Oaks » ; autour de son cou plus épais que ma cuisse était noué un bandana ; ses épaules et sa poitrine énormes tenaient à peine dans sa chemise en jean. Virginia a lâché mon bras et fait glisser le sac à main de son épaule, en cherchant nerveusement le fermoir.

L'expression froide du type a soudain laissé la place à un sourire de mille volts, et il a gueulé :

– Voilà un citoyen qui ressemble beaucoup à Mister Boxe !

Il s'est avancé en me tendant sa paume relativement claire, et j'ai mieux distingué ses traits.

– Nightbird Jones, ai-je fait en expirant lentement.

Sur quoi, nous avons échangé une poignée de mains. Virginia a laissé choir bruyamment son sac par terre.

– Qu'est-ce que vous fichez ici ? m'a questionné Jones en riant.

Il paraissait aussi soulagé que moi.

– Je pourrais te demander la même chose.

Encore secoué, j'ai incliné la tête. Virginia venait de ramasser son sac et le maintenait contre sa poitrine. Jones lui a tendu la main en m'interrogeant :

– Vous et la bourgeoise, z'êtes venus vous mettre un peu au vert ?

Le temps qu'il a fallu à Virginia pour réagir à son geste était sans rapport avec l'erreur sur la personne commise par Jones. Pendant ces interminables secondes, il l'a jaugée, et inscrite dans la colonne « débit » de son registre de compatibilité personnel. De son côté, il avait poliment soulevé sa casquette devant une dame.

– Non, c'est une amie, ai-je expliqué à Jones, dont l'expression restait dubitative. Virginia, je vous présente Cecil « Nightbird » Jones, une des personnalités les plus pittoresques du milieu de la boxe. Et la source de ce chant qu'on entendait tout à l'heure.

Attaquant du gauche à la Jack Johnson, main ouverte, tout en pressant sa casquette sur son cœur, Nightbird Jones s'est lancé spontanément dans une aria éclatante. C'était tellement beau que ça en devenait ridicule, même si je ne comprenais pas un traître mot de ce qu'il disait. Jones, lui, ne perdait pas une miette de l'expression abasourdie de Virginia.

– Un peu de Puccini pour vous autres ! a-t-il commenté.

Il avait acquis ce talent de bonne heure, en effectuant des tournées au sein d'un spectacle de music-hall noir ; ses parents, des artistes, lui avaient enfoncé les classiques dans le crâne afin de pouvoir l'intégrer à leur numéro. Un négrillon chantant de l'opéra à pleins poumons, le public était emballé. Seulement, à vingt ans, il aurait pu interpréter tout Puccini sans que ça lui rapporte de quoi se payer un café ; alors, il avait enfilé les gants. J'avais brossé son portrait à plusieurs reprises dans l'*Inquirer*.

– Lorsque Nightbird boxait, ai-je informé Virginia, il offrait un petit air au public. Non seulement avant, mais après le match.

– Comme ça, a fait le malabar avec un sourire, même si j'avais perdu, ils balançaient des pièces de monnaie sur le ring.

– À ma connaissance, ai-je remarqué pour le valoriser, il ne t'est pas arrivé souvent de perdre.

Il avait quitté le ring depuis longtemps, si longtemps que je ne savais plus quand. Au moment où il avait soulevé sa casquette, je m'étais rendu compte que ses cheveux crépus étaient gris et clairsemés.

– Bien aimable à vous, m'sieu Nichols. J'ai toujours apprécié ce que vous écriviez sur moi.

Son humilité n'a pas tardé à virer à l'inquiétude :

– Z'êtes pas venu ici pour pondre un article, par hasard ?

Plusieurs des ombres qui nous épiaient de la fenêtre se sont avancées dans le hall, avant de se regrouper avec méfiance derrière Jones. Les mecs n'avaient pas grand-chose à faire pour avoir l'air menaçant et Virginia s'est instinctivement tendue à leur vue, tension que Nightbird a une fois de plus dûment remarquée. J'ai contre-attaqué :

– Et toi, qu'est-ce que tu fous à Napa Valley, au juste ?

– Depuis l'an dernier, je dirige ce centre, j'en ai fait une colonie de vacances pour adolescents. Vous connaissez Boys Town, cette « cité des garçons » qui a été fondée il y a quelque temps ? Bon, on accepte pas *n'importe* quel garçon à Boys Town, si vous voyez ce que je veux dire. J'avais envie d'accueillir les gosses malchanceux dans un endroit où ils puissent apprendre quelque chose… et éviter de s'attirer des ennuis, pour le même prix.

Quand il nous a escortés vers la fenêtre, j'ai redécouvert ses guibolles en forme de parenthèses ; Nightbird Jones avait les jambes aussi arquées qu'il est humainement possible sans se trouver sur le dos d'un cheval. Virginia me suivait comme mon ombre.

– Vous voyez, a-t-il déclaré en montrant fièrement les luxuriantes plantations, on a notre ferme, là. Les petits gars de la ville apprennent à faire pousser et à récolter leur propre nourriture. Il y a un grand poulailler au fond, une menuiserie dans la grange. Monsieur Sanders nous a refilé une vieille presse typographique, comme ça les gars peuvent imprimer leurs propres prospectus et faire savoir ce qu'on réalise ici. Histoire d'aider à nous faire connaître sur Oakland.

Le jeune gardien qui s'était éclipsé au galop un peu plus tôt est revenu vers son seau d'un pas nonchalant, maillot de corps blanc passé autour du cou telle une étole de prêtre. Tout en maniant son balai à franges, il détaillait Virginia des pieds à la tête, effrontément.

– Remets ton maillot, Earl, lui a ordonné Nightbird.

On s'est éloignés lentement. Tandis que les jeunots basanés allaient et venaient, Virginia examinait le plancher.

– Tu as combien de gars, en ce moment ? ai-je demandé à Nightbird.

– Une trentaine. Le maximum que j'arrive à superviser personnellement. Je compte sur deux ou trois autres types pour venir me donner un coup de main. Le problème, c'est que ceux qui ont le plus de chances de se pointer prêchent un peu trop l'Évangile à mon goût. Je veux juste permettre à ces gosses de trouver un boulot et d'éviter la taule. Pour ça, ils ont pas besoin de faire partie de la chorale de l'église.

– Comment avez-vous choisi cet endroit ? a interrogé Virginia d'une voix mal assurée.

– C'est monsieur Sanders qui s'en est occupé pour nous.

Virginia et moi nous sommes regardés.

– Il a dit qu'il était copain avec le proprio et qu'on pouvait rester ici jusqu'à ce qu'ils décident de ce qu'ils allaient faire des lieux. Rouvrir, vendre, n'importe.

– Très généreux de sa part, ai-je marmonné. Tu as entendu parler de ses ennuis ?

– Monsieur Sanders ? Je l'ai pas vu depuis un moment. Quel genre d'ennuis ?

– Genre procès criminel. Il a tué la femme de Hack Escalante.

– Bon Dieu ! Je peux pas le croire.

– Je suppose que tu ne croules pas sous les nouvelles, isolé comme ça.

Nightbird a aussitôt changé d'attitude :

– Monsieur Nichols, sincèrement, vous êtes-t'y venu chercher un sujet d'article, ici ? Parce que si c'est le cas, va falloir que je vous persuade de laisser tomber. La pire chose qui pourrait nous arriver, ce serait que les habitants de Napa Valley apprennent qu'il y a tout un camp de garçons de couleur dans la montagne, à quelques kilomètres au-dessus de leurs têtes. Vous voyez ce que je veux dire ? On reste entre nous, on embête personne et j'ai pas envie que ça change. Quoi qu'il ait pu faire par ailleurs, c'est monsieur Sanders qui a rendu tout ça possible et je trouverai jamais un meilleur endroit pour mon centre. J'ai pas besoin de publicité à San Francisco, vous me suivez ? Les gens qui ont *besoin* de savoir qu'on est ici, ils le savent. On s'en occupe nous-mêmes.

– T'inquiète, Nightbird. Ça restera entre nous.

– Quand vous avez conclu l'accord pour venir vous installer, est intervenue Virginia, vous avez parlé à quelqu'un d'autre que Sanders ?

Jones a réfléchi à la question.

– Non, m'dame, jamais.

– Tu n'as jamais rencontré un dénommé Threllkyl ? Dexter Threllkyl ?

– Le propriétaire d'origine, si je me souviens bien.

J'ai hoché la tête.

– Tu l'as vu ? Tu lui as parlé ?

– Non. Mais j'ai entendu Chaz, l'ancien gardien, prononcer son nom deux ou trois fois. Il disait que ce gars s'était pas pointé à Cold Springs depuis des années. D'après lui, il venait souvent avant la guerre.

– Chaz est encore dans les parages ?

– Il est mort y a quatre, cinq mois. Un brave type. Plus vieux que certains de ces séquoias.

– Tu crois que Threllkyl savait ce qui se passe ici ?

– Je peux pas vraiment dire. J'aurais dû m'en inquiéter ?

– Je ne pense pas. Il nous a quittés.

– Désolé de l'apprendre, a déclaré Nightbird avec la déférence appropriée.

C'était marrant que le seul à regretter la disparition de Threllkyl soit quelqu'un qui ne l'avait pas connu. Marrant aussi que Jones ne considère pas que c'était plutôt à *lui* de nous poser des questions, vu la manière dont on avait débarqué de nulle part. Comme beaucoup de types de la même couleur, il devait avoir l'habitude des interrogatoires à sens unique.

– J'espère bien que vous allez rester dîner avec nous. Vu que je fais le meilleur riz aux haricots rouges en dehors de la Louisiane. Sans parler du poulet frit. Et vous *savez* que vous en trouverez pas de plus frais.

Virginia s'est composé avec fair-play un visage cordial ; néanmoins, ses efforts étaient sapés par la nervosité.

– On ne voudrait pas s'imposer, a-t-elle objecté.

– Je reçois pas beaucoup de nouvelles de notre sport, par ici. Ça me plairait drôlement d'être mis au parfum par Mister Boxe en personne.

J'ai assené une tape sur l'épaule de Nightbird :

– Ce n'est pas de refus.

Blanche comme un linge, frissonnant dans son manteau de laine, Virginia faisait clairement l'effet d'une agnelle cernée par des loups. La peur, ou les préjugés, l'empêchaient de se rendre compte que nous venions de découvrir le premier lien indiscutable entre Sanders, Threllkyl et un actif tangible de la fondation du mont Davidson. Sur tous les plans, ç'aurait été une erreur de se tirer de là grossièrement.

Nightbird nous a adressé un sourire rayonnant.

– Une fois gavés de mon riz aux haricots, vous ne voudrez peut-être plus jamais repartir !

Il s'est détourné de Virginia pour me faire un clin d'œil :

– Et si vous décidiez de rester dormir, ce ne sont pas les chambres qui manquent.

– Eh bien, Claire n'avait pas menti. Vous savez vraiment raconter des histoires, a admis Virginia en ajustant le rétroviseur. Bon Dieu, quelle tchatche !

– Quand vous dites ça, je suppose que c'est « bien intentionné ».

– Je dois admettre que j'ai appris tout ce que j'avais besoin de savoir dans cette vie sur l'art viril de l'autodéfense.

Au-delà du pinceau de nos phares, la route était d'un noir de poix. La ligne jaune surgissait inlassablement de l'ombre pour venir se jeter sous les roues de la Buick. L'hospitalité de Nightbird Jones nous avait coûté trois heures, et Virginia conduisait comme si elle essayait de regagner chaque minute perdue. Quant à moi, cette cuisine frite du Sud, lourde et salée, m'inclinait à desserrer ma ceinture et à réfléchir un peu.

– Bon, tâchons de faire le point, ai-je suggéré.

J'avais bon espoir qu'on parvienne ensemble à une reconstitution plausible de la vérité avant d'être revenus en ville.

– Si Sanders était l'associé légitime de Threllkyl dans toutes ces affaires, à quoi bon le coup du chantage ? Qu'est-ce que ce racket de photos cochonnes avait à voir là-dedans ?

Une expression déconcertée est apparue sur le visage de Virginia, teinté de vert par les cadrans brillants du tableau de bord.

– C'est à moi que vous demandez ça ? Vous avez été plus intimement mêlé à cet aspect de la question.

Elle était toujours furax. Je me suis dit qu'un bilan serein de la situation pourrait lui adoucir l'humeur :

– À mon avis, le rôle de Sanders consistait à attirer des investisseurs crédules. Leur oseille était filtrée par des sociétés factices et détournée vers un compte bancaire, sans doute celui de Threllkyl. Peut-être que c'était une sorte de bonneteau à enjeu élevé… et qu'ils réservaient le chantage aux caves qui se rebiffaient. En guise d'assurance contre leur recours aux flics. Qu'est-ce que vous en dites ?

— J'en dis qu'on est suivis, voilà ce que j'en dis.

Deux disques de lumière blanche étaient visibles à une trentaine de mètres derrière nous. Virginia a mis les gaz, et mon pouls est devenu encore plus rapide que notre allure.

— Qui pourrait bien nous filer le train ? ai-je demandé d'une voix rauque.

— On se demande ! a-t-elle répliqué hargneusement. Môssieu s'amusait trop à la plantation pour se rendre compte que moi, pendant ce temps-là, on me *déshabillait* !

Me moquant éperdument d'avoir l'air prêt à faire dans mon froc, j'ai vissé ma main droite au tableau de bord. J'avais fréquenté des centaines de héros du ghetto, aux mauvaises intentions et aux poings dangereux, mais aucun ne m'avait autant foutu les jetons que cette Blanche légère au pied lourd et à l'imagination débordante. Si j'avais encore possédé le chapelet de ma mère, j'en aurais fait un usage intensif.

— Allez-y mollo ! ai-je jappé. On ne voit même pas la route !

La mâchoire crispée, l'air sombre et résolu, Ginny était quasiment couchée sur le volant. L'aiguille du compteur de vitesse s'est envolée, sans qu'on arrive à semer ces phares qui nous collaient au train. Sur plus d'une quinzaine de kilomètres, le rugissement du moteur, tonitruant dans les lignes droites, atténué dans les virages, a été le seul son que j'entende – et le dernier que j'entendrais jamais, j'en étais convaincu. Que penserait Ida quand la police de la route viendrait lui apprendre qu'on avait trouvé sur une route de campagne isolée une bouillie sanglante à bord d'un tas de ferraille : le cadavre de son mari intimement mêlé à celui d'une inconnue ?

À la sortie d'un virage, nous avons aperçu des signes de civilisation. Virginia a encore appuyé sur le champignon. Quelques secondes plus tard, on arrivait au Dew Drop Inn, un routier style Far West typique, à condition de faire abstraction des néons criards. On a dérapé par-dessus la ligne jaune, dans un crissement de pneus et une gerbe de gravillons. Après avoir arrêté son roadster à quelques centimètres d'une vieille barre d'attache destinée aux chevaux, Virginia a coupé le moteur et éteint les phares.

Les disques de lumière blanche ont négocié le virage sur la route baignée de lune. Ils se rapprochaient à toute vitesse.

Virginia a ouvert son sac d'un geste brusque et elle y a plongé la main. Un instant plus tard, elle en avait sorti l'automatique. Je l'ai suppliée :

– Nom de Dieu, contentons-nous d'entrer dans ce restau !

– Trop tard, a-t-elle murmuré d'une voix rauque.

Nos poursuivants ont dessiné la même trajectoire que nous sur le parking gravillonné. Dans la lumière vive, Ginny a levé son garde du corps en métal bleuté. L'autre bolide, tous feux éteints, a freiné à environ trois mètres de la barre d'attache. Une longue Cadillac bicolore. Virginia s'est empressée de baisser sa vitre afin de mieux pouvoir mitrailler. Côté conducteur, la portière de la Cadillac s'est ouverte et, du coup, le plafonnier s'est allumé.

Pendant que la passagère, une adolescente blonde, faisait hâtivement bouffer ses franges et vérifiait son rouge à lèvres dans le rétroviseur, son petit ami, un garçon bien élevé, a contourné le luxueux char d'assaut paternel pour venir lui ouvrir la portière. La fille a mis pied à terre délicatement ; le garçon s'est tourné vers nous.

– Vous avanciez vachement bien ! nous a-t-il lancé avec un sourire impatient. Nous aussi, on crève de faim.

Virginia a poussé un énorme soupir. En regardant le couple pénétrer à l'intérieur de l'établissement, elle a posé l'arme sur sa cuisse. Un air de swing nous est parvenu quand ils ont ouvert la porte. Au bout d'un moment, elle a examiné son flingue.

– Encore un souvenir de ce vieux Cad ? ai-je demandé.

– C'est moi qui l'ai acheté, a-t-elle répondu en lui jetant des regards admiratifs dans la pénombre. À Alameda, chez « Big Pete, le tireur d'élite ». Un Beretta neuf millimètres – il tire des balles de calibre 38. Vous connaissez le fonctionnement ?

– Ne me regardez pas comme ça, Calamity Jane.

Chapitre 13

Le lendemain matin, Woody Montague me demandait par téléphone de le retrouver au Bank Exchange dans l'après-midi. Il avait des tuyaux sur la fondation du mont Davidson et paraissait tout excité que j'aie suivi son conseil en allant faire un tour à la station de Cold Springs.

Le Bank Exchange est un bar situé à l'angle des rues Montgomery et Washington, dans le coin nord-est du Monkey Block – bâtiment de trois étages, dénué de charme, qui s'étale sur tout un pâté de maisons. Bien que San Francisco compte des curiosités plus spectaculaires, le Monkey Block jouit dans la tradition locale d'un statut privilégié, dû essentiellement à son invincibilité. Il fut érigé en 1853 sur des fondations constituées d'un gigantesque tablier en rondins de séquoia, prévu pour résister aux tremblements de terre comme à l'élévation du niveau de la nappe phréatique. C'était alors le plus vaste bâtiment à l'ouest du Mississippi. Sa légende s'étant amplifiée en 1906, après qu'il eut l'insolence de survivre à l'incendie ayant englouti la majeure partie du centre-ville, il devint un havre pour des artistes et des écrivains tels que Frank Norris, Ambrose Bierce, Mark Twain. À la fin des années 1940, de plus en plus de bohèmes y avaient élu domicile ; on les voyait, vêtus de pulls miteux et coiffés de bérets, traîner et frimer en brandissant d'épais carnets à croquis ou des cigarettes étrangères, et leur nombre dépassait aisément celui des juristes et comptables demeurés dans le Monkey Block. Chaque année, c'était réglé comme du papier à musique, un promoteur taré annonçait son intention de raser l'ensemble pour le remplacer par un parking, ou un hôtel, ou un véritable immeuble de bureaux. Chaque année, le Monkey Block avait le dernier mot. Il l'aura toujours.

Vu l'austérité de son style de vie, j'ai trouvé curieux que Woody me donne rendez-vous dans un saloon. Je ne me rappelais pas avoir jamais vu une goutte de whisky lui souiller les lèvres ; pourtant, c'était bien l'alcool qui faisait la renommée du Bank Exchange – comme du restaurant italien Poppa Coppa's et, en fait, de tout le Monkey Block. Ce que s'est chargée de me rappeler, alors que je longeais la façade de brique du bâtiment, la plaque qu'y avaient apposée les Clampers, bande farfelue d'historiens amateurs et de buveurs invétérés :

Ici, au Bank Exchange, Duncan Nicol – 1853-1918 – a servi le Pisco Punch dont il était l'inventeur. Benefactor Humani Generis. *Plaque dédiée par E. Clampus Vitus, le 29 janvier 1938.*

Cette invention mystique de Nicol était un cocktail à base de brandy péruvien et de divers alcools inconnus. On disait que la recette, dont il emporta le secret dans la tombe, lui avait été transmise par un étranger. Il pratiquait son alchimie dans l'isolement cellulaire de la cave du Bank Exchange ; un monte-plats hissait l'élixir, conditionné en grandes bouteilles, à la portée de ses barmen surmenés. Propriété exclusive de Duncan Nicol, le Pisco Punch était pourtant devenu célèbre dans les bars du monde entier ; cela dit, l'accomplissement suprême du « bienfaiteur de l'humanité » restait d'avoir accueilli les femmes au sein d'une section de son établissement où elles pouvaient savourer entre elles son admirable breuvage. En leur fournissant des boxes et un service confortables, Nicol avait créé le premier bar-salon de San Francisco. De toute évidence, il méritait un monument et non une simple plaque de bronze.

Accoudé au comptoir, où il sirotait une boisson ressemblant fâcheusement à du thé glacé, Woodrow Montague dominait l'assemblée décadente des juristes, courtiers et autres banquiers occupés à prendre un déjeuner tardif. Il m'a saisi par l'épaule, en souriant jusqu'aux oreilles :

– Le match de la semaine dernière, à Oakland, on dirait que ç'a été chaud. D'après ton compte rendu, tu n'as pas l'air d'accord avec la décision.

– Turner est mieux entré dans la garde de l'autre. Le résultat était indécidable.

D'un geste, j'ai réclamé une petite mousse au barman.

– Tu t'es cassé tellement vite, l'autre soir, que tu n'as même pas eu le temps de rencontrer les petits.

Woody a sorti son portefeuille pour me montrer quelques instantanés de ses gamins. De beaux enfants aux yeux brillants, une fille et deux garçons. Il m'a indiqué leurs noms et fourni quelques informations indispensables, sans oublier de prédire leurs carrières. Quand j'en ai eu assez, j'ai plongé une main dans la poche de ma veste :

– Voilà le mien. Vincent, six mois.

Je lui ai tendu l'un des polaroïds du Futur Champion, pris par Ida, que j'avais glissé le matin même dans mon portefeuille.

Le roi des journalistes d'investigation a examiné la photo d'un air heureux :

– Tout le portrait de son père, hein ?

Avec une grimace censée exprimer ma satisfaction, j'ai rempoché le document. La première gorgée de ma bière m'a rafraîchi. Woody a coupé court aux vains bavardages :

– Alors, tu as vu la station de Cold Springs de tes propres yeux.

Devant mon hochement de tête, son expression s'est illuminée :

– Eh bien, voilà qui donne un tour nouveau à l'affaire. Parce que, derrière la plupart des autres actifs censés étayer la fondation du mont Davidson, j'ai surtout trouvé du vent. À moins d'être constituées en sociétés commerciales ailleurs qu'en Californie, ces boîtes ne sont apparemment que de la poudre aux yeux.

J'ai débité ma théorie post-Napa, comme quoi la fondation était une affaire bidon montée pour escroquer les investisseurs naïfs. Ayant enquêté sur toutes sortes d'arnaques, Woody n'écartait pas cette possibilité :

– Parmi les entreprises que j'ai contrôlées, il y en a une qui m'a l'air réglo. Une société minière appelée la Great Western Mining and Drilling. Si tu lis attentivement les dispositions du fidéicommis, tu trouveras un avenant qui spécifie la division de *certains* actifs, pas de *tous*. Cette boîte d'extraction et de forage, ou encore la station de Cold Springs, c'est-à-dire les trucs dont Burney Sanders était censé obtenir la moitié… je suis prêt à te parier que *ça*, c'est du sérieux.

– Et qu'est-ce que je fais, moi, maintenant ?

– Tu m'accompagnes au bureau du proc. Après avoir déterminé qu'une bonne partie des documents était du bluff, je leur en ai fait parvenir des copies. Ils ont décidé de m'accorder un quart d'heure dès aujourd'hui. Étonnant, hein ?

Pendant qu'il jetait un coup d'œil à sa montre, j'ai cherché du regard un endroit où vomir mon petit déj'.

– J'ai rencart dans quelques minutes. Viens avec moi, on verra ce qu'ils disent.

– Woody, je t'avais demandé spécifiquement de faire profil bas.

J'ai abattu mon verre de bière sur le bar.

– Et voilà que tu refiles des copies au procureur !

Il m'a examiné comme si je trahissais la cause de la Presse, avant de répliquer d'une voix ferme :

– J'essaie de piger. Sans te faire perdre de temps ni dépenser un rond, je réussis à soumettre ta camelote au procureur – et tu fais *la gueule* ? Merde, William Randolph Hearst lui-même n'aurait pas obtenu de meilleurs résultats.

– Ne va imaginer que je n'apprécie pas. Mais sois aimable de ne pas impliquer Sanders. D'accord ?

Au bout de quelques instants, il a répondu avec un regard noir :

– Ouais, ouais, bien sûr.

Sur le ton dont il avait l'habitude de rassurer les informateurs qui le suppliaient de ne pas les citer.

En nous rendant au palais de justice, on est passés devant la prison Numéro Un du comté. Le ciel bleu clair de la matinée était envahi par des nuages menaçants qui déboulaient du Pacifique.

Woody a désigné du menton la porte de la prison donnant sur la rue :

– C'est là que j'ai fait un de mes premiers reportages pour l'*Inquirer*.

Il s'efforçait d'égayer mon humeur, dont la brusque dégradation ne lui avait pas échappé.

– Un article consacré aux prisonniers enfermés dans les cellules du dernier étage. Les gars avaient l'habitude de se rincer l'œil gratis chaque fois que des modèles posaient pour les peintres, sur le toit du Monkey Block. Une connerie, le genre de truc qu'on refile aux débutants.

Pendant que Woody était là à blaguer, Sanders se morfondait dans sa cellule, huit étages plus haut, en attendant d'être livré aux rouages du système judiciaire. Je ne pouvais me défaire de l'impression que, même derrière les barreaux, il tirait les ficelles qui me liaient à son destin sordide.

Quand on a franchi la crête de Kearny Street, j'ai jeté un coup d'œil vers le sud. Le Russ Building dominait les autres tours du centre-ville. Plusieurs jours après mon rêve sanglant, ses fantômes continuaient à me hanter et je n'avais pas besoin de psy pour comprendre ce que ça voulait dire : j'avais été incapable de protéger Claire lorsque j'aurais dû le faire.

Maintenant que Virginia Wagner était en danger, pas question que je la laisse tomber. Quels que soient les commentaires du procureur sur la fondation du mont Davidson, j'allais pouvoir délivrer à cette demoiselle un rapport de première main. Si Woody Montague commençait à fourrer son nez là où il ne fallait pas, je pourrais toujours le retenir. Pour me rassurer, je me suis dit que je n'avais aucune prise sur le déroulement des événements. Je n'en étais pas plus responsable que ne l'est un journaliste de l'actualité qu'il couvre.

Malgré mes appréhensions, j'ai accompagné Montague à l'intérieur du palais de justice. Je n'avais pas vraiment le choix. Que ça me plaise ou non, ce truc dans lequel j'étais impliqué – une *affaire* à suivre ? un *service* que je rendais ? – était sur le point de vivre sa vie en dehors de mon contrôle.

– Bon, je t'accompagne, ai-je bougonné.

Après avoir franchi rapidement le perron de granit, on s'est faufilés au rez-de-chaussée parmi l'effervescence de flics, juristes, témoins et autres prêteurs de cautions. Poursuivant notre ascension vers des couloirs moins bruyants, nous avons longé plusieurs salles d'audience où siégeaient divers tribunaux, pour finalement parvenir au bureau du procureur. Là, bien que Montague ait rendez-vous, on a dû faire le pied de grue devant le sanctuaire de Pat Brown, sur un banc.

William Corey, substitut du procureur et incarnation de mon pire cauchemar, n'a pas tardé à sortir du bureau de Brown pour venir nous recevoir. Il ne portait pas de veste ; son pantalon de tweed était retenu par des bretelles, et sa large cravate, juste assez desserrée pour dévoiler une pomme d'Adam protubérante. Il n'avait rien perdu de cette amabilité artificielle qui m'était restée en travers de la gorge, le soir des matches :

– Quelle surprise de vous voir ici !

Tout en maintenant ouverte la porte du bureau, il m'a tendu le poisson mort qui lui pendait au bout du bras.

– Je n'avais pas prévu de passer, ai-je répondu en lui serrant un instant la cuillère. J'accompagne simplement Woodrow.

En tant que fantassin de Pat Brown, Corey n'avait pas plus droit à une antichambre qu'à une secrétaire. Nous sommes entrés à la queue leu leu dans son austère bureau. Au-dessus des lambris d'acajou, les murs beiges étaient nus ; le seul agrément était la vue sur le quartier italien de Telegraph Hill, derrière les stores vénitiens. Woody s'est assis en face de Corey sur un fauteuil tape-cul, modèle administratif, qui paraissait trop fragile pour contenir sa grande carcasse ; je suis allé me percher sur une chaise à dos droit, dans un angle de la pièce, entre le drapeau et le portemanteau… et j'ai fait de mon mieux pour disparaître.

Une fois posté derrière sa table de travail, Corey a sorti une mince liasse d'une enveloppe de papier kraft. La pièce était tellement exiguë que, de l'endroit où je me trouvais, j'ai pu lire l'adresse manuscrite : « Edmund G. Brown, procureur général de San Francisco, palais de justice. » L'abominable fondation du mont Davidson se propageait tel un cancer. Sur un ton de lassitude dédaigneuse, Corey a pris la parole :

— Nous n'avons eu le temps de jeter qu'un bref coup d'œil à ces documents. Néanmoins, ma première impression est qu'il s'agit d'une escroquerie. Nous n'avons pu déterminer la validité d'aucun des avoirs mentionnés ici.

Il donnait l'impression d'avoir bien répété son discours blasé. Montague m'a jeté un coup d'œil, comme s'il espérait que j'intervienne pour confirmer l'existence de la station de Cold Springs. Au lieu de quoi, j'ai sorti mon mouchoir et j'en ai fait bon usage. Par la fenêtre, j'apercevais des nuages qui s'amenaient de la Baie à toute allure. Montague a reporté son regard vers le substitut du procureur, et il s'est lancé :

— Il me semble que feu Dexter Threllkyl était impliqué dans la recherche d'actionnaires pour diverses sociétés factices. Une partie des profits a pu être engagée dans l'acquisition d'actifs réels, sous d'autres noms. Mais je suis convaincu que ces innocents investisseurs ne verront jamais la couleur des bénéfices auxquels ils ont droit… à moins que le ministère public ne prenne des mesures.

— Représentez-vous certains de ces « innocents investisseurs » ?

— Pour l'instant, non, a répondu Montague.

Ses mains aux longs doigts effilés ont formé un toit en pente.

— Si je suis ici, c'est uniquement en tant que citoyen concerné.

Le coup du « citoyen concerné » a arraché une grimace à Corey, qui m'a jeté un regard torve :

— Vous n'êtes pas client de monsieur Montague ?

Pour toute réponse, j'ai croisé les jambes en laissant pendre une cheville, et peut-être même pincé les lèvres. Motus et bouche cousue. Dehors, les nuages s'amassaient au-dessus de la Coit Tower, la tour de béton en forme de lance à incendie érigée en haut de Telegraph Hill.

– Monsieur Nichols est un ami, est intervenu Montague, pas un client.

– Vous n'avez que ces papiers ? l'a interrogé Corey. Les copies carbone de quelques pages ? Sans un exemplaire complet du fidéicommis, nous ne pouvons pas faire grand-chose. Il nous faudrait les documents d'origine. Sont-ils en votre possession ?

– Si la ville entend donner suite à cette affaire, je réunirai les documents nécessaires.

– Voyons d'abord ce que vous avez. Notre bureau croule sous les problèmes à traiter, plus graves les uns que les autres. Toute information pertinente que vous nous communiquerez sera susceptible de faire accorder la priorité à ce dossier.

Montague a émis un gloussement :

– Les arnaques d'un million de dollars ne sont pas prioritaires ?

– Avec le respect que je vous dois, monsieur Montague, a répliqué Corey en feuilletant les pages pour souligner la minceur du dossier, ceci ne pèse pas lourd.

Tandis que le substitut du procureur remettait les papiers dans leur enveloppe, Montague a étiré ses membres interminables. Après quoi, il a sorti une feuille de sa veste et, penché sur le bureau de Corey, l'a dépliée et aplatie sur le buvard brun du sous-main. Mon cœur a cessé de battre. Je reconnaissais les manières théâtrales d'un vétéran du reportage assenant une preuve sérieuse à un interlocuteur récalcitrant.

– Et *ça*, qu'est-ce que ça pèse ?

Il a montré le foutu avenant. Qui portait le nom de Burney Sanders.

Corey a examiné la feuille quelques instants, en bougeant silencieusement les mâchoires. J'ai envisagé d'assassiner Montague avant

142

de m'enfuir du palais de justice au galop. Le substitut a appliqué une paume sur le document :

– J'ignore de quoi il retourne, mais je peux vous garantir une chose : le ministère public est déterminé à ce que Burney Sanders soit déclaré coupable de meurtre. Il est hors de question que sa prétendue implication dans cette petite combine puisse entraver les poursuites.

Le substitut du procureur nous a lancé ce qu'il prenait pour un regard intimidant – et qui, dans la rue, aurait valu une beigne à ce poids coq. Au sein du palais de justice, avec le poids de Pat Brown derrière lui, la menace était nettement plus convaincante.

Cependant, il en aurait fallu plus pour arrêter Woody Montague :

– Maître, a remarqué Woody d'un ton empreint de sarcasme, vous ne pouvez pas savoir si cette arnaque est favorable ou défavorable à votre affaire. Ou même quel rapport elles peuvent avoir entre elles, en admettant qu'il y en ait un. Je pense qu'une petite investigation ne serait pas superflue.

– Notre dossier est suffisamment solide.

Woody s'est frotté les poils de la nuque, puis a tendu vivement les bras pour remettre en place ses poignets de chemise. Peut-être revivait-il les derniers temps de sa carrière de journaliste, quand les rédacteurs en chef refusaient de le laisser suivre des pistes prometteuses. Peut-être y avait-il là quelque chose de contraire à ses principes de « croisé de la justice ».

En route vers le sud-est, les nuages d'un gris charbonneux ont survolé le palais de justice et le jour s'est obscurci comme si quelqu'un venait de baisser les stores. Corey a contre-attaqué :

– Comment ces papiers sont-ils parvenus entre vos mains ?

Avant que Woody ne puisse répondre, le substitut m'avait déjà assailli à mon tour :

– C'est Sanders qui vous en a parlé quand vous l'avez vu la semaine dernière ? Il vous a dit où les trouver ?

Derrière ses verres épais, Montague m'a jeté un regard perplexe qui n'a pas échappé à Corey. N'importe quel juriste dégourdi l'aurait remarqué.

– Non, ai-je répondu, il n'y a pas fait allusion.

J'avais l'impression désagréable que ma chaise se transformait en barre des témoins.

– D'où sort ce dossier ? a insisté Corey en frappant l'enveloppe de son doigt.

Feignant l'ignorance, j'ai haussé les épaules. Des gouttes de pluie ont commencé à tinter aux fenêtres. Woody a essayé de se reprendre :

– Quelle importance ? a-t-il protesté. Le nom de Threllkyl revient sans cesse dans ce document. C'est de là qu'il faut partir pour connaître le fin mot de l'histoire.

– Merci du conseil. Ce que je veux savoir, c'est d'où viennent ces copies.

– Un tuyau anonyme, ai-je glissé.

Ce qui n'a pas eu l'heur de plaire au substitut du procureur. Il m'a fait les gros yeux avant de reporter son attention vers Montague :

– Savez-vous que monsieur Nichols va être appelé à témoigner contre Sanders ? Et qu'il a déjà été avisé d'un possible conflit d'intérêts dans cette affaire ? Franchement, je m'étonne de le voir ici aujourd'hui. Surtout dans ce contexte.

Après avoir brandi l'enveloppe et l'avenant, Corey les a glissés dans un tiroir de son bureau.

– Je l'ignorais, a admis Woody en toussotant. Mais ce n'est pas la seule raison de ma présence ici. Vous savez que je poursuis mon enquête sur Virgil Dardi et la Major Liquor Company.

– Ah, j'aurais dû m'en douter, a fait Corey.

Il nous a servi une grimace désabusée, caricature de l'expression du flic qui a tout vu en patrouille :

– Vous ne renoncez pas facilement, hein ?

– Un de ses chauffeurs a failli tuer un homme, la semaine dernière, et Dardi essaie d'esquiver le versement des dommages et intérêts.

Je ne sais pas si vous êtes au courant, mais les camions de sa société parcourent cette ville en tous sens et ils ne sont même pas assurés. Ça devrait suffire pour l'épingler.

La patience de Corey s'évaporait rapidement :

– Où voulez-vous en venir, Montague ?

– Je souhaite avoir accès au dossier du parquet sur Dardi. Je soupçonne ce dossier de contenir un historique accablant de ses activités illégales à San Francisco. S'agissant d'une fonction élective, ces archives sont du domaine public.

– Cette question a été réglée et n'est plus à l'ordre du jour.

Les mots étaient tombés tels des glaçons dans un verre à cocktails. Aussi rapidement et complètement qu'elle l'avait été par la pénombre, la pièce fut envahie par une atmosphère d'hostilité. Montague a riposté :

– Pourtant, Dardi est revenu aux affaires. Comment se fait-il que le ministère public laisse le champ libre à cet escroc ?

Dans ces moments-là, il donnait l'impression d'avoir retrouvé son ancien boulot et de cuisiner un informateur évasif.

Le substitut du procureur s'est levé, signifiant que l'entretien était clos :

– Monsieur Montague, des années de journalisme d'investigation vous font voir des complots imaginaires.

Quand Woody s'est levé de sa chaise, on aurait cru voir se déplier une échelle de pompiers. Sa tête semblait menacer d'aller se cogner au plafond.

– Peut-être parce que j'ai l'habitude de voir ce bureau trouver des « témoins » imaginaires.

Le mercure venait de grimper tout en haut de son thermomètre personnel, et il a fait baisser les yeux au petit substitut.

– On garde le contact, a fait Corey.

Il a contourné son bureau pour allumer le plafonnier, et notre teint à tous les trois est devenu jaunâtre et maladif. Puis il nous a ouvert en grand la porte du couloir où résonnaient, caverneusement, des échos.

– Putain, mais qu'est-ce qui t'a pris ? ai-je gueulé à Montague sous la pluie battante. On est entrés dans ce bureau en tant que « citoyens concernés », respectables. Et maintenant, si ça se trouve, je vais être appelé à *témoigner !*

Nous avons remonté Kearny Street à vive allure, en longeant toutes les enseignes au néon des cabinets de caution. Je m'essoufflais à suivre les grandes enjambées de Woody. S'étant arrêté au terme d'une glissade, il m'a jeté un regard sous l'édition matinale du *Chronicle*, toute trempée, dont il s'était fait un couvre-chef :

– Tu avais omis de me signaler ton implication personnelle dans ce procès criminel. Qu'est-ce que ça veut dire, *ça* ?

Je l'ai attiré sous l'auvent d'un saloon, le Silver Stable. La grêle qui flagellait la toile tendue nous obligeait à crier :

– Je ne suis pas *impliqué* personnellement. J'ai fourni aux flics des infos qui les ont aidés à alpaguer Sanders, c'est tout.

Montague a secoué mélancoliquement la tête, en faisant gicler une gerbe de gouttes d'eau. Il a chaussé ses lunettes et les a essuyées avec sa cravate :

– Tu aurais dû me prévenir que tu étais dans le coup.

– Je t'avais *dit* de ne pas mentionner Sanders. Je te l'avais dit clairement. Et il a fallu que tu fasses ce cinéma !

– Ces gens-là doivent comprendre qu'on les tient à l'œil.

Mon ami a remis ses lunettes avant de me transpercer d'un regard peiné :

– Nich, tu as pu voir de tes propres yeux le mur auquel je me heurte depuis longtemps. Ce bureau n'en fait qu'à sa guise, il a carte blanche pour persécuter ou protéger qui il veut, pour quelque raison que ce soit. Autant que tu le saches, ça fait des années que je tombe et que je retombe comme un poil de cul dans leur soupe. Pat Brown a eu l'amabilité de mettre le téléphone de mon bureau sur écoute. Ce sont leurs façons habituelles de procéder, quand on n'est pas de leur côté.

– Et merde, ils n'avaient aucune raison de me mettre sous surveillance, moi… jusqu'à *maintenant*. Putain, Corey aurait sans doute été réglo avec nous au sujet de la fondation si tu n'avais pas pété les plombs en parlant de cet accident.

– Nich, ils ne toucheront pas à la fondation, même si Sanders y est compromis jusqu'au cou. Ils veulent le faire tomber, un point c'est tout. Attends de voir comment ils vont essayer de te manipuler. Parce que, crois-moi, rien ne les arrêtera. Regarde cette histoire avec ton pote, Bernal. La semaine dernière, je ne pouvais pas trouver un seul témoin fiable de l'accident. Mais, dès que j'y suis parvenu, les avocats de Dardi ont débarqué de nulle part avec un type qui prétendait avoir tout vu, et qui se tient prêt à déclarer sous serment que Bernal était en tort. Si on va au tribunal, je te garantis que le proc soutiendra ce faux témoignage de A jusqu'à Z. Ça arrive tout le temps.

– J'étais à une rue de là au moment de l'accident, tu sais. Il n'y avait pas des masses de témoins dans les parages.

– Tu n'aurais pas pu rater ce mec. Il est énorme. Il s'appelle Emmanuel Gold et, d'après mes sources, il commence à avoir un sacré CV en tant que « témoin fiable ».

CHAPITRE 14

Quelques jours plus tard, ma femme et moi assistions à un naufrage culinaire. Au mépris de toute délicatesse, j'avais arraché à Manny Gold une invitation à dîner dans sa grande demeure de Saint-Francis Wood, comme dédommagement pour lui avoir préparé le terrain auprès du responsable du service des promotions, à l'*Inquirer*.

– Dix mille protège-poches ! se vantait Gold à Ida. Ce n'est pas un mince résultat. J'ai maintenant un pied dans la porte du principal quotidien de cette ville, et ce n'est sans doute que la première étape de ce qui promet d'être une longue et fructueuse relation avec monsieur Hearst. Un laissez-passer doré sur tranche pour San Simeon !

Il fallait s'appeler Manny pour voir dans cette aumône d'un larbin la perspective d'une invitation au château dément de William Randolph Hearst, caricaturé par Orson Welles dans *Citizen Kane* sous le nom de « Xanadu ». Ça demandait de l'imagination – et la sienne était vive, comme me l'avait appris Woody Montague. Manny, la magnanimité incarnée, a proclamé :

– Tout cela, je le dois à votre mari.

Armée d'une fourchette, Ida extrayait des débris comestibles de la catastrophe gastronomique venue s'écraser sur son assiette. En se rendant compte que Manny lui adressait la parole, elle a suspendu son geste pour lui adresser un sourire modeste et cette remarque à caractère général :

– Voilà d'excellentes nouvelles.

Manny présidait à l'extrémité de la table. Une veste de smoking, à la couleur écarlate soulignée par des poignets et des revers de velours noir, sanglait son torse énorme ; sa cravate-foulard dorée, à motifs de spirales étourdissant, était presque rentrée dans son col de chemise amidonné de taille quarante-neuf. Soulevant un verre à pied rempli de vin rouge, dont il avait déjà inspecté le fond à plusieurs reprises, notre sentencieux amphitryon a proposé un nouveau toast :

– À mon excellent ami et néanmoins bienfaiteur, le plus grand poète du sport, non seulement de cette ville ou même de cet État, mais…

Manny a continué un moment à faire l'animateur volubile, ce qui m'a permis de rester assis humblement, les mains jointes, en éludant mes légumes ramollis au beurre blanc lavasse et mon pavé de viande si pétrifié que j'aurais aussi bien pu essayer de ronger une pierre ponce. Quant à la purée de pommes de terre, des maçons l'aurait sûrement trouvée très utile pour cimenter leurs briques.

J'étais navré pour Ida. Elle s'était fait une joie à l'idée, non seulement d'une sortie, mais de ces retrouvailles maintes fois reportées avec Peggy Winokur Gold, pur produit de Pacific Heights. Au départ, il était prévu que les deux femmes s'impressionnent mutuellement au moyen de leurs gosses respectifs, mais ce projet n'avait pas abouti. Manny ayant lourdement suggéré, sans mentionner de raison particulière, qu'on prenne une baby-sitter, Ida s'était accommodée sportivement de la situation et avait recruté sa sœur Paula pour garder notre petit bâtard blond.

Pendant qu'on s'habillait en prévision de la soirée, Ida s'était remémorée toutes les remarquables recettes de cuisine que lui avait enseignées Peggy au fil des ans, notamment à l'occasion des fêtes. Les Gold avaient été réputés pour la somptuosité de leurs buffets et tous les associés de Manny, réglos ou louches, aimaient passer des heures à déconner en s'envoyant des amuse-gueule salés et en descendant des grogs. Leur dernière grande célébration de Noël remontait à plusieurs années ; entre-temps, il n'y avait pas que les soufflés de Peggy qui étaient retombés.

À propos de rien, elle s'est mise à raconter :

– Aujourd'hui, une vieille dame attendait dans mon dos, au bureau de poste. Et elle n'arrêtait pas de demander par-dessus mon épaule si c'était le guichet des timbres. Elle voulait juste acheter des timbres ! Ensuite, elle s'est mise à crier sur l'employé. Pendant qu'il essayait de compter ma monnaie. Et je me suis retournée pour lui dire, vous savez, poliment, tranquillement, qu'il ne fallait pas embêter le guichetier. Pas quand il s'occupait déjà de quelqu'un. Ça l'a rendue folle. Elle trouvait que je mettais trop longtemps à me faire rendre ma monnaie. Je savais qu'elle me jetait des regards noirs. Je pouvais le sentir. Je sentais ses regards derrière ma tête.

Peggy et son époux étaient assis face à face, à chaque bout d'une table assez longue pour servir de quai à la gare de West Portal. Manny aurait pu gagner un peu d'intimité en enlevant quelques rallonges, mais je le soupçonnais de souhaiter reléguer Peggy jusqu'en Slobovie Extérieure. Elle a continué :

– J'ai essayé d'expliquer à l'employé qu'à mon avis le service postal s'était détérioré, parce que nous avons reçu plusieurs fois le courrier d'autres personnes dans notre boîte à lettres. Et alors, l'employé a répondu : « Il faudra s'en occuper. » La femme était toujours derrière moi, elle a dit : « Ce n'est pas le guichet des réclamations. » Ça m'a rendue *complètement* folle. Quelle garce ! J'ai failli me retourner pour l'étrangler. J'ai horreur de ce genre de personnes. Des personnes qui vous... *collent*.

Ida a fait un sourire fragile, mais son regard était mortifié.

– De nos jours, ai-je hasardé, le service est devenu brusque dans la plupart des bureaux.

Camouflage verbal. On était chez Peggy depuis deux heures, sans avoir encore pu saisir la chaîne de ses associations d'idées. Les maillons étaient entrelacés de façon incompréhensible.

Qu'elle préside des présentations de collections au profit d'œuvres de bienfaisance, ou prête son charme à des rallyes de donations de l'Armée du Salut, Peggy Winokur avait jadis été une habituée du carnet mondain de l'*Inquirer*. Mais pas moyen de me rappeler la dernière fois que j'avais aperçu sa large tronche chevaline

151

dans le journal, ou son nom dans la rubrique de Rosalie Marchmont, la chroniqueuse qui relatait servilement les frasques des élites de San Francisco enivrées par le lucre. Dans sa jeunesse, le spécimen attablé avec nous avait peut-être été une pouliche primée, mais ce n'était plus désormais qu'une créature décharnée, au cuir tanné. Sa tunique de soie verte pendait d'une paire d'épaules étroites et plus raides qu'un cintre.

— J'espérais voir Daniel ce soir, a remarqué Ida.

Pour la douzième fois.

— Ça fait si longtemps. Il doit être grand, maintenant.

— Presque neuf ans, a répondu Manny pour essayer de distraire ma femme.

— Il me donne tellement de mal, a gémi Peggy. Heureusement qu'il était fatigué. Le pauvre petit, il devient tout tendu. Et ensuite… il craque. Comme sa mère.

Un fanion s'est agité dans l'esprit de Peggy – un nouveau maillon de la chaîne venait de sauter :

— Les psychologues s'imaginent pouvoir changer l'esprit des gens. Ils se prennent pour des sorciers. À celui-là, j'ai simplement déclaré : « Pourquoi devrais-je m'exploiter moi-même, ou exploiter ma famille, pour répondre à vos questions ? Vous avez accepté de me prescrire un traitement. Je ne suis pas votre médecin. Qui vous paie ? Vous voulez savoir ces choses… Pourquoi ? Je suis heureuse de parler pendant huit minutes. Mais est-ce que ces séances, ou les cachets, ou les dollars remplacent vraiment l'intimité que j'ai perdue ? Comment je me *sens* ? Ça, je peux me le demander moi-même ! »

Sous la table, Ida m'a donné un coup de pied. Manny observait son épouse d'un œil las et faisait nerveusement tourner autour de son doigt un anneau d'or de la taille d'un rond de serviette.

Ida a charitablement conclu ce misérable repas en s'excusant pour se rendre aux toilettes. Après avoir encouragé son épouse à débarrasser la table – tâche dont elle s'est acquittée, non sans se

lancer dans une longue diatribe dirigée contre personne en particulier –, Manny m'a aiguillé vers la salle de séjour. Des braises illu-
minaient la vaste cheminée; il a sorti une boîte à cigares d'un petit
placard.

– Tu connais Teddy Salazar ? Cette enflure m'a arnaqué sur un
coup, n'empêche que je lui ai soutiré ces barreaux de chaise. Ça se
laisse fumer.

Il en a coupé un et me l'a tendu.

Les élégantes portes-fenêtres alignées donnaient sur une pelouse,
en bordure de rue, qui aurait pu accueillir une mêlée des Forty-
Niners, l'équipe de football de San Francisco. Par les dizaines de
vitres biseautées, j'ai contemplé les rues larges et les haies bien
taillées de Saint-Francis Wood, le tout éclairé par des réverbères à
l'ancienne. Au moment où j'allumais mon cigare, j'ai aperçu dans
l'angle de la pièce une grande baignoire en métal galvanisé, stra-
tégiquement placée pour recevoir les gouttes d'eau qui tombaient
d'une portion détrempée du plafond.

– Putains d'averses, a soupiré Manny.

Il lançait des bouffées de fumée, une véritable locomotive. J'ai
eu l'impression que cette fuite remontait à plusieurs orages.

– Merci pour le dîner, Manny.

– Merci d'avoir fait semblant de manger. J'avoue que j'étais
coincé. Elle n'est plus capable de cuisiner. Ni de grand-chose
d'autre, d'ailleurs. J'ai essayé de filer un coup de main, mais je ne
suis pas foutu de faire bouillir de l'eau.

Sur une desserte à roulettes, il a pris deux verres à porto et une
bouteille.

– Je ne sais pas comment m'en sortir, William. Regarde-la, il y
a forcément quelque chose de travers. Elle a subi une dizaine de
tests, vu des médecins, des psychologues, tout le bataclan. Personne
ne trouve ce que c'est. Il peut se passer une semaine ou un mois,
elle est comme avant, elle redevient la Peggy dont tout le monde se
souvient. Et puis soudain… on dirait que tout s'arrête. Elle perd le
nord dès qu'on cesse de la surveiller.

Le manteau de la cheminée était envahi de photos encadrées. Elles représentaient Peggy à sa grande époque, toujours au centre de l'attention, même avec son nouveau-né. Aucun portrait de Manny. Il devait être chaque fois derrière l'appareil, en adoration.

– Qu'est-ce qui lui est arrivé ?

– Je donnerais cher pour le savoir. En la regardant, on ne croirait pas qu'elle n'a que trente-six ans. Je l'aime encore, William. Mais je ne sais pas combien de temps je vais pouvoir tenir sur ces montagnes russes. C'est pas évident. Je t'ai invité pour ça, en partie. Je voulais que quelqu'un d'autre se rende compte par lui-même. Je voulais que tu sois au courant.

– Tu ne peux pas la placer quelque part ?

Ses yeux ont étincelé, comme s'il allait me casser la bouteille sur la tête pour avoir suggéré une chose pareille. Ça n'a duré qu'un instant.

– C'est cher, ces endroits-là. Je pourrais me retrouver à casquer pendant encore cinquante ans. Même si je le voulais, je ne suis pas sûr que j'en aurais les moyens. Pour être honnête, je suis dans de sales draps. J'ai fait des mauvaises affaires ces derniers temps, elles m'ont laissé sur le carreau. Je l'ai dans le cul, William.

– Il te reste cette maison. Dans le pire des cas…

– J'aurai de la chance si l'hypothèque que je me coltine ne me flanque pas une double hernie.

– Tu as plus d'un tour dans ton sac, Manny.

– Plus d'un tour ? s'est-il moqué. Tu veux dire plus d'un trou.

– Sa famille ne peut pas t'aider ?

Il a failli en casser son cigare.

– Fumiers de goys ! Plutôt que de lever le petit doigt, ils aimeraient mieux la voir crever. Ils l'ont reniée dès qu'elle s'est mise avec le gros Juif. Si elle divorçait, peut-être qu'*alors* ils lui fileraient un coup de main. Tu n'as aucune idée de ce que c'est, mon ami. Je leur ai piqué leur trésor. Un youpin du Fillmore !

Ah, ce quartier connoté du cinquième district de San Francisco. Plus moyen d'arrêter Gold :

– Tu crois que je leur donnerais la satisfaction de me voir les supplier en rampant ? Ils essaieraient de me faire arrêter pour avoir ruiné la prunelle de leurs yeux. De toute façon, j'aime mieux me tuer que de me traîner à leurs pieds.

Je sifflais mon porto sans piper mot.

– Nom de Dieu ! a lâché Manny.

Alors qu'il paraissait sur le point de pousser des hurlements, il s'est mis à sourire, tout à coup.

– Cette nana a montré vachement de cran en m'épousant. C'était un numéro, à l'époque.

Si je ne voulais pas me noyer dans le mélo, j'avais intérêt à en venir au fait. En me faisant l'effet d'une ordure de très gros calibre :

– D'après un ami, tu aurais assisté à un accident d'auto, à l'angle de la 3e Rue et de Howard Street. L'accident dans lequel un camion de Dardi a été impliqué.

Manny a fait tourner le cigare entre ses lèvres ; une lueur de méfiance était apparue dans ses yeux humides. Pas de réponse.

– Tu serais censé témoigner, en fait. Témoigner que l'autre conducteur était en tort.

– Il l'était. Ouais, j'ai tout vu.

– Manny, l'accident s'est produit une ou deux minutes après que tu m'as laissé devant le Hearst Building. Tu es parti reprendre ta voiture dans la rue Sutter. Bon Dieu, comment as-tu pu te retrouver à l'angle de la 3e et de Howard Street ? C'est à plus de cinq cents mètres.

– C'est cinq rues plus loin. J'y suis allé en bagnole. Où est le problème ?

– Le type qui conduisait l'autre automobile est un ami à moi, Tony Bernal. Il bosse à l'*Inquirer*. C'est en venant me chercher qu'il a eu l'accident.

Gold a décollé le cigare de ses lèvres aux commissures affaissées. Nulle surprise dans son regard, rien que du découragement et de la lassitude.

– Si c'est pas malheureux, a-t-il fait.

Il s'est resservi une dose de porto et a vidé son verre d'un trait.

– J'étais là aussi, Manny. Juste après que ça s'est produit. Je ne t'ai vu nulle part.

– Qu'est-ce que tu veux dire ?

– Que je ne t'ai pas vu. Il y avait des flics sur place, ils n'ont quasiment pas pu obtenir de témoignages.

– J'étais dans ma bagnole, je descendais New Montgomery Street, a-t-il expliqué en levant son énorme pogne pour dessiner l'itinéraire dans l'espace. J'ai tourné dans Howard Street. J'avais à peine longé un pâté de maisons que j'ai vu un coupé vert tourner dans la 3ᵉ Rue. Juste devant le camion. *Bang !* Comme ça. Le scénario classique.

– Pourquoi tu ne t'es pas arrêté ? Tu aurais pu donner un coup de main, ou au moins dire aux flics ce que tu avais vu.

– J'avais été absent de chez moi toute la journée, j'avais ces protège-poche à faire imprimer. Fallait que je rentre à la maison.

Il a désigné la pièce voisine de la tête, comme si c'était une explication suffisante. Peut-être était-ce le cas. Je n'ai pu m'empêcher de lui demander :

– Pourquoi Howard Street ? Et pas Mission Street, comme tout le monde ?

– Te voilà devenu expert en conduite ? T'es vraiment bien placé. Et tu te crois permis de mettre en doute mon honnêteté, dans mon propre foyer ? Parce que c'est bien ce que t'es en train de faire, non ? Tu ne crois pas que j'étais *là-bas* ? Putain de merde, mon vieux pote se retourne lui aussi contre le Juif, maintenant ?

– Du calme, Manny. Tony Bernal est un copain à moi. Ça m'emmerderait de le voir se faire entuber. Déjà qu'il ne pourra peut-être plus remarcher.

– Et alors ? Tout le monde a des problèmes. J'ai vu ce que j'ai vu, et je fais simplement ce que tout bon citoyen est censé faire. Je rapporte la vérité.

Au plus offrant, ai-je été tenté d'ajouter. Mais je ne pouvais pas. Le récit de Manny était tiré par les cheveux, mais plausible.

— C'est parfois dur à avaler, la façon dont les choses se goupillent, ai-je déclaré en vidant mon verre cul sec.

— Si c'est pas malheureux, a-t-il répété en m'imitant.

Au moment des adieux sur le seuil, Peggy a lâché les grandes eaux, c'était embarrassant. Ma femme a pris le volant de notre berline pour nous conduire vers Portola Drive, au bas de la colline, par des rues sinueuses et bordées d'arbres. On était vidés, muets.

— Quand je suis allée aux toilettes, a fini par dire Ida, j'ai trouvé des tonnes d'ordonnances dans l'armoire à pharmacie.

— Qu'est-ce que tu cherchais là-dedans ?

— Tu veux rire ? Peggy est dingue. Peut-être à cause de tous ces cachets qu'elle avale.

— Ida, tu devrais t'occuper de tes oignons.

— Désolée, je ne peux pas. Et là-bas, je n'ai pas pu.

Je lui ai jeté un regard. Elle n'avait pas tout dit :

— En ressortant des toilettes, j'ai cru entendre quelqu'un pleurer et je suis allée voir dans cette direction. La porte, au bout du couloir, était fermée, mais j'entendais des gros sanglots de l'autre côté. Alors, je suis entrée. Daniel était au lit, sous les couvertures, il pleurait, il transpirait comme s'il avait la fièvre. Je me suis assise sur le lit une minute pour lui dire bonsoir, le calmer. Mais il m'a regardée, et ses *yeux*... Il était terrifié, haletant, il restait sans bouger. Lorsque j'ai soulevé les draps...

Ida s'est mise elle-même à pleurer :

— ... J'ai vu qu'il était *attaché* au lit.

En attendant de pouvoir tourner à gauche, on est restés sans rien dire. Des phares passaient dans la nuit, tout près.

— Je ne savais pas quoi faire. Qu'est-ce qu'on *peut* faire ? Je suis retournée parler avec Peggy comme si de rien n'était, mais j'avais envie, je ne sais pas, d'appeler la police. J'en ai toujours envie. Qu'est-ce qu'on devrait décider ?

— Pas notre problème, ai-je grogné. On n'en sait pas assez sur ce qui se passe chez eux pour pouvoir nous en mêler.

– On ne va pas laisser ce pauvre gosse à la merci de Peggy, ce n'est pas une bonne mère. Il faut faire quelque chose.

Je regardais fixement les phares qui arrivaient en face :

– Mon père avait une expression... Je ne l'ai vraiment comprise que récemment. Il ne se passait quasiment pas de jour qu'après avoir parlé à ma mère ou à un ami, ou après avoir lu quelque chose dans le journal, il ne remarque avec un petit rire amer : « Un bienfait ne reste jamais impuni. »

Je n'y voyais que dalle. Mes carreaux étaient embrumés par une fine poussière jaune que l'humidité transformait en un film pâteux. Je n'apercevais quelque chose que lorsqu'une goutte de sueur, tombée du bord de mon chapeau, venait éclabousser les verres.

Le paysage était aride, à part l'ouverture béante d'une caverne située devant moi, entre deux petites collines ponctuées de broussailles. Ciel blanc, terre jaune. Un vent rugissant me piquait les oreilles. Je voulais désespérément essuyer mes lunettes. Impossible, car mes mains étaient crispées sur une corde épaisse ; celle-ci s'enfonçait directement dans la cave, et j'avais beau tirer dessus de toutes mes forces, ce qui se trouvait à l'autre extrémité – quoi que ça puisse être – me tenait en échec. Je sentais des présences, dans mon dos, le long de la corde.

– Sur quoi on tire ? ai-je demandé.

Un rire plus râpeux que du papier de verre a résonné derrière mon épaule droite.

– Merde, qu'est-ce qu'on en sait ? Mais t'as pas intérêt à lâcher prise.

C'est alors que, lui, il a lâché la corde. La traction exercée à l'autre bout m'a entraîné brusquement vers l'avant. Mes pieds ont heurté un obstacle et j'ai baissé les yeux. J'avais les talons calés contre la traverse d'une voie ferrée qui menait à l'intérieur de la cave. Un puits de mine ?

Burney Sanders, en s'approchant, a parasité mon champ de vision. Dans son costard-cravate empoussiéré, il se confondait presque avec le terrain. Le bord de son chapeau cerclé de sel claquait furieusement. Il s'est penché pour soulever une machine d'aspect dangereux, assez lourde pour le faire flageoler sur ses jambes.

Une autre voix caractéristique s'est élevée – celle de Manny Gold :

– C'est pour quoi, cette foreuse ?

– Pour toi, gros con, a répondu Sanders. T'as intérêt à faire ta part de boulot, si tu veux pas que je te sorte ton pouce du cul pour foutre ce truc à la place.

– Arrête tes conneries. Personne m'a jamais aidé, pourquoi j'aurais besoin de ça ?

Sur quoi, Manny a lâché prise. J'ai fait un bond en avant et je suis tombé à genoux, sans cesser de serrer la corde. Mais je pouvais jeter toutes mes forces dans la bataille, ce qui halait de l'autre côté m'entraînait inexorablement vers l'entrée du tunnel. Sanders, implacable, tirait sur le câble de la foreuse ; le moteur crachotait sans vouloir démarrer. Manny a escaladé la colline pour aller regarder au fond du trou noir.

– Qu'est-ce qu'il y a là-dedans ? ai-je grogné.

Cherchant désespérément un appui, j'ai enroulé la corde autour de mes bras. Je n'osais pas me relever, de peur de perdre complètement l'équilibre.

– Rien !

Le cri de Manny m'est parvenu, affaibli, dans le vent.

– Que dalle, a-t-il ajouté.

Ce qui a fait rire Sanders à s'en décrocher la mâchoire.

Je devais être éveillé depuis une demi-heure, le regard perdu dans l'obscurité, lorsque j'ai fait le rapprochement. Peut-être que non seulement je rêvais, mais que je me parlais à moi-même.

Sans éveiller Ida, je suis sorti du lit et j'ai gagné à tâtons, par le couloir d'un noir d'encre, la pièce du fond dont je me servais comme bureau. Le cadran lumineux de ma pendule indiquait une heure et demie du matin. J'ai allumé la lampe placée à côté de l'azalée – plante que j'avais offerte à Claire et déterrée de son jardin après sa mort. Je me suis accroupi pour ouvrir le dernier tiroir, et j'ai fouillé parmi les nombreuses chemises en accordéon remplies de dossiers financiers mal classés.

Au bout d'un quart d'heure, j'avais retrouvé ce que je cherchais : un certificat d'actions daté de 1940, intitulé « mines de Red Dog », enregistré dans le comté de Stanislaus.

Soucieux de ne réveiller ni Ida ni le bébé, je suis retourné fermer la porte de notre chambre avant de descendre l'escalier avec précaution, pour aller téléphoner dans le bureau du vestibule. À ce stade, mes yeux s'étaient adaptés et je n'ai pas eu besoin d'allumer pour composer le numéro.

Elle a décroché à la troisième sonnerie :

– Qu'est-ce que c'est, bon Dieu ?

Réaction compréhensible, étant donné l'heure.

– Virginia, c'est Billy. J'ai besoin que vous me rendiez un service. Maintenant.

– Vous avez un problème ?

Je l'ai imaginée qui s'asseyait dans son lit, en réarrangeant les couvertures.

– Rien de fatal. Désolé d'appeler aussi tard. Pourriez-vous jeter tout de suite un coup d'œil aux documents du mont Davidson ? Pour voir si un truc genre « mines de Red Dog » est mentionné parmi les actifs.

– Ce n'est pas dans les papiers que je vous ai remis ?

– Je vous demande juste de vérifier, Ginny. S'il vous plaît.

Autant éviter de lui avouer que ces copies n'étaient même plus en ma possession. Je l'ai entendue se glisser hors des couvertures et sortir de sa chambre à pas feutrés, en rouspétant avec retenue. Elle était mieux organisée que moi ; ses recherches ne lui ont pris que deux minutes.

– Les mines de Red Dog. Une des quatre « prospections » mentionnées. La fondation détient des créances hypothéquées par les quatre, sous la rubrique « Ressources ». Et alors ?

J'ai murmuré :

– Cette affaire est en train de déraper. Je commence à avoir les jetons.

– Dites-moi ce qui se passe.

– Si je le savais, je vous le dirais. On se parlera plus tard. Merci.

J'envisageais d'être poli et d'attendre le matin ; mais mon doigt a composé le numéro tout seul, mémoire musculaire oblige. Avant la fin de la première sonnerie, mon correspondant avait soulevé le combiné.

– Matthew, c'est toi ? a-t-elle chuchoté dans le microphone. Où es-tu ?

– Peggy, c'est Billy Nichols. Il faut que je parle à Manny.

– Vous êtes à un endroit où je peux vous voir ?

Quel désastre ! Je me sentais désolé pour Peggy, pour son mari, pour son gamin et, en gros, pour toutes les personnes qui pouvaient me venir à l'esprit sur le moment. Manny lui a arraché le téléphone, et il ne l'a pas fait discrètement. Nous avons tous nos limites.

– Qui est à l'appareil ? a-t-il gueulé.

Je me suis demandé s'il lui arrivait encore de dormir. Ou si, de temps en temps, il ne filait pas une double dose à sa femme, histoire d'être un peu tranquille.

– C'est Billy. Qui est Matthew ?

– Son frère. Qu'est-ce qui t'arrive ? Le jour n'est pas encore levé. Pas une intoxication alimentaire, j'espère.

– Peut-être que ce frangin pourrait l'aider.

– Il est mort.

– Désolé. *Bon Dieu*. Manny, je me demandais quel était ton programme pour demain.

– J'emmène Daniel à Playland-on-the-Beach. Je le lui ai promis.

– À quelle heure ? Parce que je vais t'y rejoindre. Tu te rappelles ce cadeau de mariage que tu nous avais fait, à Ida et moi ? J'aurais une ou deux questions à te poser à ce sujet.

Chapitre 15

Dans le tram à destination d'Ocean Beach, ce samedi-là, je me suis retrouvé en compagnie d'une vingtaine de jeunes vendeurs exubérants à qui le *San Francisco News*, publication rivale, offrait cette sortie pour avoir gagné un concours en recrutant de nombreux abonnés. Désireux de détourner ces étoiles montantes de la vente vers l'*Inquirer*, j'ai profité de la distraction de leur chaperon, occupé à compter des billets de correspondance :

— Playland, c'est pour les gamins. Nous, on envoie nos vendeurs à la maison close de Sally Stanford, tous frais payés.

— On y est déjà allés ! s'est vanté un petit malin.

Comme terminus, difficile de faire mieux que la station balnéaire de Playland-at-the-Beach. Le tramway effectuait son demi-tour dans l'ombre hachurée du Big Dipper, gigantesque et branlante chaîne de montagnes russes qui, depuis des décennies, propulsaient les gamins de San Francisco, hurlant de peur, dans l'air marin embrumé. Ce parc d'attractions couvrait quatre hectares à l'extrémité nord de la Great Highway, ruban de bitume s'élevant parallèlement aux déferlantes du Pacifique jusqu'au complexe touristique de Cliff House – ombre du spectaculaire bâtiment victorien qui s'était dressé au-dessus de Seal Rock à la fin des années 1800.

Comme la plupart des petits gars de la ville, j'avais découvert Playland à l'occasion d'un anniversaire, en l'occurrence le huitième. Ma mère avait réuni quelques-uns de mes copains et nous avait escortés à travers San Francisco. L'excursion avait nécessité de nombreux changements de tram. À l'époque, les districts extérieurs de Sunset et de Richmond se réduisaient à des étendues de sable parsemées de cabanes ; pour une bande de gosses de Butchertown, c'était l'équivalent d'une méharée dans le Sahara.

On s'était répandus dans Playland, qui paraissait s'étendre jusqu'à l'infini. J'étais une terreur sur tous les manèges qui restaient horizontaux ; mais, à mes yeux déjà soupçonneux, le précaire échafaudage en treillis de Shoot the Chutes, attraction immensément populaire, avait tout d'un piège construit n'importe comment et menaçant de s'effondrer n'importe quand. Tandis que les autres gamins se bousculaient pour faire la queue et se payaient ma fiole, je m'agrippais à ma mère en pleurnichant. Pendant tout le chemin du retour, je l'avais suppliée : « Ne dis pas à papa que j'ai eu peur. »

Lors de ma seconde visite à Playland, j'avais dix-huit ans – le petit homme devenait grand. J'avais repéré une attraction, le Skyliner, susceptible de me fournir l'occasion idéale de rouler un patin à la séduisante Maura Whitecart, ancienne camarade d'école qui essayait de faire son trou à l'*Inquirer* comme linotypiste. Le problème, c'est qu'on en avait vraiment pour son pognon, sur ce Skyliner, lorsque le vent soufflait en rafales sur les vagues moutonnantes, au loin, et fouettait nos petits avions à deux places, en métal soudé, ainsi que les câbles filiformes auxquels ils étaient suspendus. Les turbulences avaient failli catapulter mon déjeuner dans le giron de Laura. Par la suite, je ne devais jamais remonter à bord d'un avion, avec ou sans câbles. Ni obtenir ce baiser de Laura.

Manny Gold, comme convenu, m'attendait dans le hall d'entrée principal. Les enfants poussaient des cris aigus et cette cacophonie faisait vibrer les fenêtres embuées. Immobile, comme pétrifié dans son spacieux pardessus et son chapeau à large bord, Manny aurait pu passer pour une attraction. Je m'attendais presque à voir un gamin s'approcher de son énorme masse au pas de course et lui glisser un jeton entre les lèvres. Il se tenait sous un trio de visages accrochés au mur ; faits de papier mâché laqué, l'un riait, l'autre pleurait et celui du milieu, le plus grand, moustache cirée et cheveux brillantinés à la Rudolph Valentino, baissait des yeux souriants vers les visiteurs pour les accueillir d'un agaçant gloussement enregistré.

– T'es en retard, a râlé Manny.

– De cinq minutes. J'ai dû prendre le tram.

– Daniel commence à devenir grognon.

Manny a indiqué le Whirling Wheel, parquet circulaire tournoyant au fond d'un anneau aux parois inclinées. Les gosses y étaient secoués comme si on les faisait frire à la poêle.

– Je lui ai payé quatre tours sur cette saloperie en attendant que tu te pointes, il va finir par gerber.

– Dis-lui de descendre. Mets-le sur un autre manège pendant qu'on parle.

Il a récupéré son fils, aussi fragile qu'un oiseau entre ses énormes bras. Le petit portait un épais cardigan bleu, boutonné jusqu'en haut. Ses joues étaient marbrées de rose ; ses boucles noires, collées par la transpiration à son front pâle et luisant. Un garçon délicat, apparemment. Il tenait de sa mère.

– Tu t'amuses bien ? lui a demandé Manny.

Doucement, de sa paume énorme, il a lissé les cheveux de son fils. Le regard de Daniel partait dans tous les sens, sous l'effet d'une excitation peut-être maladive.

– On peut aller sur le Big Dipper, maintenant ?

Papa a eu l'air dubitatif.

– Danny, je te présente un ami à moi, monsieur Nichols. C'est un journaliste célèbre.

Sous-entendu, *tiens-toi à carreau*.

Nous avons échangé de petits signes de la main. Avec l'agilité d'un chat, le gosse a échappé à l'étreinte de son père, puis il l'a tiré par la manche en hurlant :

– Le Big Dipper ! Le Big Dipper !

C'était plus marrant d'aller à Playland que d'être attaché à son lit.

Cependant, l'enthousiasme de Daniel s'est nettement refroidi quand son père l'a perché sur un cheval de bois richement décoré. Le manège s'est mis à tourner et Manny a voulu descendre, mais son fils s'agrippait à lui pour l'en empêcher. En passant devant moi, Manny m'a fait un sourire, les paumes tournées vers le ciel. J'ai empoigné le sabot d'un cheval et je me suis hissé à bord. On valait le coup d'œil, Manny et moi, en pardessus et feutre, impassibles dans ce tourbillon de lumières clignotantes, parmi les poneys qui faisaient les yoyos au rythme de l'orgue à vapeur. Deux agents d'Edgar Hoover en train de surveiller de la graine de communistes.

Flanqué d'un cygne gracieusement incliné, j'ai demandé à Manny :

– Quels liens as-tu avec Dexter Threllkyl ?

– Tu connais Dex ?

Il semblait déconcerté.

– C'est une vieille histoire, Manny. Réponds-moi franchement et je te ficherai la paix. Tu pourras profiter du reste de ta journée. D'accord ?

– Je l'ai rencontré en… 39, je dirais, juste après son retour de Washington. Je l'ai connu par la famille de Peggy. Il bossait un peu pour eux, je n'ai jamais su les détails.

– Je le croyais avocat.

– C'est ce que disait sa carte de visite. On voyait qu'il touchait un peu à tout. Un roi de la combine.

– Faut en être pour les reconnaître.

– *Tout* est combine, William. De haut jusqu'en bas et à chaque barreau de l'échelle. La famille Threllkyl se la jouait fine fleur et dessus du panier, tout ça. Sa femme prenait toujours des airs supérieurs, comme s'ils étaient sortis du cul de Jupiter. Mais moi, faut pas m'en raconter.

– Raconte.

– Il descendait pas d'une grande famille, c'était un plouc de l'Oklahoma. Seulement, assez malin et démerde pour donner le change.

166

– Et ton rôle, là-dedans ?

– Avec mes contacts en ville, Dex pensait que je pouvais l'aider à recruter des investisseurs, des amateurs de fric facile. Le genre qu'il n'avait pas l'habitude de rencontrer dans son milieu.

– Quel genre d'investissements ?

– Genre spéculation immobilière.

Je l'ai charrié :

– Genre ce que tu nous a refilé comme cadeau de mariage, à Ida et moi ? Cent actions des « mines de Red Dog ». Et Ida qui s'imaginait financer un jour les études du petit avec ça…

Manny a haussé ses épaules et sa poitrine énormes :

– Tant que t'as pas revendu, t'as rien perdu.

– Arrête tes conneries, Manny. C'est une escroquerie, hein ? Une grosse arnaque. En quoi consistait le truc de Threllkyl ? Dis-moi la vérité. Il ne peut plus rien te faire, maintenant.

– Je suis pas idiot, je voyais bien ce qu'il trafiquait. Il vendait à des jobards des actions et des actes de propriété bidon dans des sociétés factices. Sans jamais le reconnaître. Prairies pâturables, concessions minières, terrains forestiers exploitables, forages pétroliers, boîtes d'assurances et tout le saint-frusquin. Son truc, c'était la pêche aux actionnaires. Il les ferrait comme des truites. Dex adorait ce petit jeu, il était doué. Seulement, pour que la machine continue à tourner, il devait gratter dans le *dessous* du panier, si tu vois ce que je veux dire.

Les chevaux de bois sont passés du grand au petit galop. Manny a frotté la tête de son fiston avant d'ajouter :

– C'est pour ça qu'il faisait appel à des types comme moi, je suppose.

À peine descendu de sa monture, Danny a foncé vers le Big Dipper. Il y avait déjà une longue file d'attente, composée notamment d'écolières rangées à la queue leu leu sous la houlette d'une religieuse corpulente, en grande tenue : vaste coiffe blanche, gigantesque crucifix pendu au cou, chaussures noires rustiques, habit taillé dans les huit mètres vingt de tissu réglementaire. Deux novices l'aidaient à surveiller ses ouailles, autour desquelles les vendeurs de journaux tournaient en jappant comme des chiots – pas de chaperon en vue, ils avaient dû le bâillonner et le ligoter derrière le Shoot the Chutes. L'un des petits vendeurs m'a tuyauté : les nanas venaient de l'orphelinat Saint-Joe, elles étaient en sortie éducative. Rangés sur le côté, Manny, Danny et moi avons regardé les jeunes pêcheurs contourner sœur Virago et se faufiler jusqu'aux sièges voisins de ceux des mômes esseulées. Une objection de l'employé a attiré mon attention :

– Faudra qu'il monte avec un adulte ou avec un de ces enfants. Il est trop petit pour y aller tout seul.

Daniel a imploré son vieux du regard.

– La queue est tellement longue… a fait Manny. On va attendre que ça se décante.

En voyant le train se remplir, j'ai compris la vraie nature du problème : Manny ne pouvait pas y monter. Les places n'avaient pas été pas conçues pour des culs de la taille d'Alcatraz.

Le gosse a commencé à brailler. Manny l'a entraîné à l'écart et, une fois accroupi, a entamé des pourparlers père-fils. Il a mis cinq bonnes minutes à arrêter les grandes eaux. Je ne pouvais que spéculer sur ce qu'il avait été contraint de promettre.

Alors, c'est à ça que je peux m'attendre, ai-je songé.

– Je sais ce qui va vraiment te plaire, assurait Manny à Daniel en l'éloignant du Big Dipper.

Le palais des miroirs ! Hélas… Nous y avons trouvé des panneaux proclamant : « Fermé pour reconstruction ». Quelques semaines plus tôt, on avait découvert dans cette attraction les cadavres d'un homme et d'une femme ; les miroirs avaient été fracassés par des balles. Les feuilles de choux en avaient fait leurs choux gras, publiant de nombreuses photos agrémentées de lignes en pointillé. Dès qu'il rouvrirait, ce labyrinthe de glaces aurait plus de succès que jamais.

D'autorité, Gold a conduit le gamin renfrogné vers les toboggans. Danny a monté consciencieusement vers le sommet, d'un pas lourd, à croire qu'il allait au gibet. J'ai tâché de reprendre ma conversation avec son père, en l'asticotant :

– Quels liens y avait-il entre Dexter Threllkyl et Burney Sanders ?

– C'est moi qui les avais présentés. Threllkyl fait travailler ses recruteurs comme des bêtes de somme. *Faisait* travailler, je devrais dire. Je peux te garantir qu'il m'épuisait. Mais il était plus pourri que je l'avais cru – alors, une fois marié avec Peggy, j'ai voulu redevenir réglo.

– C'était quand ?

– Y a des années de ça.

– Threllkyl a continué ses arnaques pendant la guerre ?

– Je n'en sais rien. Je t'ai dit, j'avais coupé les ponts. Mais il est venu me relancer après la guerre, prêt à repartir pour un tour. Je lui ai dit d'accord. Burney m'avait l'air tout indiqué pour bosser avec un combinard comme Dex. Alors, je les ai mis en contact et je me suis tiré sur la pointe des pieds.

En haut du toboggan, un jeune impatient aux dents de lapin tentait de dépasser Danny.

– Hé, petite bite ! a beuglé Manny. Il était devant toi, laisse-le passer !

Je l'ai jouée à la Woody Montague :

– Qu'est-ce que tu sais de la fondation du mont Davidson ?

– Que dalle. C'est quoi ?

– Un méli-mélo d'actifs de Threllkyl, je crois. Les uns authentiques, les autres bidon. Les mines de Red Dog en font partie.

Gold a rougi et détourné le regard. Je l'ai pressé :

– Je ne devrais pas demander à mon courtier d'en acheter d'autres, hein ?

– Quand je t'ai filé ces actions, j'ignorais à quoi m'en tenir sur Threllkyl.

Son regard était fixé sur Danny, qui dévalait le toboggan ondulé.

– Sinon, je l'aurais pas fait. Tu le sais bien.

À ce stade, je ne savais plus ce que je savais. Manny s'est retourné vers moi, les mains enfoncées dans les poches de son pardessus :

– Écoute, voilà ce que j'ai fini par reconstituer. Pendant dix ans, Threllkyl a eu un boulot de fonctionnaire à Washington, peinard. Au ministère de l'Intérieur. Plus précisément, à l'Aménagement du territoire, c'est là qu'il a appris où se trouvaient toutes ces parcelles appartenant au gouvernement fédéral. Il mentait aux gens, en les présentant comme des propriétés privées, et il sortait tout un baratin comme quoi il avait des tuyaux sur des projets de mise en valeur. Après quoi, avec les versements des actionnaires, il allait s'acheter un truc réglo dont les gogos n'avaient aucune chance de retrouver la trace. La plupart des paperasses qu'il brassait étaient falsifiées. Merde, je serais pas étonné que son acte de décès le soit aussi.

– *Quoi ?* Tu n'es pas sérieux.

– En fait, si. J'ai entendu dire qu'il avait déjà truqué sa mort. En 29. La situation était délicate, il avait des créanciers au cul, alors il serait allé se refaire une santé dans l'Est en attendant que les choses se calment.

– Arrête ton char. Tu ne peux pas faire semblant d'être mort et réapparaître dix ans plus tard.

– Tant que personne ne te repère… pourquoi pas ?

Les bras ont dû m'en tomber sur les chevilles, parce que Manny est reparti en marche arrière :

– Je dis pas qu'il n'est pas mort, tu comprends. Mais ne sois pas trop étonné s'il ressuscite un de ces quatre, sous un nouveau nom, à un nouvel endroit.

– Ça ira pour aujourd'hui ?

D'une traction, Manny a ajusté le pull de son fils. Qui avait un air déconfit, sachant que la rigolade touchait à sa fin. Papa a tenté de le corrompre :

– Tu voudrais faire un petit tour d'It's It ?

– Viens, ai-je dit au gamin boudeur en lui tapotant l'épaule. On va essayer le Big Dipper.

Many m'a regardé comme si je venais de changer de l'eau en vin.

Cette antiquité cliquetante nous a transportés lentement à l'assaut des rails. Sous l'effort, l'échafaudage grinçait de manière vraiment abominable. Danny s'agrippait de toutes ses forces à la barre latérale. Il n'y avait *rien* à l'avant des voitures – afin de mieux terroriser les passagers, ai-je conjecturé, lorsque cette saloperie commencerait à se tortiller à toute vitesse. On n'était retenus que par une légère ceinture, avec une boucle dont je n'aurais pas voulu pour tenir mon pantalon.

Parvenus à l'apogée de notre parcours, nous avons eu droit à une vue idéale. À l'ouest, l'océan infini; au sud, le littoral; à l'est, l'abondante végétation du Golden Gate Park, pris entre deux avenues bordées de lotissements pavillonnaires bâtis sur les dunes. Le centre-ville, dans le lointain, avait disparu derrière le brouillard. Danny était aux anges; stupéfié par la magie de ce panorama, il a levé les yeux vers moi. Je n'ai pu réprimer un sourire.

Alors, c'est à ça que je peux m'attendre, ai-je songé.

Ç'aurait été sympa de profiter du spectacle, mais on a plongé dans le vide avant d'avoir réalisé ce qui se passait. Les gamins s'égosillaient comme si la terre était sur le point de s'ouvrir – et nous, d'être précipités en enfer. J'avais beau tirer sur mon chapeau jusqu'à en avoir mal à la tête, le vent s'obstinait à en relever le bord, ce qui devait me faire ressembler à Leo Gorcey dans ses rôles de gamin des rues bagarreur. Quand le petit train a pris un virage serré, j'ai cru qu'on allait être catapultés jusqu'à la Great Highway. Danny a lâché la barre de métal glacée et m'a saisi le bras; j'ai renoncé à ma propre prise désespérée pour lui tenir la main. Le gosse était raide de trouille.

En remontant accidentellement sa manche, j'ai repéré la marque rosâtre qui lui faisait le tour du poignet.

C'est alors que mon couvercle a sauté. Un putain de Knox en feutre de castor, à vingt-cinq dollars la bête. Comme on se couchait sur le côté dans un nouveau virage relevé, j'ai vu le vent l'emporter et le faire voleter d'un côté puis de l'autre, histoire de me narguer. Après une brusque embardée sur la gauche, il y a eu une nouvelle chute à vous nouer l'estomac – et je n'ai jamais revu ce couvre-chef.

Danny s'est laissé tomber de la plate-forme dans les bras tendus de son père.

– Je peux y retourner ? s'est-il enquis d'une voix rauque, hors d'haleine.

Apparemment fier que son fils, non content d'avoir survécu, soit prêt à renouveler l'épreuve, Manny caquetait de bonheur.

– Qu'est-ce que t'as fait de ton galurin ? m'a-t-il demandé en juchant le petit sur son épaule.

– Me demande pas.

L'air froid me plantait des aiguilles dans le crâne. Pour moi, sans chapeau ou sans pantalon, c'était bonnet blanc et blanc bonnet.

– J'espérais que tu l'aurais vu s'envoler, peut-être même que tu l'aurais ramassé.

Son visage s'est refermé.

– C'était le *tien* ?

Il a fait la grimace :

– J'ai vu un mec se pencher pour prendre un chapeau, par là-bas. Il l'a mis et s'est barré comme si c'était à lui. Si j'avais su…

Un bienfait… ai-je commencé à grommeler intérieurement. Je me suis tâté pour vérifier que je n'avais rien perdu d'autre.

– Te frappe pas, m'a lancé Manny en me passant un bras sur l'épaule. Je connais un chapelier qui va te régler ça en cinq sec. C'est bien le moins que je puisse faire pour tonton William, pas vrai, Danny ?

CHAPITRE 16

Le lundi matin, j'ai envoyé au journal le dernier de mes articles de présentation des Gants d'Or, en espérant que Fuzzy arrive à le publier parmi l'avalanche de reportages sur le « Grand Match » de football du samedi précédent. Lors d'une rencontre qui avait attiré quatre-vingt mille spectateurs au Memorial Stadium, sur le campus de l'université de Berkeley, les Bears avaient vaincu les Indians de justesse, 7 à 6. Le supplément sportif du dimanche avait publié des comptes rendus serviles de la rencontre, et décomposé l'action des deux *touchdowns* en séquences de photos étalées sur plusieurs pleines pages. Le fameux point manquant faisait l'objet d'une attention particulière ; dans tout le journal, ce n'étaient que schémas diversement ondulants et sinueux, censés reproduire en pointillé les trajectoires des joueurs et du ballon.

Les premières éditions du lundi en remettaient une couche, et j'aurais de la chance si j'arrivais à placer l'entrefilet de deux colonnes dans lequel je présentais l'ouverture du championnat des Gants d'Or.

La date du Rose Bowl approchait – épreuve suprême de football disputée chaque 1er janvier dans le stade éponyme de Pasadena, banlieue de Los Angeles. Ce matin-là, tout le service des sports restait donc sur le qui-vive en attendant de savoir si sa victoire fraîchement acquise à l'arraché vaudrait à l'université de Californie plutôt qu'à Stanford, en Oregon, de représenter au Rose Bowl le Pac-8 – la ligue des clubs universitaires du Pacifique – contre le champion des Big-10, la ligue du Middle West. Si les Bears de Californie étaient choisis, ç'allait être la folie dans le service, avec couverture pléthorique de l'événement dès la une. Je me suis éclipsé d'un air nonchalant, en annonçant à Fuzzy que je devais déjeuner avec quelqu'un. Ce qui m'a valu un regard torve, sous un front dûment plissé. J'ai promis d'être revenu au pire une heure plus tard pour assumer ma part de travail.

Un tramway de la ligne M m'a déposé à l'angle des rues Market et Hyde. J'ai marché jusqu'au centre municipal puis, remontant Grove Street vers l'ouest, je suis passé devant le Civic Auditorium de San Francisco, où devait débuter le lendemain soir mon tournoi amateur programmé sur deux semaines. De l'autre côté de la place, derrière des platanes dénudés par une taille brutale, se dressait l'hôtel de ville – où les pros de la politique se bigornaient quotidiennement. Après avoir traversé Polk Street, j'ai pénétré dans les services de santé publique, trois étages de morne calcaire qui faisaient la gueule à l'ombre du grandiose dôme de cuivre de ce bâtiment.

À l'intérieur, combinée à la blondeur brunie du bois, la froideur du granit gris donnait une impression appropriée de sérieux municipal assommant. Seules rescapées du vieux San Francisco, les lanternes d'albâtre dans leurs appliques à trois branches, comme emportées vers le haut sur la crête de vagues en filigrane de cuivre jaune – la journée était si sombre qu'on les avait allumées. Des couloirs rayonnaient à partir du hall ; j'ai parcouru l'un d'eux jusqu'à la moitié de sa longueur avant d'aviser un guichet portant l'inscription :

Certificats de naissance et actes de décès

Derrière la vitre se tenait une jeune femme au regard brillant d'enthousiasme, visiblement encore épargnée par la maladie du fonctionnaire.

– J'aimerais consulter un acte de décès, lui ai-je annoncé de mon ton le plus neutre et le plus officiel. Au nom de Dexter Threllkyl.

J'ai écrit ce nom sur un bout de papier que je lui ai tendu, en ajoutant :

– Il devrait avoir été enregistré récemment.

– Vous êtes un membre de la famille ? Sinon, je dois connaître la raison de votre demande.

J'ai écarté un pan de mon pardessus pour sortir mon portefeuille de ma poche de pantalon. Ce n'était pas une mince affaire. Il débordait de cartes de visite, reçus, coupures de journaux et autres détritus. Quand il n'était pas dissimulé par le manteau, j'avais l'air de souffrir d'un goitre de la fesse gauche. De cette marmelade, j'ai extrait ma carte de presse froissée, marquée *Inquirer*. C'était la première fois qu'elle me servait à autre chose qu'à assister à une pesée de boxeurs avant un match.

– Une vérification pour le journal, ai-je expliqué.

Quelques instants plus tard, la jeune femme revenait avec un petit document carré, qu'elle a poussé dans ma direction. Et qui confirmait la disparition de l'homme mystère. Enregistré le 27 octobre, le décès était daté du 25. Cause officielle : infarctus du myocarde – crise cardiaque.

Tout paraissait réglo, y compris le tampon en relief de l'administration régionale de la santé publique. Tout, sauf un minuscule détail qui a alerté mon instinct de reporter, ou ce qui m'en tenait lieu.

Âge au moment du décès : quatre-vingt-quatre ans.

J'ai jeté un nouveau coup d'œil à mon portefeuille. J'avais découpé la nécro de Threllkyl, à tout hasard, pour l'ajouter au bric-à-brac que je trimballais dans mon classeur portatif en cuir. La fille a fait la gueule quand j'ai commencé à exhumer des coupures de journaux – et à farfouiller dedans.

Bingo ! Malgré les petits caractères, j'avais l'impression de lire un gros titre racoleur :

THRELLKYL, Dexter. A trouvé le repos éternel à l'âge de 63 ans, le 25 octobre…

En me retrouvant dans la rue, j'ai pensé à Woody Montague. Maintes fois, il avait ressenti la montée d'adrénaline qui me fouettait les veines à cet instant. Il aurait certainement quelque sage conseil à me donner sur les moyens d'élucider cette curieuse différence de chiffres. Sans vraiment réfléchir à ce que je faisais – une de mes spécialités –, je me suis engouffré dans une cabine téléphonique pour l'appeler à son bureau d'Oakland. Je ne sais pas, je voulais peut-être l'impressionner par mes capacités d'investigation.

Aucune réponse.

J'ai remonté Grove Street, en m'arrêtant devant des affiches du tournoi. Il était parrainé par l'*Inquirer* et l'on faisait beaucoup de battage autour de ma couverture exclusive. C'est à peine si j'y ai prêté attention. Tel un chercheur d'or ayant trouvé une pépite dans la vase, j'étais intrigué par cette différence de vingt et un ans – et, dans ce genre de situation, quel est le réflexe d'un amateur… ou d'un imbécile ?

À l'angle des rues Market et Hyde, j'ai pris d'assaut une nouvelle cabine téléphonique pour composer le numéro de Ginny Wagner. Il fallait que je parle à *quelqu'un*. Sa voix était rauque, essoufflée :

– Qui est à l'appareil ?

– Billy. Bon Dieu, vous avez l'air crispée.

– Faut que je me tire de là.

Betty Boop semblait de mauvaise humeur, à bout de nerfs.

– Ce matin, j'ai été suivie. Exactement ce que je craignais. Vous voyez ? Je ne suis *pas* en sûreté. Les gars de Sanders sont après moi.

– Attendez, attendez, ai-je temporisé pour la rassurer. Qu'est-ce qui vous fait croire qu'on vous suivait vraiment ?

– Ce type attendait devant le snack-bar où je m'étais abritée. Pendant vingt minutes, il a traîné de l'autre côté de la rue, à m'observer. Quand j'ai aperçu un taxi, j'ai couru me réfugier dedans. J'ai semé le bonhomme, mais je suis sûre qu'il sait où j'habite. Billy, j'ai peur de rester ici !

Elle paraissait presque mûre pour la camisole. Mon instinct me disait de foncer à Pine Street, d'essayer de la calmer. J'ai résisté, et pas seulement parce que je me savais chronométré par Fuzzy Reasnor.

– Fermez la porte à clef et ne sortez pas. Prenez un bouquin. Demandez à quelqu'un de vous tenir compagnie, si vous vous sentez nerveuse.

Virginia a inspiré à fond, plusieurs fois de suite :

– Vous ne pourriez pas venir ?

Mon haleine embuait les parois vitrées de la cabine. Pas besoin de me rappeler comment s'était terminée ma dernière incartade. Le remords avait élu domicile dans mon être, dans mon sang. Dans ma vie et dans mes rêves.

– Ginny, je ne peux pas. Je dois aller bosser. Mais il va falloir qu'on parle.

– N'attendez pas trop, sinon je ne serai plus là. Je vais me barrer. Je n'aurais jamais dû revenir, c'était stupide.

– Ce n'est peut-être pas Sanders.

À l'autre bout du fil, j'entendais sa respiration gutturale :

– Qui ça pourrait être ?

– Il se passe quelque chose d'autre. Seulement, je ne sais pas trop quoi. Ça doit avoir un lien avec ces papiers – mais pas nécessairement avec Sanders. Je n'ai pas tous les éléments. Pas encore.

– Je ne trouve pas vos remarques tellement réconfortantes, vous savez. En admettant que vous en ayez quelque chose à fiche.

– Désolé. On en parlera. J'ai appris deux ou trois choses sur la fondation.

– Elle est réglo ?

– Certains trucs oui, d'autres non. Vous devrez décider de ce que vous voulez faire du dossier.

– On peut se voir demain ?

– Ça va être les Gants d'Or.

Les combats commençaient à sept heures du matin, mais je passais généralement l'après-midi à jauger autant de jeunes espoirs

177

que je le pouvais, pour identifier les plus prometteurs. Ce n'allait pas être évident de caser Ginny.

– Je ne serai peut-être plus longtemps dans les parages. Je ne serai peut-être plus *en vie* très longtemps.

– D'accord. À treize heures chez vous.

Ce n'était qu'à un jet de pierre du Civic Auditorium.

– Non, vers cette heure-là je me trouverai sur Irving Street, près du parc. Alors, disons plutôt le lac Stowe.

Le plus grand des onze lacs du Golden Gate Park.

– Près de l'abri à bateaux, a-t-elle précisé. À treize heures trente.

Ginny a raccroché sans me laisser le temps de marchander.

Depuis l'embrasure de la porte, Ida m'observait d'un air méfiant. J'ai demandé à la standardiste de me passer le domicile des Montague. Mes précédents appels au bureau de Woody étaient demeurés sans réponse. Cette fois encore, la putain de sonnerie m'a retenti inlassablement à l'oreille. En me rendant compte que ma femme semblait réellement soucieuse, j'ai reposé le combiné sur sa fourche.

– Je peux te parler une minute, mon chéri ?

Son tendre roucoulement a déclenché tous mes signaux d'alarme.

– Certainement, ai-je répondu en dissimulant toutes mes craintes.

Armé de mon cocktail et du journal que j'avais rapporté à la maison – marqué des quatre étoiles caractéristiques de la quatrième et dernière édition de la journée –, je suis passé devant Ida pour gagner le coin-repas de notre cuisine. Le soir, c'est dans cette petite annexe que nous dînions. Vincent présidait du sommet de sa chaise haute, en attendant qu'on le serve. Je me suis assis et j'ai étalé la page des informations sur la table.

– Qu'est-ce qui te chiffonne ? ai-je demandé.

– Je ne voudrais pas déclencher la Troisième Guerre mondiale...

Un début toujours prometteur.

– … Mais tu ne respectes pas les clauses de notre accord.

– Qu'est-ce que tu veux dire ?

– Déjà, tu m'avais promis d'être un père pour ce garçon.

Incrédule, j'ai détourné les yeux du journal et regardé par la fenêtre, dans le noir. Ma femme était particulièrement douée pour *ne pas* deviner quand il fallait laisser tomber un sujet et foutre la paix aux gens.

– Tu ne rentres pas à l'heure à la maison. Et quand tu rentres, c'est souvent à des heures indues et tu t'intéresses à peine à…

– Pas *à l'heure* à la maison ? C'est toi qui décides de mon programme de travail, maintenant ? Tu en as discuté avec les promoteurs de matches, je suppose ? Avec Fuzzy Reasnor ?

– Il n'y a pas un match chaque fois que tu rentres à dix ou onze heures du soir.

Sa douceur artificielle s'était évaporée. Après le gong, il était rare que nous perdions du temps en feintes et autres subtilités.

– Je n'y crois pas, ai-je répliqué avec un rire étranglé. Que tu aies le culot de me soupçonner alors que je t'ai laissée revenir dans cette maison…

Pour m'abriter de son regard glacial, j'ai levé rapidement le vaste journal, et parcouru la page en essayant de me changer les idées et de ne pas exploser. Encore des articles sur l'interminable grève des dockers ; un accroissement des tensions en Chine ; deux spectateurs foudroyés par un arrêt du cœur pendant le Grand Match de football – le match de qualification pour le Rose Bowl qui avait opposé l'université de Californie à celle de Stanford, sa farouche rivale de la région de la Baie.

J'ai humé mon bourbon et broyé furieusement un glaçon entre mes dents. Ida a continué :

– Un *père* devrait rentrer à la maison à heures régulières. Un *père* devrait donner un coup de main de temps en temps. Un *père*…

– Nom de Dieu ! C'est *toi* qui viens me reprocher de manquer à mes devoirs ? Réveille-toi, Ida. Estime-toi heureuse et ne tire pas trop sur la corde. Ce n'est pas mon fils. Si j'avais voulu être salaud, tout en restant dans mes droits, je pouvais vous jeter à la rue *tous les deux.*

J'ai tourné une page si violemment que j'ai failli la déchirer ; puis, d'une claque, j'ai aplati le papier. Ida s'est rebiffée :

— Ne t'avise pas de me parler sur ce ton ! Pour qui te prends-tu ? Tu te crois exceptionnel au point de pouvoir laisser une femme et un bébé à la maison pour aller te pavaner en ville de jour comme de nuit ? Toujours parti recharger tes batteries, que tout le monde sache bien quel grand…

— La ferme, bon Dieu !

Ce n'était pas vraiment après elle que j'en avais. En fait, ses reproches m'avaient à peine atteint. Un gros titre, à la page six, venait de me faire l'effet d'une balle dans le ventre :

UN AS DU REPORTAGE
VICTIME D'UN ACCIDENT

Suite à un accident d'automobile survenu au sud de la ville, Woodrow Montague, journaliste primé qui travailla jadis pour l'*Inquirer*, a été admis dans un état critique à l'hôpital central de San Francisco.

La police de la route a découvert ce matin, vers huit heures, une berline fracassée au fond d'un ravin, à Brisbane. Le véhicule avait apparemment plongé dans le vide depuis une bretelle d'accès à l'autoroute de Bayshore.

Pendant plus d'une demi-heure, une équipe de secours a procédé fébrilement à la désincarcération du conducteur, qui se trouvait seul à bord. Après avoir été conduit d'urgence à l'hôpital, le blessé a pu être identifié. Depuis plusieurs années, cet ex-reporter de l'*Inquirer* exerçait la profession d'avocat à East Bay.

D'après nos sources à l'hôpital, Montague n'a pas repris conscience et pourrait entrer dans le coma. Aucun témoin de l'accident ne s'est présenté ; la police de la route mène l'enquête. Toute personne qui détiendrait des informations est instamment priée de…

CHAPITRE 17

Ce matin-là, pour la deuxième fois en deux semaines, j'ai soustrait ma misérable carcasse au froid vif de l'air pour la plonger dans l'atmosphère surchauffée du déprimant hôpital central de San Francisco. Deux amis, deux semaines, deux accidents de bagnole. Était-ce à cause de leurs liens avec moi que Tony Bernal et Woody Montague s'étaient retrouvés au mauvais moment, au mauvais endroit ? J'en avais l'impression. S'il avait été possible de m'opérer du cœur et de procéder à l'ablation de ma culpabilité, je serais allé droit aux urgences me faire admettre en chirurgie.

En me dirigeant vers le service de soins intensifs, j'ai longé les cabines téléphoniques du hall, aussi lugubres que vides – sauf la dernière de la rangée, où était enfermée Susan Montague. Dans la lumière qui aspergeait crûment ses traits las, on aurait dit qu'elle subissait un interrogatoire musclé ; mais la voix que j'ai entendue par l'interstice séparant les portes vitrées, une voix cassante, énergique et indomptée, contrastait avec l'affaissement de ses épaules :

– C'est absurde. Il n'y a absolument aucune raison de déplacer le véhicule tout de suite. Il n'est pas *sur* la chaussée, mais nettement *en dehors*. Non, il ne bloque rien. Son propriétaire, voilà qui. Je suis désolée, il est hors de question que vous le fassiez remorquer. Pas avant que nous ayons minutieusement inspecté la scène de l'accident et l'auto. *Non !* Je me fiche que la police l'ait déjà fait. Ne touchez pas à cette voiture avant que *moi* je vous le dise. Si vous le faites, j'engagerai des poursuites, c'est aussi simple que cela. Ai-je été assez claire ? Répondez oui si vous m'avez comprise. Bien. Informez les employés municipaux qu'ils seront poursuivis, eux aussi.

Elle a rabattu le combiné sur sa fourche. M'attendant à la voir sortir furieuse, en claquant la porte de la cabine, j'ai reculé. Au lieu de quoi madame Montague est restée assise, à aspirer de grandes bouffées d'air pour se ressaisir. Quand elle a levé les yeux, il lui a suffi d'un dixième de seconde pour m'identifier. Elle a ouvert les battants vitrés et, une fois neutralisé l'éclairage de la cabine, ses traits se sont considérablement adoucis. J'ai demandé :

– Comment va Woody ?

– Il est dans le coma, a-t-elle répondu d'une voix monocorde. Mâchoire fracassée, il faudra la reconstituer. Heureusement que ce n'est pas le crâne.

Elle a consulté la montre qu'elle portait à son poignet mince :

– Woody est reparti sur le billard, il a fait un collapsus pulmonaire cette nuit. Il va peut-être s'en sortir, mais sans garantie que ce sera toujours la même personne.

C'est sans doute son mari qui lui avait inculqué cette manière d'énoncer froidement les faits essentiels, mais sa détermination inébranlable était innée – ce genre chose ne s'apprend pas. Susan Montague paraissait plus coriace que beaucoup de vieilles chèvres sentimentales du monde de la boxe, moi compris. J'ai examiné le bout de ma chaussure, en émettant de vagues chuintements qui se voulaient philosophiques, ou du moins compatissants.

– Au moins, il n'est pas mort, a-t-elle remarqué.

Abrupte, et pas du genre à se bercer de faux espoirs, elle gardait un certain optimisme en soulignant objectivement le bon côté de la situation. J'ai désigné le téléphone d'un hochement de tête :

– Qu'est-ce qui se passait ?

– J'essayais de convaincre la boîte de dépannage de ne pas déplacer l'auto avant qu'on l'ait fait examiner par quelqu'un. Au cas où ça n'aurait pas été un accident.

– Vous pensez que c'est le cas ?

Susan s'est levée, ce qui n'a pas fondamentalement altéré notre différence de stature. Sa silhouette menue était enveloppée dans un paletot d'automobile à carreaux blancs et marron, sous l'ourlet duquel on apercevait les revers de son pantalon. Elle a étiré ses mains délicates avant de triturer une paire de gants en cuir blanc – sa seule manifestation visible d'anxiété.

– Je ne tire pas de conclusions prématurées, monsieur Nichols. C'est ce que Woody m'a enseigné. Pour autant, je ne suis pas naïve. Il a été mêlé à pas mal d'affaires, et certains individus pourraient avoir des intérêts à défendre.

– Qu'est-ce qu'il fichait au sud de San Francisco ?

– Je n'en ai aucune idée.

– Excusez-moi, ai-je fait.

Je l'ai écartée doucement, pour entrer dans la cabine qu'elle venait de quitter. Sans refermer la porte, j'ai pris le téléphone et composé le «O». Le combiné était encore légèrement moite. Un peu de la détermination des Montague avait dû déteindre sur moi. J'ai parlé à la standardiste :

– Je voudrais le numéro de téléphone et l'adresse de la Major Liquor Company.

Susan m'observait en malaxant ses gants.

– C'est une adresse en ville ?

Beaucoup de rues de San Francisco dépassent les limites de la ville pour se prolonger dans les municipalités voisines : South San Francisco, Daly City, San Bruno – Brisbane…

– Très bien, ai-je fait. D'accord, merci.

Les yeux bruns de Susan portaient maintenant sur moi un regard différent.

– La Major Liquor Company est basée à Brisbane, l'ai-je informée. Elle a hoché la tête :

– Ce qui ne prouve rien, évidemment.

– Moi non plus, je ne tire aucune conclusion.

J'ai levé les mains, toutes paumes dehors.

– N'empêche qu'il y en a une dont je me rapproche. Woody et moi, l'autre jour, on est passés au bureau du procureur. Il s'est engueulé avec le substitut au sujet de Virgil Dardi et de la Major Liquor Company. Woody vous en parlé ?

– Je suis au courant de ce conflit, a-t-elle soupiré. Ce n'est pas nouveau.

Au moyen des gants qu'elle tenait à la main, Susan a dessiné une boucle dans l'air vicié – la trajectoire d'un oiseau touché par une décharge de chevrotine. Elle a jeté un regard à l'entrée du service des soins intensifs, et ouvert soudain son sac à main pour y balancer les gants avant de le refermer avec un claquement. À ses yeux, une chose était claire :

– Woody souhaitait examiner ce camion récemment impliqué dans un accident. Il avait le numéro de la plaque minéralogique. C'est tout lui, d'être allé faire un tour en douce là-bas avant le début de leur journée de travail.

– Il vous l'a dit ?

– Non. Seulement, en partant, il a demandé où était notre appareil photo. Je m'en étais servie pour faire quelques portraits des enfants.

Il aurait semblé poli de prendre de leurs nouvelles, mais je n'y suis pas arrivé. L'effort consistant à les imaginer privés de père était au-delà de mes possibilités. Je me suis donc lancé dans une autre direction :

– Woody a mentionné que le procureur surveillait ses communications téléphoniques. Vous le saviez ?

– Ça s'appelle une table d'écoute, a-t-elle expliqué sur le ton d'une avocate aux prises avec un client particulièrement obtus. Les autorités adorent ce truc qui leur permet de surveiller les présumés cocos... les syndicalistes, les Juifs... n'importe qui. Je suis sûre que la liste s'allonge tous les jours. Les gens en qui on voit une menace, ou ceux qu'on n'apprécie pas trop.

– Comment peuvent-ils... ?

– C'est parfaitement légal. Pour l'instant, en tout cas.

– Non, non, je veux dire... Une «table d'écoute» de ce genre fonctionne de quelle manière, techniquement ?

– Tout ce qu'il leur faut, c'est un accès à la ligne téléphonique. Le câble. Ils s'y connectent, comme on siphonnerait de l'eau ou de l'électricité, ensuite ils acheminent les communications là où ils le souhaitent. Le FBI est devenu très bon à ce jeu. Ils ont des « postes d'écoute » pour espionner les communistes, ou quiconque les intéresse.

– C'est pour cette raison que votre téléphone est sous surveillance ?

Ses yeux bruns ont plongé leur regard triste dans les miens :

– Il y a belle lurette qu'on est sur écoute. Rien de politique, j'en ai peur. Encore que ce serait une excuse toute trouvée. Le procureur adore tenir Woody à l'œil, c'est tout. Certains de ses clients sont considérés comme « indésirables ».

Elle a souri d'un air las :

– Woody a mis au point son propre dispositif de surveillance, qui lui permet de savoir quand il est sur écoute.

Le regard que nous avons échangé m'a donné l'impression qu'on était sur la même longueur d'onde. Cependant, l'expression de Susan restait distante et résignée, comme si l'histoire de leur couple était longue, complexe – mystérieuse.

– Je vais le voir, a-t-elle annoncé calmement. Vous vouliez venir ?

– Il faut d'abord que je donne un coup de fil. Je vous rejoindrai.

Sitôt entré dans la cabine, j'ai appelé mon domicile.

Paula, une sœur d'Ida, m'a répondu. D'un ton bourru, je lui ai demandé de me passer ma femme. Dès que je l'ai eue au téléphone, j'ai demandé à Ida :

– As-tu vu quelqu'un traîner dans les parages, ces derniers temps ? Un technicien de la compagnie du téléphone, peut-être ? Un gus quelconque, par exemple derrière la maison ? C'est important. Réfléchis bien.

– Ça ne me rappelle rien, a-t-elle pleurniché, contrariée par ma brusquerie.

– Ida, c'est vraiment important. Cherche.

187

– Quelqu'un est venu relever le compteur, l'autre jour. Je l'ai aperçu par la fenêtre, il allait derrière la maison.

– Quand ? Quel jour ? Laisse tomber la date, quel jour de la semaine ?

– Jeudi ? Avant que j'aille chez Phyl's. C'est ça, absolument, jeudi.

– Tu es sûr que c'était un contrôleur ? Un mec de la compagnie du gaz, alors ?

– C'est ce que j'ai pensé.

– Pourquoi ? Il avait un uniforme ?

– Eh bien, il portait des outils à la ceinture. Je ne sais pas, je me suis dit qu'il venait relever le compteur. Qu'est-ce qui se passe ? Qu'est-ce qui ne va pas ?

– Tu es certaine du jour ?

– Jeudi. Sûre et certaine.

Le dix-huit, ai-je calculé.

– D'accord, Ida. On se verra plus tard.

Elle parlait encore quand j'ai raccroché brutalement, pour composer un autre numéro. La voix d'une standardiste m'a de nouveau gazouillé à l'oreille et j'ai beuglé :

– Passez-moi la Pacific Gas & Electric Company. Le service de l'entretien.

Il a fallu un moment pour transférer mon appel à la direction des Installations et Réparations. J'ai communiqué mes nom et adresse au responsable du dispatching, avant d'improviser :

– Je crois qu'un de vos gars a oublié des outils derrière notre maison, l'autre jour. Le jeudi dix-huit. Il a dû revenir les chercher, mais ma femme les avait rentrés de peur qu'il pleuve. On les a encore ici.

Le responsable m'a fait répéter l'adresse avant de suggérer :

– Ces affaires doivent appartenir à quelqu'un d'autre. Il n'y a pas eu de visite d'entretien chez vous ce jour-là.

– Peut-être juste un relevé du compteur.

– Non. Votre quartier n'était pas prévu au programme.

Après avoir raccroché, j'ai rappelé le standard et demandé, cette fois, les bureaux de Bell Telephone. J'ai posé les mêmes questions.

Et obtenu les mêmes réponses.

Arguant que seuls les membres de la famille pouvaient accéder au service des soins intensifs, une infirmière m'a interdit d'y entrer. Un aide-soignant catégorie poids lourds a été appelé afin de m'expliquer le règlement plus en détail. Ce n'était pas que j'aie tellement envie d'observer les dommages infligés à Woody Montague, ou de veiller silencieusement à ses côtés pendant qu'il se débattait entre la vie et la mort.

Franchement, je ne tenais pas à ce que ma dernière image de sa vaillante épouse soit sa petite silhouette au bout du couloir, appuyée contre un mur, secouée par les sanglots qu'elle ne pouvait plus contenir.

CHAPITRE 18

Par cet après-midi de novembre frisquet, le lac Stowe et ses environs étaient déserts – à l'exception des flotilles de canards et de cygnes glissant paresseusement à la surface verte, couleur de mousse, et des escadrilles de mouettes et de pigeons picorant le sol en quête de miettes ou perchés en formation aléatoire sur le toit du hangar à bateaux. Au printemps et en été, les oiseaux aquatiques partageaient leur territoire avec des hordes humaines, qui affrétaient canoës et pédalos afin de partir en croisière autour de Strawberry Hill, la verdoyante île artificielle dressée au centre du lac. Les sentiers serpentant à travers ses pins en faisaient un endroit idéal pour les rendez-vous galants, parfait pour les premiers baisers et les ruptures larmoyantes. Les tourtereaux sans plumes aimaient se blottir sur les bancs disposés le long de la rive ; mais, hors saison, les bécots les plus brûlants ne suffisaient pas à se garantir du froid.

Pendant une bonne partie de mon enfance, j'avais été oppressé par des troubles respiratoires ; aussi, après l'école, ma mère m'emmenait-elle parfois en promenade autour du lac Stowe. Un médecin, Dieu le bénisse, avait suggéré que l'air humide pourrait faire du bien à mes bronches obstruées. L'endroit était si pittoresque, si paisible que j'avais vite appris à contrefaire une toux diphtérique. Quand à ma mère, si elle se montrait assurément dévouée, je me rendais compte qu'elle aimait autant que moi naviguer sur les placides canaux du lac, bordés d'arbres.

Le hangar à bateaux, spacieuse cabane aux volets rouge et blanc, abritait des guichets de location et un snack-bar. La billetterie avait fermé pour l'hiver, quelques semaines plus tôt, mais le bar restait opérationnel. Il était tenu par un courageux individu en veste de bûcheron et casquette de cheminot. À moins de parler le langage des mouettes, ce type devait être en mal de conversation. Je me suis donc accoudé au comptoir, j'ai commandé un café et je l'ai laissé tchatcher en attendant Ginny.

Évidemment, il n'a parlé que du Grand Match ; il voulait savoir si j'avais des tuyaux sur les chances de qualification de l'université de Californie. Le thème me laissait de marbre, vu le savon que m'avait passé mon chef le matin même à mon retour de l'hôpital. Une dépêche télégraphique ayant annoncé que les Bears iraient effectivement au Rose Bowl, le service des sports était à court de personnel, et Fuzzy Reasnor, furieux de mon retard.

« Tu as eu toute la journée d'hier pour trafiquer des articles à l'avance », avais-je rétorqué. Ce qui m'avait valu de me faire remonter vigoureusement les bretelles et condamner à recueillir les impressions des Bears au cours d'une série d'entretiens téléphoniques ridicules. À midi, papier conclu, j'annonçais mon départ anticipé pour le Civic Auditorium. La folie du Grand Match appartenait déjà au passé, déclarai-je à mon chef, et il était grand temps de promouvoir un peu les Gants d'Or. Fuzzy avait beau être un pro, et un vrai copain, il faillit me poignarder au moyen de la pointe sur laquelle il empalait les articles refusés. J'avais sauté dans un taxi pour le Golden Gate Park.

Tandis que le barman continuait à s'épancher, j'ai jeté un regard distrait au sentier qui faisait le tour du lac. Le décor s'éclaircissait à mesure que le soleil perçait la couverture de nuages grise. Sur la rive orientale, un éclair écarlate est apparu entre les saules et j'ai reconnu la démarche caractéristique de Virginia Wagner, perchée sur ses hauts talons. Cette fille valait le coup d'œil, de face ou de dos. Elle présentait encore un petit ensemble cape et chapeau mais, cette fois, d'un rouge éclatant. Inutile de préciser qu'elle serrait un livre contre sa poitrine.

J'ai interrompu l'exercice de remémoration d'exploits footbalistiques auquel se livrait le barman :

– Préparez donc deux hot-dogs pendant que vous êtes chaud. Et deux cafés.

Ça ne pouvait pas me faire de mal de montrer un peu de bonne volonté à Ginny ou à ce cuistot solitaire et cloîtré. Pour être honnête, j'étais soulagé de la voir débarquer. Je ne tenais pas à la retrouver sur un lit d'hôpital à côté de Bernal et de Montague. Ou sur une table d'autopsie, à la morgue. Dans un élan de camaraderie, j'ai informé le gars :

– Au fait, l'université de Californie s'est qualifiée pour le Rose Bowl.

À l'annonce de cette nouvelle, il s'est mis à sourire comme un idiot en faisant frire ses saucisses. Je me suis retourné vers le lac.

Plus de Ginny.

Quand je l'avais aperçue, elle ne se trouvait qu'à une quarantaine de mètres. Pas moyen de rater cette cape flamboyante, gonflée par la rapidité de sa marche.

Je me suis écarté du zinc. Effarouchées, les mouettes réunies à mes pieds se sont dispersées avec des piaillements rauques ; au silence, en quelques instants, a succédé un concert de cris, de crissements, de battements d'ailes. J'ai longé le lac puis dépassé au trot la jetée sur pilotis, en lançant des regards dans toutes les directions pour essayer de repérer une tache rouge. Une fois franchie la courbe du rivage, j'avais une vue imprenable sur le sentier où j'avais aperçu Ginny.

Aucun signe de son passage.

Comme je m'avançais à grandes enjambées, j'ai foutu la pétoche à une patrouille de colverts qui émergeaient des roseaux. Il n'y avait pas d'endroit où la jeune femme aurait pu aller, à part le lac… ou, de l'autre côté du sentier, un bosquet d'eucalyptus. J'ai traversé en hâte celui-ci et je me suis retrouvé au sommet d'une colline entièrement moquettée de lierre d'un vert brillant, qui dévalait en direction d'un ravin. Nulle trace d'une quelconque présence parmi les imposants eucalyptus dressés vers le ciel. Entre leurs troncs minces et lisses, insidieusement envahis par le lierre, le sol était jonché de branches mortes.

Loin en contrebas, accrochée à un rameau dans l'ombre épaisse… la cape rouge de Ginny.

Un pas imprudent sur la pente – le sol détrempé cède sous mon poids. Je tombe comme une masse, glisse sur le lierre gluant jusqu'à ce que mon pied se coince parmi des lianes enchevêtrées. Je me démène pour me relever. *On l'a enlevée*, crie mon cerveau. *Il a un flingue ? Si oui, qu'est-ce que je fais ?* Le plus vite et le plus discrètement possible, je me dégage de la végétation qui se cramponne à moi. J'essaie de conjurer les horribles éventualités et les terribles visions.

Près de la cape, une chaussure rouge maculée de boue. Je la glisse dans ma poche de pardessus.

Plongeant mon regard dans le coin le plus épais et le plus obscur du bosquet, j'aperçois Ginny. Ou du moins une partie de sa personne. Je distingue surtout le large dos d'un type en costume et chapeau marron, qui la presse contre le tronc massif d'un séquoia. L'écorce rugueuse fait remonter la jupe grise de la jeune femme ; ses jambes gainées de bas s'agitent, soulevées du sol. Son agresseur la tient par la gorge et lui applique sans doute son autre main sur la bouche, car je n'entends aucun cri. À moins que Ginny n'ait été bâillonnée.

Pas le temps d'élaborer un plan ou de me poser de questions, je me précipite vers le bonhomme. Avec un peu de chance, j'arriverai à lui placer un étranglement avant qu'il m'entende arriver.

J'ai parcouru trois mètres lorsque je dois renoncer à cette ambition. La brute a bandé ses muscles et jeté un coup d'œil derrière son épaule. Je gueule sur ma lancée :

– Lâchez-la !

Tu parles, Charles.

Il se retourne, mais sans relâcher sa prise sur Virginia. Elle a les yeux écarquillés par la peur. Le type lui a fourré un mouchoir dans la bouche. J'ai l'intention de lui foncer droit dessus mais, quelques pas avant l'impact, je m'arrête net.

Je l'ai reconnu.

Larry Daws. Le poids mi-lourd sur le déclin. L'ex-larbin de Burney Sanders, et son principal témoin à charge.

En quelques fractions de seconde, le visage dur et rougeaud du boxeur est passé par toutes les expressions : brutale, confuse, déférente… Il recule prudemment et joue l'innocence tout en se servant de son allonge pour coincer l'épaule de Virginia, comme il acculerait un adversaire dans les cordes au moyen de ses directs.

– Hé là, monsieur Nichols !

Il retrouve une obséquiosité grotesque en présence de Mister Boxe :

– N'allez pas vous faire des idées, je prenais juste un peu de bon temps avec ma bonne amie, là.

Sa « bonne amie » profite de cet instant d'inattention pour lui catapulter le bout pointu de sa chaussure restante dans les valseuses. Le beuglement de Daws fait s'égailler tous les oiseaux de ce vallon boisé.

Il s'affale par terre.

Alors qu'un rictus de souffrance lui contracte le visage, Ginny place une nouvelle ruade entre ses jambes écartées. Il hurle. Avant de comprendre ce que je fais, j'ai empoigné Larry par les revers de son veston. Ses joues se marbrent et il commence à transpirer à grosses gouttes. Le secouant assez fort pour faire tomber son chapeau à bord étroit, je gueule :

– Putain, mais à quoi tu joues ? Pour qui tu bosses ?

De ses lèvres s'échappe un gémissement pathétique, qui se met progressivement à ressembler aux sons émis par les créatures errant dans les dépotoirs. Un grognement farouche, sauvage, qui n'a plus rien d'humain. Ses paupières s'ouvrent, dévoilant des yeux où danse une lueur égarée ; quand ses lèvres luisantes de salive s'écartent, je vois de près ses dents serrées, jaunies. Il se débat pour se redresser. Je m'appuie contre lui dans l'espoir le renverser en arrière. Au lieu de quoi c'est lui qui me soulève, comme un sac de patates d'un mètre quatre-vingt-trois. Heureusement, il perd l'équilibre et nous roulons au sol.

Derrière nous, Ginny a craché son bâillon et s'est mise à quatre pattes. Elle fouille fébrilement sous le lierre et met la main sur son sac. Quelques instants plus tard, titubante mais debout, elle a sorti son artillerie et la pointe vers Daws. Je balance un coup de genou désespéré dans la poitrine du boxeur et crie à Ginny :

– Vous êtes malade !

Elle se rue vers nous, chancelante. Une expression de folle furieuse déforme son visage maculé. Alors que je lutte contre Daws, acharné à le faire basculer en arrière, le bras de Ginny décrit un arc de grande amplitude, à l'horizontale. Le flingue qu'elle serre dans son poing s'abat sur la tempe de Daws. Il pousse un grognement. Un mince jet de sang s'échappe de la blessure qui vient d'apparaître à son oreille. Le boxeur vacille, met un genou à terre et il me paraît soudain possible de maîtriser ce salopard enragé. Je le lâche pour trouver un meilleur point d'appui dans la verdure visqueuse.

Avant que je puisse faire un autre geste, Ginny m'a bousculé pour assener un nouveau coup de crosse. Façon uppercut, cette fois. Le métal trouve le pif de Daws et le lui pète. Bruyamment. Le sang qui gicle de ses narines arrose le devant de son costard.

Ginny a adopté une position de guingois au-dessus de son adversaire, les jambes aussi écartées que le lui permet sa jupe fourreau. Daws a mordu la poussière mais il n'est pas complètement hors de combat. D'une main, il essaie vainement d'étancher le sang qui pisse de son nez cassé ; de l'autre, il tâtonne dans le vide, tel un boxeur cherchant la corde du bas parmi les brumes d'un KO technique.

– Cet enfoiré a tué Claire, gronde Ginny, haletante. C'était lui !

Elle braque son arme sur le haut de la tête inclinée de Daws.

Je l'attrape par-derrière pour lui bloquer les bras. Virginia essaie de se dégager et nous roulons dans le lierre. Elle n'est pas plus facile à maîtriser que Daws. Encore et encore, je psalmodie d'une voix rauque, en lui raclant l'oreille de mes dents :

– Vous n'allez descendre personne…

Quand elle cesse de se tortiller, le boxeur s'est déjà relevé. Il fuit en zigzag, d'un pas incertain. Par l'est, là où le ravin s'aplanit, il sort du bosquet d'eucalyptus et s'élance à travers un vaste pâturage vert émeraude. Il bouge bien, pour un mec qui vient de se faire remonter les couilles jusqu'aux poumons.

On a mis un quart d'heure à se remettre avant de remonter le flanc de la colline, renonçant à trouver la toque de Ginny et son exemplaire tout neuf de *L'Intrus dans la poussière*, enfouis quelque part sous le lierre épais. À l'approche du hangar à bateaux, j'ai repéré de loin une paire de hot-dogs sur le comptoir, avec cafés assortis, qui n'attendaient plus que nous.

– Vous *connaissiez* ce type !

Ginny était incrédule. Je lui avais rendu sa chaussure manquante et ses talons cliquetaient sur l'allée goudronnée, quelques pas derrière moi. Le cœur encore battant, j'ai expliqué :

– C'est un boxeur. Larry Daws. Le gars qui vous filait le train hier, je suppose.

– Effectivement, a-t-elle confirmé.

Elle sautillait au sommet de ses talons pour se maintenir à mon niveau.

– Vous allez bien ? Vous marchez un peu de traviole.

– Je suis tombé sur ma sacoche. Je n'en mourrai pas.

– Et tout le dos de votre beau pardessus est couvert de boue.

Ginny m'a appliqué une claque sur le postérieur. Je me suis arrêté et elle venue se cogner contre moi.

– Vous, vous en avez partout, ai-je rétorqué.

Heureusement, la cape retrouvée dissimulait les dommages, à l'exception d'éclaboussures qui avaient formé des croûtes sur ses chaussures, ses chevilles et ses mollets. La délicate ligne de sa mâchoire, ses pommettes saillantes, ses lèvres boudeuses étaient souillées de taches et de traînées de terre. Remarquant mon regard, elle a essayé d'enlever la saleté au moyen de ses doigts gantés – et tremblants, malgré les courageux efforts qu'elle déployait pour paraître calme. J'ai cueilli un peu de lierre dans ses cheveux défaits.

– Vous ne faites qu'empirer les choses, lui ai-je signalé.

197

Difficile de croire que ces traits fins appartenaient à une harpie qui venait de casser le nez d'un poids mi-lourd. Je jure qu'elle aurait logé ce pruneau dans le front de Daws si je n'étais pas intervenu.

– Je prendrais bien un bain chaud, a-t-elle lâché en cherchant le paquet d'Old Gold dans son sac à main. Pas vous ?

Il n'était pas défendu de flirter discrètement ; c'était peut-être même inévitable, étant donné qu'on venait de se sauver mutuellement la vie. Difficile pourtant de mordre à l'hameçon.

– Je vous trouverai un autre exemplaire de ce bouquin. C'était par qui, déjà ?

– Pas la peine. Je n'étais pas emballée.

– Vous ne voulez pas savoir comment ça se termine ?

– Si, je suppose. Merci.

Nous voyant pas mal secoués, le barman a suggéré d'emblée « quelque chose de plus robuste », côté boisson. Il est allé chercher sa bouteille personnelle et deux gobelets en carton, pendant que je racontais comment j'avais vu Ginny trébucher à flanc de coteau et m'étais cassé la figure en voulant lui porter secours.

Explications qui m'ont valu un coup de coude dans les côtes.

– Pourquoi toutes ces salades ? a protesté Ginny en laissant échapper un nuage de fumée de cigarette. Demandez-lui plutôt un téléphone, qu'on appelle les flics.

– Laissez tomber. Ils ne feraient rien, de toute façon.

Notre médecin a posé sur le comptoir deux gobelets de Coca-Cola dans lesquels il a versé de l'Old Fitzgerald, connu pour ses vertus thérapeutiques.

– Cinquante degrés, a-t-il précisé. Rien de tel pour vous remettre les idées en place.

Ginny a passé le bras au creux de mon coude et exercé une pression. Elle avait l'air fascinée par les petites rations de bourbon du Kentucky ; je lui ai tendu la sienne.

Elle l'a humée d'un air approbateur, approchée de ses lèvres tremblantes – et s'est immobilisée en pleine action.

– Je ne peux pas, a-t-elle décidé en reposant le gobelet sur le comptoir. Je… j'ai un problème avec ce truc.

Virginia Wagner me réservait décidément des surprises, ce jour-là.

– Surtout, que ça ne vous arrête pas, a-t-elle fait avec un gros soupir.

Elle a poussé le bourbon devant moi. J'ai montré au barman les tasses dans lesquelles croupissait le café froid.

– Donnez-nous-en deux autres. Et pas de hot-dogs, finalement.

– Je vais plutôt prendre un soda au gingembre.

Après cette rectification, elle a essuyé les cochonneries collées sous son œil.

– J'ai l'estomac retourné. C'était un mouchoir *sale*.

Tant pis pour les cafés. Impoli ou pas, j'ai salué notre hôte et vidé les deux gobelets de bourbon. Quand Ginny a obtenu son soda, je l'ai entraînée hors du hangar à bateaux vers un quai en bordure du lac. Des pigeons nous suivaient, remplis d'espoir.

– Qu'est-ce que ça vous apporterait d'engager des poursuites contre Daws ? ai-je demandé sans attendre de réponse.

Comme je masquais mon subterfuge derrière un sourire narquois, elle m'a dévisagé pour essayer de déterminer si j'avais toute ma raison.

– Ça ne marchera pas, ai-je insisté. Il n'avait – encore – rien fait, à part vous entraîner au bas de ce ravin. En fait, ai-je ajouté en amplifiant mon sourire de faux-jeton, vous devriez prier pour que ce ne soit pas Daws qui porte plainte contre *vous*.

Virginia me jetait des regards soupçonneux par-dessus le bord de sa tasse. Elle a siroté son soda et médité ce conseil inattendu. Il fallait qu'elle me fasse confiance, qu'elle me croie capable d'arranger la situation, d'une manière ou d'une autre, sans que les autorités s'en mêlent. J'en étais malade de lui jouer du pipeau, mais j'avais besoin de temps pour rassembler les pièces de ce puzzle à la gomme – tout en évitant de saper l'inculpation de meurtre dont Sanders faisait l'objet. Lâcher les flics sur Daws à ce stade des opérations revenait à tout foutre en l'air.

– Ça me rappelle le jour où on est allés à cette station touristique, a remarqué Ginny.

Elle a tiré sur son mégot. Son regard semblait suggérer qu'elle révisait son jugement initial :

– Ces types vous connaissent tous. J'aurais été cuite si Daws n'avait pas été un boxeur.

Secousse de boucles. Émission de quelque chose pouvant évoquer un rire :

– C'est le pompon ! On s'en est tirés pour une raison, et une seule, c'est que Sanders a embauché un boxeur professionnel pour faire son sale boulot. Quelqu'un que vous seul...

Ginny m'a enfoncé son doigt dans la poitrine.

– ... que vous seul étiez capable d'identifier – ou de dénoncer aux flics, ce que vous refusez de faire. J'ai manqué un épisode ?

– Ouais. Ce n'est pas Sanders qui l'a embauché. C'est ce que j'essayais de vous dire hier.

– Qu'est-ce que vous me chantez là ? Bien sûr que si. Qui d'autre ? Sanders doit me tenir responsable de tout ce qui lui est arrivé.

Elle a écrasé le mégot du bout de sa chaussure. J'ai contré :

– Daws a été lancé à vos trousses par quelqu'un qui veut les papiers de la fondation.

– Ouais ! Sanders ! Vous avez dit vous-même que ces papelards faisaient de lui un millionnaire.

– Sanders va être jugé pour le meurtre de Claire, lui ai-je rappelé. Et Larry Daws est le principal témoin de l'accusation.

Elle s'est figée.

– C'est son témoignage qui va expédier Sanders au pénitencier de San Quentin. Vous croyez vraiment qu'ils pourraient encore être de mèche ?

– Il allait me tuer, a insisté Ginny en effleurant sa gorge.

On distinguait les traces pâles laissées par la poigne de fer du boxeur.

– Après m'avoir violée.

– Il voulait juste vous foutre les jetons. Pour vous faire cracher le dossier.

Pas moyen de lui faire avaler ce raisonnement.

– Il en aurait parlé, non ?

– Il n'a pas eu le temps. Ce qui devrait vous réjouir.

Pendant quelques instants, elle a cligné des yeux, éblouie par les reflets scintillant sur le lac. Le soleil avait fini par se lever franchement. Une mouette qui pêchait a fait plouf dans l'eau et plongé la tête sous la surface.

Virginia s'est retournée vers moi.

– Personne n'était censé être au courant que ces papiers sont en ma possession, m'a-t-elle rappelé froidement. Vous deviez me laisser en dehors du coup pendant que vous cherchiez à découvrir leur valeur réelle, vous vous souvenez ? Alors, qui peut bien savoir que je suis mêlée à ça, bon Dieu ?

– Le procureur.

Elle en a laissé tomber son gobelet de soda par terre.

– Vous voulez me faire croire que le *procureur* a payé ce boxeur pour me malmener ?

– Le *substitut* du procureur, ai-je précisé, au cas où ça rendrait la pilule moins pénible à avaler.

J'ai ramassé le gobelet, ne fût-ce que pour échapper au regard qu'elle me lançait. En me relevant, j'ai lu dans ses yeux clairs qu'elle se sentait blessée, trahie.

– Vous leur avez parlé de moi ?

Sa voix était devenue comme friable. Je me suis dit qu'elle avait dû se faire avoir plus d'une fois par des beaux parleurs.

– Non, Ginny.

Après avoir écrasé le gobelet, je l'ai balancé dans la poubelle la plus proche.

– Je n'ai pas dit un mot de vous.

– Oh, *d'accord*. Alors, comment le *substitut* du procureur sait-il que je détiens ces papiers ?

Je l'ai prise par le bras.

– Emmenez-moi faire un tour en voiture. On va voir si j'ai une réponse à cette question.

CHAPITRE 19

Virginia a garé avec précaution son Roadmaster contre le trottoir d'Argent Alley. Vu le délabrement de ses nerfs, c'était un miracle qu'on ait atteint cette étroite ruelle sans incident, en franchissant Cole Alley puis en se faufilant dans les petites voies qui serpentaient au pied de Twin Peaks. Sur le trottoir d'en face, la lumière de la véranda brillait au-dessus d'une porte rouge. La maison de Jerome Califro.

– C'est de cette manière qu'ils ont appris mon existence, vous êtes sûr ?

Les mains de Ginny serraient toujours le volant ; le moteur tournait au ralenti.

– C'est la seule explication qui tienne debout. Il y a un rapport. Forcément.

– En tout cas, pas question que j'entre là-dedans.

– Pas besoin. Je n'en ai que pour une minute. Fumez une clope, profitez de la vue.

– Vous êtes sûr que c'est une bonne idée d'attaquer de front ?

– Cet empoté n'est pas Larry Daws. Ne vous inquiétez pas.

Les sièges impeccables étaient protégés par le *News*, une édition de l'après-midi. Le papier journal a émis des craquements quand je suis sorti péniblement de l'automobile de Ginny. Les gens sales n'étant pas admis à bord, elle avait improvisé ces housses d'urgence.

En traversant la chaussée, j'ai remarqué deux jeunes filles dans une berline garée un peu plus loin, à peine visibles derrière le pare-brise étincelant de reflets. Malgré la brièveté de mon coup d'œil, elles ont détourné le regard. Elles faisaient l'école buissonnière un

203

mardi après-midi et leur nervosité n'avait rien à envier à celle de Virginia.

J'ai sonné. Pour venir ouvrir aussi vite, madame Califro devait m'avoir vu arriver dans l'allée. Mais l'arc de ses sourcils s'est aussitôt détendu ; de toute évidence, elle attendait quelqu'un d'autre. Cette fois, je ne lui ai pas demandé sa permission avant de franchir le seuil. En faisant irruption dans le vestibule bleu pastel, bien rangé, je me suis enquis d'un ton sarcastique :

– L'homme de la maison est-il disponible ?

Échapper de justesse à la mort, rien de tel pour vous flinguer le savoir-vivre.

– *Non mais dites donc !* Jerry n'est pas là. Je dois vous demander de partir !

J'ai foncé dans le couloir principal, prêt à voir Califro émerger de son bureau en titubant et en renversant du Lord Calvert sur le tapis. Cependant, la porte escamotable demeurait hermétiquement close. L'ayant forcée, je n'ai trouvé qu'un inextricable fatras, inchangé depuis la dernière fois et enveloppé de ténèbres.

– Où est-il, Del ?

Mi-sidérée, mi-folle de rage, elle n'en revenait pas que je me rappelle son nom.

– Je dois lui parler, ai-je insisté. C'est très important.

Elle a improvisé :

– Il est sorti.

– Comment ? ai-je objecté avec dédain. En ambulance ? Ce serait la seule possibilité.

Je me suis avancé vers le fond de la maison.

– Où est-ce qu'il se planque ?

Del me talonnait de si près que sa mante m'effleurait le dos.

– Vous êtes d'un sans-gêne intolérable, a-t-elle grommelé.

Elle avait beau essayer de me retenir, je me suis introduit dans une chambre à coucher qui sentait le renfermé. Non sans mal, on distinguait à travers la pénombre grise des caisses éparpillées, des tourbillons de sous-vêtements, des fringues abandonnées çà et là ;

sur la table de chevet, des verres et des bouteilles vides. L'atmosphère était empestée par des relents de vieux tabac à pipe et les stores vénitiens, tirés, pendaient de travers. Cette plongée dans les profondeurs de leur intimité ayant quelque peu désarmé mon agressivité, je me suis demandé si la dévotion et la tolérance de Del allaient jusqu'à lui faire partager ce pageot, ou si elle dormait ailleurs, en milieu stérile.

– Je vous l'ai déjà dit, il n'est pas là ! s'est-elle écriée. Maintenant, partez avant que j'appelle les flics !

Je me suis hâté de battre en retraite, pour me mettre hors de portée des jurons qu'elle me lançait à voix basse. En traversant le vestibule, j'ai avisé, devant la salle de séjour, un bref couloir sur lequel donnaient deux portes. Un rai de lumière passait sous la plus éloignée des deux ; j'ai tourné le bouton pour l'ouvrir.

Sur le coup, j'ai perdu mes repères – comme dans un rêve où, d'un instant à l'autre, on se retrouve miraculeusement transporté au loin.

Le papier peint de cette pièce exiguë était décoré de lapins roses et bleus, bondissant parmi des touffes d'herbe d'un vert brillant. L'âcre puanteur de produits chimiques était pire qu'à l'hôpital central. Pour seul mobilier, une table d'acier équipée de deux étriers, surplombée d'un grand oculaire dont la surface polie, dans son orbite métallique, reflétait une lumière crue, étincelante. Le globe était suspendu à un bras en porte-en-faux, lui-même fixé à un poteau à roulettes, en fer. Sur une tablette voisine, recouverte d'une serviette blanche pliée, des instruments sinistres étaient disposés avec soin ; un liquide antiseptique exhalait ces vapeurs délétères qui me piquaient les narines. Derrière des vitrines, un dérisoire assortiment de fournitures médicales. Le carrelage luisant s'inclinait en pente douce vers une bonde située au milieu de la salle d'opération.

Tout mouvement m'était devenu presque impossible. J'avais l'impression d'être tombé dans un aquarium. Un picotement m'a parcouru les épaules et les biceps.

Del Califro m'a bousculé et s'est dirigée droit vers ses instruments.

– C'est vous qui vous êtes occupée de Claire Escalante ? ai-je demandé, hébété.

Un bouillonnement de petites étoiles à la dérive m'explosait devant les yeux. Quand Del a fait volte-face, elle brandissait un scalpel dans son poing blafard.

– Je vous avertis. Partez ! m'a-t-elle menacé d'une voix sifflante.

J'ai reculé en titubant, je me suis cogné une omoplate contre le chambranle de la porte, j'ai répété :

– Claire Escalante… Elle est venue ici ? C'est chez vous qu'elle s'est fait charcuter ?

Un bruit sourd a retenti dans une autre pièce.

– Allez-vous-en ! m'a ordonné madame Califro.

Elle a porté un coup de scalpel dans ma direction. D'un pas lent et incertain, j'ai continué à reculer vers le couloir.

Au bout duquel une porte s'est ouverte, si violemment que la poignée a creusé un trou dans le plâtre du mur. Derrière, une ampoule nue éclairait de très haut l'étroit escalier au sommet duquel venait de s'étaler Jerome Califro. Le misérable s'efforçait de se redresser. Il portait encore un pyjama de flannelle – à motifs, cette fois, non plus de chevaux mais d'espadons bondissants. Le regard brouillé par la douleur, il faisait une grimace cadavérique. Ses dents étaient couvertes de sang. Sans se soucier de ma présence, il s'est mis à jurer :

– Je me suis mordu ma bon Dieu de langue ! Del ! Je me suis cassé la gueule et mordu la langue, nom de Dieu.

Après m'être jeté sur lui, je l'ai soulevé par les revers de sa veste de pyjama. L'escalier dans lequel il venait de se ramasser descendait en pente raide vers une cave. J'ai obligé Califro à pivoter sur lui-même pour me faire un bouclier de son corps décharné.

– Del, qu'est-ce qui se passe ? a-t-il balbutié tandis que je le poussais devant elle.

Déterminé à tenir à distance la vilaine petite arme de son épouse furibonde au moyen de cette fragile carcasse, j'avais l'impression de secouer une marionnette, un sac d'os. On a fait une entrée fracassante dans le séjour et j'ai propulsé l'avocat vers un moelleux canapé-lit rembourré. Tout à côté, sur une table basse, était placée une lampe ornementale – un coolie de porcelaine verte qui dansait avec insouciance. J'ai attrapé le danseur par la tête et j'ai tiré, en arrachant le câble du mur. Pas question de laisser ce scalpel s'approcher de moi.

Le regard embrumé de Califro trahissait son désarroi ; du sang coulait aux commissures de ses lèvres. Dans mon autre poing, j'écrasais un espadon de coton. J'ai grondé :

– Répondez à mes questions ou je vous fends votre putain de crâne.

– Sortez de chez nous ! a hurlé madame Califro.

Campée sous l'arche, elle tenait toujours fermement la lame au niveau de sa taille.

– Allez-y, appelez les flics. Ils seront fascinés par cette chambre d'amis originale.

Afin de l'encourager à garder ses distances, je la menaçais du pied de la lampe.

– Pourquoi faites-vous ça ? a pleurniché l'avocat à bout de forces.

Il a essuyé ses lèvres ensanglantées sur sa manche, avant d'ajouter :

– Ne cassez pas cette lampe, s'il vous plaît. Elle fait partie d'un ensemble.

– Ces documents de la fondation que je vous avais montrés. Vous avez tout balancé au bureau du procureur.

– J'ignore de quoi vous parlez.

Il n'avait pas l'air ivre ; cependant, ses membres étaient secoués de tremblements sous l'effet du delirium tremens. J'ai lâché son pyjama pour lui retourner une mornifle. Le coup avait été porté avec la main ouverte et le son a résonné tel un claquement de porte.

Il a poussé un cri haut perché ; sa langue devait lui faire l'effet d'un poison brûlant. Son vêtement de nuit était tacheté de sang. On s'est regardés comme trois ronds de flan.

– Ne vous *avisez* pas de le frapper ! m'a avisé Del.

Un peu tard. Mais elle n'a pas fait mine de bouger. J'étais devenu, à ses yeux, un dangereux dingo.

Les yeux de Califro s'étaient remplis de larmes et des filets de salive rose lui dégoulinaient sur le menton. Je n'avais encore jamais frappé personne. Détournant le regard de son visage implorant, j'ai constaté qu'il avait perdu une pantoufle en croco, sans doute dans l'escalier. Son pied nu était dans un triste état : cireux, translucide, il se recroquevillait contre la moquette ; la mortalité de l'avocat paraissait soulignée par la pathétique exhibition de cette extrémité variqueuse, aux ongles décolorés.

Coups et blessures à un ivrogne sans défense, en bonne voie de détérioration. *Qu'est-ce qui m'arrivait ?*

– Vous êtes de la police ? a miaulé Califro.

Il a jeté à son épouse un coup d'œil furtif, terrifié. Notre précédente rencontre à son domicile s'était effacée de sa mémoire.

– Je ne suis pas flic.

J'ai sorti ma pochette de poitrine pour la fourrer dans sa main tremblotante, puis renversé la vapeur de cet interrogatoire :

– Dites-moi ce que je veux savoir, sinon je vous envoie les poulets, vite fait bien fait.

– C'est *moi* qui ai contacté le procureur, a avoué Del Califro.

Aveu qui a galvanisé Jerome. Il a cessé de tamponner sa bouche sanglante. On s'est exclamés simultanément :

– Pourquoi ?

– Il fallait faire quelque chose, a-t-elle affirmé d'un ton détaché. Je voulais récupérer mon fric coulé dans le naufrage du mont Davidson.

– Vous avez eu affaire à qui ? À Corey ?

– Oui, c'est lui.

– Vous lui avez donné des noms, je suppose. Lesquels ?

– Sanders. Vous. La femme.

– Je n'ai jamais mentionné de femme.

– Sur l'enveloppe que vous aviez apportée. L'adresse de l'expéditeur. Je me suis dit que cette femme pouvait être impliquée.

Un point pour elle. Son mari ne voyait pas à deux mètres devant lui mais cette Del, putain, elle avait des yeux de lynx.

– Pourquoi avoir fait ça derrière mon dos ? a protesté Califro. J'avais dit que je m'en occuperais. Il me fallait juste un peu de temps pour me préparer.

– Jerry, a fait madame Califro en pointant de nouveau le scalpel dans ma direction, as-tu déjà rencontré cet homme ?

Il m'a jaugé, d'un air mal assuré. Pas de réaction. Son épouse nous a regardés l'un après l'autre en levant placidement les sourcils, comme si aucune autre explication de son comportement n'était nécessaire – et ne le serait jamais plus.

– J'en ai eu marre d'attendre.

Adele aurait aimé poser son instrument quelque part; néanmoins, elle le gardait à la main, pour le cas où. Armé de cette lampe absurde, j'avais l'air encore plus stupide. Notre indignation et notre crainte s'étaient dissipées.

– Tu n'aurais jamais dû appeler Bill, lui a reproché Califro. Ce n'était pas une idée raisonnable.

– Bill *Corey* ? me suis-je étonné. Vous connaissez le substitut ?

– J'ai travaillé au bureau du procureur, a-t-il répondu, il y a des années de cela. Matt Brady était encore en poste.

Il contemplait les taches de sang étoilant mon petit mouchoir comme si elles provenaient des blessures, apparemment aussi nombreuses que profondes, reçues au cours de sa carrière.

– J'ai pensé que le procureur pourrait nous aider, a expliqué sa femme. Qu'il accepterait peut-être de rendre service à quelqu'un du sérail. Compte tenu des liens passés.

– Quelqu'un du *sérail* ? a répété Califro.

Il a levé les yeux vers moi. La haine qu'il se vouait à lui-même avait gommé depuis longtemps toute dignité de ses traits. Ce n'était pas joli à regarder.

— Ma femme n'est pas au courant de certaines choses, monsieur… ?

Merde. Pas moyen de me rappeler le faux nom dont je m'étais servi la dernière fois. Un nom simple, pour être sûr de ne pas l'oublier…

— Smith, est intervenue Del.

Histoire de m'indiquer qu'elle me gardait dans le collimateur. Elle en a remis une couche :

— Monsieur *George* Smith.

Au moins, elle avait gobé ma petite imposture, et même refilé le bébé à Corey. Un point pour moi.

— Ouais, tout juste, ai-je admis. Monsieur Smith.

Et j'ai aiguillonné Califro :

— De quelles choses votre femme n'est-elle pas au courant, au juste ?

— Pour commencer, elle ignore que Bill Corey est le beau-frère de Threllkyl.

Del et moi restions bouche bée, mais Califro n'en avait pas terminé :

— C'est ainsi que j'avais obtenu cet emploi. Dex Threllkyl voulait que tout ait l'air réglo. Corey m'a adressé à lui lorsque Pat Brown a viré tout le monde du bureau du proc, moi compris, pour faire venir sa propre équipe. Après avoir rejoint le secteur privé, j'ai passé le plus clair de mon temps à convaincre des dizaines d'actionnaires dupés, y compris ma propre femme, que les actifs de la fondation du mont Davidson étaient parfaitement crédibles. *Avocat principal* – un rôle crucial dans l'arnaque, vous voyez.

— Jerome ! Qu'est-ce que tu dis là ?

— Au début, je n'ai pas réalisé. Je croyais qu'il s'agissait de placements sérieux, sans risques. C'est pourquoi je t'ai encouragée à investir. Le temps que je me rende compte de ce qui se passait, il était trop tard.

Et depuis, me suis-je dit, *tu noies tes regrets et tes remords.*

— Tu les as laissé voler notre argent. Tu les as aidés.

Le ton de Del était plus résigné qu'accusateur.

– Il n'était pas envisageable de procéder autrement, ma chérie. Ils connaissaient l'existence de ce modeste service d'intérêt public que tu diriges. Si je n'avais pas fait ce qu'on me disait, tu aurais été envoyée tout droit à Tehachapi ou Atascadero, ce genre d'endroit, et j'aurais été incarcéré séparément. Tu vois, je n'avais pas vraiment le choix, et ils avaient misé là-dessus.

Del s'est avancée vers la porte d'entrée. Elle a écarté les rideaux plissés, diaphanes, et regardé par un carreau étroit. Peut-être imaginait-elle l'arrivée de véhicules de police, les agents qui forçaient avec fracas sa pittoresque palissade. Peut-être, essayant de voir au-delà de ce cul-de-sac, remontait-elle en esprit jusqu'au premier virage que son mari et elle n'auraient pas dû prendre.

– Vous avez eu ce que vous vouliez ? m'a-t-elle demandé. Dans ce cas, j'aimerais que vous partiez.

J'ai reposé la lampe, ajusté son abat-jour. Califro et moi avons échangé un bref froncement de sourcils. Le mouchoir en disait assez long pour que je n'aie pas besoin d'ajouter d'excuses. Je me suis forcé à regagner l'entrée. Del Califro pressait sa colonne vertébrale contre la porte, comme pour la soutenir. J'ai remarqué, tardivement, la blancheur de sa silhouette : chaussures orthopédiques luisantes ; pantalon et chemisier sortant de chez le blanchisseur ; blouse fraî-chement lavée, immaculée ; épaisse chevelure ondulée, d'un blanc platine. Je suis revenu à l'attaque :

– Claire Escalante. Elle est venue ici ?

– J'ai la mémoire courte. Ce qui fait bien mon affaire.

– Vous vous seriez souvenue d'elle. J'en suis sûr.

– C'est vous, le type ?

Formule vague et qui, pourtant, m'a coupé plus profondément que n'aurait pu le faire son scalpel. J'étais *le type*, en effet. Le type qui avait fait l'amour à Claire, au mépris de la législation sur l'adultère ; le type qui l'avait mise enceinte ; le type qui avait casqué pour régler le problème. L'argent s'était retrouvé directement sur le compte bancaire à sec des Califro. En la malmenant après que Del lui avait fouillé les entrailles, Burney Sanders et Larry Daws n'avaient fait que donner le coup de grâce à Claire. J'ai précisé :

– Elle est morte, vous savez.

– Je lis les journaux.

Il y aurait eu bien d'autres choses à dire, mais je ne pouvais plus articuler un mot. Madame Califro a ouvert la porte et m'a fait signe d'avancer, parfaitement consciente que, une fois sorti de chez eux, j'aurais entre les mains leur avenir ou du moins ce qu'il en restait. C'était là plus de responsabilité que je ne m'étais préparé à en assumer un peu plus tôt, lorsque j'avais envahi sans vergogne leur domicile dans un subit accès de vertu. La porte rouge s'est close avec un bruit à peine audible, nous enfermant, moi dehors, eux dedans.

CHAPITRE 20

Le roadster de Ginny n'était plus là. Une heure plus tôt, à peine, nous avions échappé ensemble à la mort, et voilà qu'elle me traitait comme un partenaire insignifiant ramassé dans un bar.

La *garce*.

J'ai balayé la rue du regard. Deux silhouettes floues derrière un pare-brise – les petites nanas attendaient toujours à bord de la berline. La réalité m'est tombée dessus et m'a fourni l'inspiration.

Je me suis dirigé à grands pas vers le véhicule et j'ai tapé contre le verre embué jusqu'à ce que la conductrice baisse sa vitre. Elle a levé vers moi un regard terrifié. J'ai sorti mon portefeuille pour lui brandir un instant ma carte de presse sous le nez :

– Police ! Ouvrez la portière arrière.

Prise de panique, elle a fait mine de tourner la clef et d'appuyer sur le démarreur. J'ai empoigné le volant en fusillant sa voisine des yeux :

– Pas de blague ou ce sera encore pire.

Splendide occasion de tester ma compétence fraîchement acquise en matière d'intimidation d'innocents.

– Ouvrez !

À peine assis sur la banquette arrière, j'ai claqué la portière. On se serait cru dans un vestiaire, tant l'air était moite et chargé d'anxiété.

– Vous n'avez pas intérêt à la ramener, ai-je grondé. Je sais ce que vous faites là. Mais je vais vous donner une chance de vous éloigner avant qu'il y ait une descente. Demi-tour ! Prenez Market Street et roulez vers le centre-ville.

La conductrice était une Irlandaise rousse au visage criblé de taches de rousseur, dont la dernière journée de lycée ne devait pas remonter à plus d'un an. Emmitouflée dans un paletot d'auto à capuche, les mains gantées de moufles tricotées, elle avait une peau sans défaut et un charmant petit nez retroussé ; par ailleurs, elle conduisait nettement mieux que Virginia Wagner. Sa complice était une voluptueuse beauté brune et ses yeux marron, aux paupières lourdes garnies de longs cils, auraient pu appartenir à une femme trois fois plus âgée qu'elle. Elle s'est tournée à demi – bien vu, de ne pas vouloir m'exposer son dos. Ses lèvres pleines tremblaient un peu ; elle avait un profil grec classique. Ces deux filles n'avaient pas encore vingt ans et j'inventoriais leurs traits, leur chevelure, leur teint comme s'il s'agissait de partenaires potentielles. On prend les mensurations des boxeurs avant un match – celles des femmes, partout et tout le temps.

Nous avons tourné dans la 17e Rue et commencé à descendre la colline. Je les ai cuisinées :

– La bagnole est à qui ?

– À ma mère, a répondu la rouquine. Vous n'êtes pas obligé de l'appeler, si ?

– À propos de quoi ? L'auto, ou le reste ? C'était pour laquelle des deux, le rencart ?

Regards coupables, langage corporel, tout désignait la petite Irlandaise mutine. On a longé quelques pâtés de maisons en silence. Je l'ai imaginée sur cette table métallique, dans le pavillon des Califro, les pieds prisonniers des étriers, morte de peur. Ensuite, plus moyen de me sortir cette image de la tête.

Appuyé contre le dossier de mon siège, j'ai grondé :

– Comment a-t-il réussi à te convaincre ? Quel mensonge il t'a servi ? «Tu es la première pour qui j'éprouve ce sentiment…», «T'es la plus belle chose que j'aie jamais vue…» ? Vous avez intérêt à vous y faire, toutes les deux, parce que vous allez entendre ça jusqu'à votre mort. Ou jusqu'à votre mariage, en tout cas. Et puis, au bout de quelques années, vous aurez envie de reprendre une dose de ces sornettes. Parce que c'est juste des sornettes, vous savez. Un mec peut vous dire n'importe quoi – qu'il ait quinze balais ou cinquante, vous feriez bien de comprendre qu'il a une seule idée en tête : coucher. On ne pense qu'à ça, sincèrement. J'aimerais savoir pourquoi. La perpétuation de l'espèce. C'est ce qu'un… un professeur m'a expliqué, un jour. Le moteur de toutes les interactions humaines, ce besoin de se reproduire qui travaille les individus. Alors, vous voyez à quoi vous avez affaire ?

« L'humanité déferle comme un raz-de-marée, en submergeant tout, et chacun de nous prend son propre cerveau pour le centre du monde. Mais on peut se donner tout le mal qu'on veut et même être un vrai génie, un putain d'Albert Einstein, on ne comprendra jamais vraiment les autres. On ne peut pas savoir ce qu'ils pensent, ni ce qu'ils ressentent, et encore moins ce qu'ils pensent de *nous*. Qu'on vienne de rencontrer cette personne ou qu'on l'ait épousée cinquante ans plus tôt, ça ne fait aucune foutue différence. Tourne ici. L'abruti qui t'a mise en cloque, tu ne le connais pas, pas plus que lui ne te connaît, bon Dieu. Qu'est-ce qu'il fait, il est étudiant ? Il t'a baratinée, comme quoi vous serez aussi proches que deux êtres peuvent l'être ? "Tu es la seule que je pourrai jamais aimer. Cette nuit est parfaite, plus magique que toutes les autres." Quel tas de conneries ! Où est-il, maintenant ? Il t'a laissée te démerder avec ta copine, hein ? Laissez-moi vous expliquer un truc pendant que vous êtes encore jeunes, toutes les deux.

« La nana qui a une amie fidèle est la plus vernie de la terre. Elle a intérêt à s'y accrocher, parce que ça ne durera pas forcément. Si jamais vous tombez amoureuses du même voyou volage, bonjour le crêpage de chignon. Réveillez-vous, les filles, si vous ne voulez pas manquer le coche. Peut-être que vous êtes des poires dans mon genre. Je ne sais pas, j'avais peut-être cherché mes emmerdes. Sans doute, même. Seulement, puisqu'on parle de rendre service, permettez-moi de vous donner un petit avertissement : un bienfait ne reste jamais impuni. Alors, gardez le profil bas. Si vous esquissez un seul geste pour aider quelqu'un, une minute plus tard vous serez dans la merde jusqu'au cou et vos prétendus amis vous poignarderont par-derrière tandis que vous chercherez partout la sortie. Vous savez ce qui compte ? Le boulot. Faire quelque chose de productif de sa vie, ça évite de se dire qu'on la passe tous à essayer de se baiser les uns les autres. Prends la voie de gauche. »

Elle a obtempéré. Nous avons encore longé plusieurs pâtés de maisons en silence. Ouvrant de grands yeux, la beauté qui décorait le siège passager m'a demandé :

– Vous êtes vraiment flic ?

– Putain, j'ai vraiment l'impression de l'être.

Plus loin, sur Market Street, on voyait des gens courir en grappes, telles des lucioles autour d'un feu de joie. Le large boulevard était illuminé par les flammes et les filles restaient muettes de peur. J'ai résumé dans un marmonnement notre sentiment à tous les trois :

– Mais qu'est-ce qui se passe, nom de Dieu ?

Penché en avant, j'ai demandé à l'Irlandaise de tourner à gauche dans Franklin Street pour nous sortir de Market Street. Parmi les empilements de barricades de bois enflammées, des bandes de crétins arborant des sweat-shirts « Université de Californie » braillaient et titubaient, en proie à une extase éthylique.

Je me suis laissé retomber sur mon siège :

– Ne vous en faites pas. Ce n'est pas la fin du monde, ils sont juste contents que les Bears aillent au Rose Bowl.

Quelques rues plus loin, on s'arrêtait devant le Civic Auditorium. Je suis descendu de la bagnole et j'ai ressorti mon portefeuille puis tapé sur la vitre, côté passager, jusqu'à ce qu'elle s'abaisse. J'ai passé la tête à l'intérieur. La rouquine essayait de disparaître dans son paletot ; je lui ai tendu quatre-vingts dollars – tout ce que j'avais sur moi à part un peu de mitraille, de quoi rentrer chez moi en tram :

– Pour la course. Promets-moi de ne pas retourner là-bas.

J'ai ajouté une carte de visite :

– Appelle-moi d'ici un jour ou deux. Si tu es toujours décidée, que ça se passe au moins dans un endroit sûr. Je te trouverai des tuyaux. D'accord ?

– Merci, monsieur Nichols.

La jeune conductrice pouvait à peine parler. Son amie me contemplait comme si je venais de descendre d'une de ces soucoupes volantes dont tout le monde parlait ; elle a failli me tendre la main, puis s'est ravisée. Elles se sont éloignées à toute vitesse avant que la situation ne devienne encore plus étrange.

À l'intérieur du Civic, des centaines de jeunes gars se préparaient à surmonter leur trouille pour montrer de quel bois ils se chauffaient et faire des débuts fracassants. Le public allait scander des slogans, les pièces de monnaie allaient pleuvoir des tribunes, après quoi on rentrerait tous à la maison, contents de nous.

Personne ne serait là pour encourager cette petite rouquine quand elle regarderait son pire cauchemar dans les yeux.

Chapitre 21

Je suis retourné le lendemain après-midi à la prison centrale du comté, cette fois sans y avoir été invité. Pour entrer par la porte donnant sur Dunbar Alley, je suis passé devant un gang de chats retournés à l'état sauvage ; ils cherchaient des résidus de lait aigre parmi les ordures. La puanteur émanant de la cuisine du rez-de-chaussée laissait supposer que, au principal Hôtel des Barreaux Gris de la ville, les repas faisaient partie du châtiment. Même l'ascenseur était imprégné d'odeurs fétides.

J'ai demandé à voir Burney Sanders. Il y a sans doute eu un conciliabule téléphonique avec le bureau de Corey, car les gardiens m'ont laissé attendre plus d'une heure en dehors de la zone réservée aux visiteurs.

À un quart d'heure de la fin des visites, je me suis décidé à improviser et j'ai mis en garde le flic de la réception : si je ne pouvais pas m'entretenir avec Sanders – et ce pendant la durée réglementaire de vingt minutes –, j'allais demander à Jake Ehrlich de se pointer dans les plus brefs délais, et en rameutant la presse, encore. Il m'a suggéré de la boucler et de me rasseoir.

Au lieu de quoi, j'ai arraché le combiné du téléphone public vissé au mur et composé furieusement un numéro :

– Passez-moi Jake.

– *Jake qui ? Vous êtes au service des sports de l'*Inquirer.

– Billy Nichols. C'est urgent. Passez-le moi.

– *Billy ? C'est Fuzzy. À quoi tu joues, espèce de crétin ?*

– Jake, c'est Billy. Écoutez, je suis à la prison centrale, comme convenu. Seulement, on s'amuse à me faire poireauter jusqu'à ce qu'il soit trop tard pour le voir. Ouais. Je le leur ai déjà dit. Non, pas encore...

– *Bon Dieu, c'est pas pour travailler du chapeau que tu es payé. Si tu te ramenais plutôt au bureau ?*

Et Fuzzy a raccroché.

J'espérais de toutes mes forces que cet appareil-*là* n'était pas sur écoute. Le maton avait déjà pris son téléphone et se donnait beaucoup de mal, et de maladresse, afin de ne pas montrer que son appel était lié au mien. J'en ai rajouté, en m'assurant qu'il ne perdait pas une miette de ma démonstration :

– Ouais, bien sûr, je peux faire débarquer ici un photographe de l'*Inquirer* en cinq minutes. Ça fera une sacrée bonne photo. Comme vous voudrez. D'accord, j'essaie une dernière fois. S'ils ne coopèrent pas, je vous rappelle aussi sec. Vous serez dans toutes les éditions du soir.

Le gardien me jetait des regards meurtriers. Après que j'ai reposé le combiné sur sa fourche, il m'a fait signe de m'approcher. Il arborait maintenant un sourire idiot, comme s'il voulait me payer à boire, et j'ai exploité mon soudain avantage :

– Jake dit que je devrais voir mon gars en privé. Pas dans la zone commune.

Et j'ai couronné le tout d'un haussement d'épaules suggérant :
– Faut pas m'en vouloir, vous connaissez Jack.

Un poulet pansu m'a escorté jusqu'à une porte marquée « Réservé aux avocats ». Resté seul dans ce cagibi humide et froid, ma première initiative a été d'explorer les possibles cachettes de fils et de micros. Quand on a amené Burney Sanders, il m'a trouvé plié en deux en train de tâtonner sous la table. Alors que le gardien sortait et refermait doucement la porte, Sanders m'a applaudi d'un air sarcastique :

– Enfin, un peu de bon sens.

Il s'est assis sur la chaise placée en face de la mienne. Depuis la dernière fois, il avait encore maigri – plus rien à voir avec la dynamo miniature que j'avais connue. Néanmoins, à quelques jours de son jugement pour meurtre, il semblait remarquablement calme.

– Tu as l'air claqué, Burney.

– Je vais pas si mal. Jésus aussi avait l'air claqué quand on l'a accusé à tort.

J'ai soupçonné la réclusion de lui avoir tapé sur le ciboulot. Pour quelle autre raison Burney Sanders se serait-il comparé au Fils de Dieu ? Des paillettes d'espoir scintillaient dans ses yeux caves :

– T'as trouvé Ginny ? Elle a les papelards ?

J'ai résisté à la tentation de cracher ce que j'avais découvert en explorant la fausse piste sur laquelle il m'avait lancé. Mais ce n'était pas mon rédac' chef, et je n'avais aucune raison de lui faire mon rapport. Mon objectif : démêler cet écheveau tout en laissant ce type mariner dans son jus. D'une voix à peine audible, au cas où l'on nous aurait écouté, j'ai lâché :

– C'est clair que Corey veut avoir ta peau.

Lorsque Burney s'est penché pour appuyer ses bras sur la table, son corps décharné donnait une impression de poids énorme. Il a posé les paumes à plat et respiré profondément. Un sourire béat lui a déformé les lèvres, fugitivement :

– Celui qui tiendra jusqu'au bout, celui-là sera sauvé.

Ils ont dû l'incarcérer avec un pasteur. Ses paupières se sont lentement soulevées et il m'a dévisagé, guettant une réaction à sa piété fraîchement acquise. Je suis allé droit au but :

– Quel âge avait Threllkyl ?

– Dans les soixante balais. Pourquoi ? Qu'est-ce que ça vient faire là-dedans ?

Il s'est approché :

– Et Ginny ? Elle t'a montré les papiers de la fondation ?

– La nécro de Threllkyl lui donnait soixante-trois ans, l'acte de décès quatre-vingt-quatre. Comment expliques-tu ça ?

Sanders a réfléchi une minute avant de me ressortir un sourire encore plus large :

– Ça pourrait être son dab.

Il était fier de cette hypothèse.

– Le péquenaud de l'Oklahoma. Il vivait avec eux. Affûté, le vieux, mais un pied dans la tombe. Il avait ce truc aux poumons, toujours en train de souffler et de siffler.

– Emphysème ?

– Ouais. Grave.

– Manny Gold pense qu'il s'agit encore d'une arnaque. D'après lui, Threllkyl aurait pu simuler sa mort afin de se tirer d'affaire.

– Putain, comment Manny s'est retrouvé impliqué ?

– Ce n'est pas lui qui t'avait présenté à Threllkyl, au départ ?

– Bon Dieu, t'es *vraiment* reporter. Où t'es allé chercher ça ?

– Fastoche, Manny lui-même me l'a dit.

– Formidable. Tout ce que ce moulin à paroles te raconte, prends-le avec un grain de sel – de trois tonnes.

– Peut-être. Et toutes les salades que tu veux me servir, je dois les avaler, Burney ? Je veux dire, moi qui représente l'ultime rempart entre San Quentin et toi.

– Le bon Dieu pardonne à quiconque s'apprête à Le recevoir dans son cœur.

– Arrête tes conneries, Burney. Tâche de t'en tenir à ce que tu sais, et commence par le commencement.

Au cours des dix minutes suivantes, Sanders m'a exposé toute la combine. J'aurais pu chanter à l'unisson, car c'était exactement le scénario que j'avais reconstitué. Sanders recrutait des pigeons pour Threllkyl. Personne n'avait jamais fait cinq *cents* de bénef. Des sociétés écrans accumulaient les déficits pendant que l'argent non déclaré finançait en secret l'acquisition d'actifs légitimes.

Burney relevait son récit d'allégations amères sur la famille Threllkyl, formulées en termes fort peu chrétiens :

– C'est de la merde en barre. Des connards de crâneurs, pires que les gens *nés* avec une cuillère d'argent dans la gueule. Ils dézin-gueraient leurs proches si ça pouvait leur permettre de continuer à péter dans la soie.

Une remarque qui aurait pu s'appliquer à Sanders lui-même.

Enfin, il a évoqué certaines pièces manquantes du puzzle, cruciales et en rapport direct avec l'avenant du fidéicommis – ce document d'une seule page qui, tout du moins en théorie, faisait de lui un homme riche :

– J'avais rapporté une fortune à Dexter, en rabattant des caves dans sa direction, alors je me suis dit que j'avais droit à une plus grosse part. Et puis Dex commençait à sentir la pression, il était pas idiot. Je l'ai convaincu de réinjecter du flouze, histoire que le système se casse pas la gueule. C'est comme pour la banque, dans les parties de pharaon truquées des fêtes foraines : tant qu'il y a un gagnant, les gogos restent autour de la table. Du coup, Dexter a créé cette fondation, basée sur des placements authentiques, pour calmer les pigeons qui piaillaient le plus fort. Et c'est là que j'ai réclamé une participation en tant qu'associé. Je méritais plus qu'un simple pot-de-vin. Lui, tu vois, il dirigeait cette carambouille, et moi, mon boulot était de faire changer d'avis ceux qui menaçaient de tout balancer.

– En les piégeant avec ton carottage à la photo pieuse.

Long silence éloquent. Concernant cette « association » à la tête de la fondation du mont Davidson, difficile de savoir si Sanders avait été réglo avec Threllkyl ou si le cerveau s'était fait plumer par son bras droit. En tout cas, il était clair que les Threllkyl n'avaient aucune intention de céder la moitié du pactole à Sanders. Bien involontairement, je leur avais rendu un fier service en apportant des preuves indirectes qui lui mettaient le meurtre de Claire sur le dos. Désormais, c'était à Corey, le bouledogue de la famille, de l'expédier au fond d'une geôle.

– L'enfer n'est jamais rempli et, de même, les yeux de l'homme ne sont jamais satisfaits.

Comme tous ceux qui aiment citer les Saintes Écritures, Sanders arborait une expression d'une insupportable suffisance.

– Arrête ton char.

– J'étais devenu gourmand, a-t-il reconnu. Je ne suis qu'un homme. Mais j'ai changé. Ainsi qu'il est dit dans *L'Apocalypse*, 2, 16 : « Repens-toi donc, sinon Je viendrai à toi bientôt. »

– Il te reste du boulot, Burney. Combien d'actionnaires a-t-il fallu faire chanter pour qu'ils se taisent ?

– Une demi-douzaine.

– Tu t'es servi de Claire chaque fois, pour les mettre dans une « position compromettante » ?

– C'était une pro.

– Pourquoi m'avoir ciblé ? Je n'étais pas actionnaire, moi.

– Non, tu l'as niquée juste pour le plaisir. Pendant que son mari était parti servir son pays. T'es bien placé pour me donner des leçons.

« Dieu jugera les proxénètes et les adultères », me suis-je rappelé – petit souvenir croustillant du catéchisme. Si jamais cette menace était mise à exécution, Burney et moi étions bons tous les deux pour le châtiment. Trop conscient de répéter ses propos, j'ai marmonné :

– Je ne suis qu'un homme.

– Si t'es au courant de tout ça, c'est que t'as trouvé Ginny. Et les papelards.

Je l'ai observé, en essayant d'évaluer son importance au sein de l'affaire. Sa femme et son gosse se porteraient peut-être mieux sans lui. Pendant qu'il serait coffré, elle aurait des chances de rencontrer un type qui n'ait pas pour *unique* but, dans la vie, de bouffer tout le monde.

– Dis-moi que tu les as eus, ces papiers de la fondation, suppliait Sanders. *S'il vous plaît, Seigneur.*

Il est allé jusqu'à se signer.

– Je n'ai jamais trouvé cette nana, Wagner, ai-je menti. On dirait qu'elle a complètement disparu de la circulation.

– Merde !

Il a assené un coup de poing sur la table :

– Mon salut dépend de ces papiers.

– Tu déconnes, Burney. De toute façon, tu n'as que dalle. Qu'est-ce que ça te donnerait d'avoir les actes notariés de la fondation ? Qu'est-ce qu'un juge en aura à foutre ? Tout ça n'a rien à voir avec la mort de Claire Escalante, qui reste le motif de ton arrestation – au cas où ça t'aurait échappé.

— À ta place, j'en serais pas trop sûr. Je t'ai mis dans le coup en espérant que tu retrouves Ginny, seulement j'ai pas besoin de toi, si tu veux savoir. Plus maintenant.

— Ce qui veut dire ?

— Jake Ehrlich est avec moi – et *lui*, il va la retrouver. Dès qu'il aura vu les papiers et pigé la nature de mes liens avec Threllkyl, le Patron fera capoter ce coup fourré.

— Tu *rêves*, Burney.

— Et mon œil, il rêve ?

Au fond de ses yeux, noirs et enfoncés, j'ai vu se rallumer les braises de sa fougue d'arnaqueur.

— Ma femme est allée voir Ehrlich. Il l'a reçue durant dix minutes. Quand elle lui a appris que Corey était impliqué dans le traquenard, il s'est mis à sauter comme un cabri.

— Tu as *rencontré* Ehrlich ?

— Ici même. Avant-hier. Ma pourriture d'avocat commis d'office a failli pisser dans son froc quand Jake Ehrlich a parlé d'assurer ma défense. T'imagines la réaction de Corey. Florence, Dieu la bénisse, a obtenu de Jake qu'il vienne m'entendre. Je lui ai dit qu'on devait retrouver Ginny Wagner, parce qu'elle détenait des documents montrant comment je travaillais avec Threllkyl. D'après Jake, si on peut démontrer mes liens avec Threllkyl, la parenté entre Threllkyl et Corey me vaudra une annulation du procès pour vice de procédure. Une fois écarté ce connard de Corey, je peux compter recevoir un traitement équitable. C'est tout ce que j'ai demandé, rappelle-toi. Après ça… je mettrai ma foi dans le Seigneur.

Le numéro de cul-bénit de Sanders devenait brusquement compréhensible, à la lumière d'un élément du long curriculum vitae d'Ehrlich : cet avocat, spécialiste de la Bible, pouvait opérer une conversion plus vite que n'importe quel ecclésiastique, même si elle ne durait que jusqu'à l'annonce du verdict.

— Qu'est-ce que tu as dit de moi à Jake ? me suis-je enquis.

— Rien. *Pour l'instant.* J'attendais de voir si t'allais te pointer avec Ginny. Mais si tu peux pas la trouver, à quoi tu me sers, putain ?

Peut-être que je devrais informer Jake que tu sautais Claire. Ce qui laisserait planer une réelle incertitude sur la situation, non ? Au minimum, on peut imaginer que ça foutrait la merde dans la carrière de Mister Boxe.

– Permets-moi d'être le premier à te le dire, Burney. Comme chanteur de psaumes, tu ne vaux pas tripette.

– Que tu dis. Ce que dit le Seigneur, Lui, c'est : « La vengeance M'appartient. »

CHAPITRE 22

De la prison, je suis allé tout droit chez Ginny en taxi. Il fallait que je la contacte avant Ehrlich. Paranoïde comme elle était, difficile de prévoir sa réaction en se découvrant recherchée non seulement par un homme de main vendu au bureau du procureur, mais par un avocat au criminel – qui plus est, le pire bouledogue de tout l'État de Californie.

Avec pour unique allié un nullard de journaliste sportif qui, depuis le premier coup de gong, n'avait pas arrêté de lui raconter des bobards. À sa place, j'aurais plié bagage sans attendre. Que tous les autres aillent se faire foutre, il était hors de question que je laisse Ginny Wagner s'enfoncer plus profondément dans ce marécage. Si un seul de nous deux devait s'en tirer indemne, ce serait elle.

Mon coup de sonnette n'a suscité aucune réaction. Je m'y attendais. Ginny était peut-être déjà retournée se planquer à Alameda. Alors que je m'attardais sous l'auvent, une locataire en peau de léopard est sortie de l'ascenseur et a traversé le hall dans un crépitement de talons. Lorsque cette matrone a ouvert la porte, j'ai fait celui qui venait d'appuyer sur une sonnette, en lui adressant mon sourire grand luxe le plus désarmant. Elle me l'a rendu avec intérêts, accompagné d'un « Merci, cher monsieur » quand je lui ai tenu la porte. Il me restait à espérer que Larry Daws n'avait pas été capable de faire le même cinéma pour entrer.

J'ai frappé en vain à la porte du 506. Dans ce couloir sombre, je me sentais pitoyablement petit ; j'avais l'impression d'être un rat venu une fois de plus se jeter au fond d'un cul-de-sac. Cependant, j'étais plus inquiet encore pour Virginia Wagner, cette fille un peu fofolle mais intelligente, au cuir endurci par toutes les bonnes occases qui lui étaient tombées dessus… avant d'aller se poser ailleurs. J'ai retiré mon chapeau et collé l'oreille contre un des panneaux richement sculptés de la porte. On percevait l'écho affaibli d'un dialogue rapide, mené sur un ton pressant. L'une des voix était féminine mais je n'étais pas sûr que ce soit Ginny. J'ai frappé plus fort sans que la conversation s'interrompe.

À ce moment, j'ai reconnu les accords houleux caractéristiques de l'orgue. Un de ces mélodrames radiodiffusés dans l'après-midi. Médiocre soulagement. Pour mon cerveau surchauffé, une radio assourdie derrière une porte fermée à clef, à l'extrémité d'un couloir lugubre, ne pouvait signifier que le pire.

Une fois revenu dans le hall, j'ai parcouru du regard le tableau des occupants de l'immeuble pour trouver le numéro de l'appartement du gardien. Après avoir grimpé l'escalier quatre à quatre, je suis allé cogner, au premier étage, sur la porte du 103. La poignée était garnie de crasse, ce qui en disait long sur la qualité de l'entretien. Un instant plus tard, j'avais en face de moi le pugiliste Tony Galento, en plus moche. Suffisamment baraqué pour remplir le chambranle, mais pas assez pour dissimuler le répugnant désordre qui régnait chez lui. Le logement d'un solitaire, d'un perdant né. Ses yeux soupçonneux étaient agrandis par des carreaux épais comme des pavés de verre.

– C'est quoi, votre problème ? a-t-il grogné.

– Je me demandais si vous pourriez jeter un coup d'œil chez une locataire. Au 506.

– Pourquoi ?

– Je crois que… il a pu lui arriver quelque chose. Elle ne répond pas.

– Elle est peut-être pas là. Vous y aviez pensé ?

– On était censés se retrouver ici à quatre heures. Vous n'avez pas un passe, qu'on vérifie que tout va bien ?

– Pas de danger, mon pote. C'est des logements privés, ici. Je vais pas débarquer chez quelqu'un sous prétexte qu'on vous a posé un lapin. Elle s'est trouvé un autre copain, et alors ? Pas de bol.

Il commençait à refermer la porte ; je l'ai bloquée de la main :

– Ce n'est pas ça… Elle est peut-être blessée, là-haut. Ou pire. Vous ne pouvez pas monter voir ?

Tchatche et bakchich étaient les deux piliers usuels de ma stratégie antirécalcitrants, mais cet abruti n'aurait pas mérité mieux qu'un simple bourre-pif.

– Reculez avant que je vous pète le bras, a-t-il répliqué.

Ses yeux agrandis par les lunettes semblaient me lancer des regards noirs de toutes les directions en même temps. Il s'est avancé pour bloquer complètement le passage. J'ai battu en retraite, et un sourire en coin a éclairé sa face bovine :

– Si ça peut vous rassurer, elle est pas là, a-t-il ajouté d'un air satisfait. Wagner, au 506, hein ? Elle est sortie avec un mec, y a un petit moment. Je les ai vus se casser. Alors maintenant, vous avez plus à vous en faire. Heu-reux ?

– À quoi il ressemblait, ce type ?

– Plus grand que vous. Mieux fringué que vous. Plus beau que vous. À part ça…

Il a réduit l'espace de la porte à un mince interstice.

– … Frappez encore une fois et vous verrez ce qui vous arrivera.

Et il a claqué la porte.

L'en-foi-ré.

J'ai pressé le bouton de l'ascenseur, encore et encore, beaucoup trop fort. Parvenu au cinquième étage, j'ai foncé vers la porte du 506. Elle a pris quelques chocs supplémentaires pour la peine. J'envisageais de l'ouvrir à coups de pied quand j'ai entendu derrière moi une secousse, un vrombissement – on appelait l'ascenseur. J'ai sorti mon carnet et griffonné :

> *Merc. 16 h 30*
> *Ginny – appelez-moi. Urgent.*
> *BN*

J'ai arraché la feuille et je l'ai glissée sous la porte.

Pendant que j'attendais l'ascenseur, diverses hypothèses me sont venues à l'esprit, moins encourageantes les unes que les autres. La pire, celle qui me donnait la nausée : j'étais en train d'abandonner Ginny à son sort, étendue morte sur le sol de son studio. Si elle était sortie avec un type, comme le prétendait le concierge, ce ne pouvait être Daws. Elle se serait défendue bec et ongles, elle aurait entraîné la moitié de l'immeuble dans sa chute. Peut-être Jake Ehrlich l'avait-il déjà alpaguée et ramenée à son bureau avec les papiers de la fondation. Le fait est que Jake s'habillait mieux que moi ; mais il n'était certainement pas plus grand.

J'essayais de me convaincre que le gardien m'avait raconté des conneries, rien que pour me taper sur les nerfs.

La porte de l'ascenseur était dotée de lucarnes jumelles par où j'ai vu arriver la cabine – et cette paire d'yeux globuleux, comme sortis d'un dessin animé, qui m'observaient toujours fixement. Leur propriétaire a écarté la grille en accordéon avant de m'empoigner par les revers de mon manteau :

– Je n'autorise pas les intrus à emmerder les occupants de cet immeuble.

Sur quoi, ce salopard m'a attiré à l'intérieur de la cabine, en me balançant contre la paroi de bois dur. Sans même regarder, il a pressé le bouton du rez-de-chaussée. Sa masse réquisitionnait presque tout l'espace et l'oxygène de ce local exigu.

– Elle est vraiment partie avec quelqu'un ? Ou bien vous me faites juste marcher ?

Pas de réponse. Nous sommes arrivés en bas. Il a refermé la grille et m'a poussé vers la sortie, en rompant enfin le silence :

– Si j'avais voulu vous créer des emmerdes, vous l'auriez remarqué. N'y revenez plus pour le même prix.

Je me retrouvais sur Pine Street sans trop savoir comment tuer les deux heures qui me séparaient des Gants d'Or. J'ai pris par Polk Street pour me diriger vers le Civic, en faisant un détour par le Daily Double, le temps de descendre un cocktail au bar. J'espérais voir l'inspiration remonter du fond de mon verre et me faire un petit coucou. Le problème, c'est que je n'aurais même pas été capable de la reconnaître. Pas dans ce nuage qui planait au-dessus de mon tabouret, mélange de culpabilité et d'apitoiement sur mon propre sort. Dès que j'essayais d'y voir clair parmi toute cette mélasse, ça me rendait malade de penser à Woody Montague et à Tony Bernal. Ces dernières journées avaient été tellement chaotiques que je ne leur avais rendu visite ni à l'un ni à l'autre. Leurs malheurs n'étaient pas dus à l'affaire Sanders, ils n'avaient rien à voir avec ce fiasco. S'ils s'étaient trouvés au mauvais endroit, au mauvais moment, j'en étais l'unique responsable.

De même que, foncièrement, j'avais été responsable de la mort de Claire.

Alors que je lorgnais vers un deuxième cocktail, j'ai eu la chance de voir passer sur le trottoir mon copain Archie Lazore. Je lui ai fait signe par la fenêtre, j'ai jeté un dollar sur le zinc et je suis sorti en trombe.

– Archie ! Tu vas aux Gants d'Or, ce soir ?

– Évidemment.

– Tu es garé dans le coin ?

– Pas besoin. C'est à deux pas d'ici, on peut y aller à pied.

– Non, j'ai besoin d'une bagnole pour me rendre à Silver Avenue. On a le temps de faire l'aller-retour avant le premier match. Tu me rendrais service.

Sur la colline, au-dessus de Butchertown, cette maison de Silver Avenue ne se distinguait des autres que par la couleur rose de son stuc. Sinon, un étage, maisons mitoyennes des deux côtés, garage au sous-sol. J'avais trouvé l'adresse exacte dans mon petit carnet au dos cassé. Comme la rue n'offrait aucune place pour se garer, Archie a remonté l'allée avec son coupé avant d'éteindre le moteur :

– Combien de temps ça va prendre, Billy ?

Il s'impatientait d'autant plus que j'avais exigé un détour supplémentaire par la boucherie Petrini's. Je suis descendu de sa voiture en serrant dans mes bras un sac contenant une dinde de plus de sept kilos, la plus grosse que j'avais trouvée dans le magasin.

– Quelques secondes. Tu es sûr de ne pas vouloir lui dire bonsoir ?

– Je le connais même pas. Je supporte pas ce genre de truc. Le pauvre mec au pieu, la maison dans le noir et le silence, putain. Si ça te dérange pas, j'attendrai ici.

Chez les voisins, deux types en salopette et casquette se débattaient avec une barrière métallique qu'ils essayaient d'installer dans l'entrée voûtée. Une barrière protégeait également la maison suivante ; en fait, la moitié des baraques de la rue étaient fortifiées par des barreaux de fer à la dernière mode. Mais Tony Bernal restait convaincu de vivre dans un quartier sûr et, mon volatile et moi, nous avons accédé librement à son perron de pierre mouchetée. Lorsque j'ai monté les marches, le raclement de mes pas a retenti sous la voûte élevée de ce passage ouvert.

Les agents de recouvrement reçoivent un accueil chaleureux, comparé à celui que me réservait madame Bernal. Elle a examiné le volumineux paquet d'un air soupçonneux, avant de tourner son regard vers le perron.

– Où est votre chauffeur ?

Je me suis invité à l'intérieur.

– Voilà, ai-je annoncé en sentant les poils de ma nuque se hérisser. Une dinde festive. Joyeux Thanksgiving !

Je lui ai tendu le poids mort. Ses yeux étaient noirs comme des boutons de bottine, et aussi expressifs. Elle a tâté le paquet sans le prendre. Un de ses fils a surgi, aiguillé par la curiosité.

– Qu'est-ce que je suis censée en faire ? m'a interrogé la mère ingrate.

– Il y a des gens qui les mangent, particulièrement à cette époque de l'année. Cuites, bien sûr. Il paraît que c'est bon, avec des airelles.

Pourquoi *ne pas* me montrer sarcastique ? Elle ne pouvait me haïr plus.

– Qui est à la porte ?

La voix de Tony provenait du couloir, sur ma droite. Il s'était exprimé avec force, ce qui m'a considérablement remonté le moral. Avec un soupir d'épuisement théâtral, madame Bernal a fini par dire à son fils :

– Paulie, emporte ça dans la cuisine. Regarde si tu trouves de la place dans le freezer.

Le gamin m'a salué d'un hochement de tête et ses lèvres ont formé le mot « Bonsoir » en silence. Puis il s'est emparé docilement de la dinde et l'a portée sur les quelques mètres qui le séparaient de la cuisine. C'était une modeste demeure. De l'endroit où je me tenais, toutes les portes étaient visibles ; les trois gosses devaient dormir dans la même chambre.

– Comment va-t-il ? ai-je demandé.

– Voyez par vous-même.

Les sourcils froncés, elle m'a désigné le couloir. Elle n'avait pas fini sa phrase que je m'étais déjà carapaté.

– Joyeux Thanksgiving ! m'a-t-elle renvoyé dans le dos en guise de raillerie.

La tête soutenue par des oreillers, Tony lisait ; les feuilles de quatre journaux différents étaient éparses sur son lit. Sous les couvertures, sa jambe gauche, prise dans un plâtre depuis la hanche jusqu'au pied, avait deux fois la taille de la droite. Si un sourire est apparu fugitivement sur son visage aux traits tirés, au teint gris, je ne l'ai pas vraiment remarqué, distrait par les points de suture qui lui barraient le front et remontaient jusqu'à des zones rasées de son crâne.

Il a tendu le bras vers la table de nuit et posé soigneusement sa cigarette dans un cendrier rempli de mégots écrasés. J'ai serré avec précaution la main faiblarde qu'il me tendait.

– Désolé de ne pas être passé plus tôt.

Trop rapide, pas assez sincère. Tony a écarté ma formule creuse :

– Je savais que les Gants d'Or allaient commencer.

Après avoir retiré mon chapeau, je me suis retenu de le poser au bout du lit.

– Te gêne pas, a-t-il fait, je suis pas superstitieux.

J'ai perché le feutre au sommet d'une commode proche. Tony a esquissé un sourire las et désigné une chaise près de la fenêtre :

– Assieds-toi, t'es en visite.

Les rideaux étaient suffisamment écartés pour que j'aperçoive, de l'autre côté de la rue, les maisons éclairées par les dernières lueurs du jour.

– Qu'est-ce que c'est que toutes ces barrières ? ai-je demandé en contournant le lit. Il y a une vague de crimes, ou quoi ?

– Ouais, un mec qui constitue une vague à lui tout seul – un représentant de commerce. Dans la rue d'à côté, une dame a été dévalisée par un type de couleur. Alors, le démarcheur d'une société de sécurité s'est mis à faire du porte à porte, il a raconté à tout le monde que les nègres venus s'installer à Bayview allaient envahir la colline, en volant et en violant. Incroyable, hein ?

– Il a réussi à convaincre la moitié du quartier.

Par la fenêtre, j'ai jeté un coup d'œil discret à l'automobile d'Archie garée juste en dessous. Ses doigts tambourinaient sur le volant. Pas de danger qu'il joue les filles de l'air comme Ginny lors de ma visite chez les Califro. Du moins l'espérais-je.

Écartant les pans de mon pardessus, je me suis assis sur la chaise placée près du lit. Tony et moi n'étions pas seuls : un matou orange, appuyé contre sa jambe plâtrée, me jetait des regards dédaigneux. J'ai blagué :

– Il fait partie du traitement ?

– Il vaut tous les toubibs.

La main gauche de Tony est allée gratter paresseusement le flanc du chat. Qui a cligné lentement des yeux, une seule fois, avant d'écarter les orteils d'une patte aussi large qu'un gant de baseball.

– Il s'appelle Mitzy. À cause de la façon dont mon aîné prononçait Mistigri. Ce chat a dix-huit balais, on fait pas beaucoup mieux.

– Ils ne vivent pas aussi longtemps, d'habitude, si ?

Les paupières en berne, Mitzy a renversé légèrement la tête en arrière. Son attitude à mon égard était ambivalente, voire vaguement désapprobatrice. Je ne l'ai pas pris personnellement ; Mitzy devait mettre tous les humains dans le même sac. Il me rappelait les lions apprivoisés que j'avais vus au zoo Fleishhacker, dans le sud-ouest de San Francisco. Dignes, même en captivité.

– Il y a deux ans, a relaté Tony, il s'est fait emplafonner par une bagnole, devant la maison. On le croyait foutu, le véto a dit de le faire piquer, mais les gamins ne voulaient rien entendre. Aujourd'hui, il est comme neuf. Il marche de traviole, parce qu'il a le cul en marmelade, mais il marche. Il zigouille tout ce qui se pointe à la cave.

– Un dur à cuire.

– Et une source d'inspiration, maintenant. Mon héros.

Mitzy a tendu le cou pour permettre aux doigts de Tony d'atteindre sa joue au poil touffu. Sous la caresse, ses yeux jaunes se sont fermés avec volupté. Tony m'a demandé doucement :

– Tu as entendu parler de ce qui est arrivé à Montague ?

– Ouais. C'est quoi, les dernières nouvelles ? Il y a du mieux ?

– Ma femme a parlé hier à la sienne. C'est pas bon. Il est vachement plus mal en point que moi.

Tony s'est tortillé péniblement pour essayer de se redresser dans son lit. Aucune réaction de la part du chat – ni de sa propre jambe, aussi inerte qu'une ancre de deux tonnes. J'ai détourné mon regard de son visage grimaçant vers les journaux éparpillés autour de lui. Dorénavant, telle serait peut-être la place de Tony dans le monde. Pour l'invalide cloué au lit, fini le « circuit » de la boxe, bonjour le réchauffé dans la presse. Finies la fébrilité de l'atelier de composition, la frime dans les boîtes de nuit...

– Je ne voudrais pas te sembler d'un égoïsme révoltant, Billy... Seulement, sans Montague, je suis dans la merde. Pour mes beaux yeux, il enquêtait *gratis* sur ces trafiquants d'alcool. Maintenant, sa femme dit qu'elle veut reprendre l'enquête. Incroyable, non ? Elle a déjà monté un dossier, tout le bazar. Mais j'ai peur qu'elle y connaisse que dalle. En plus, j'ai appris que la Major Liquor Company a un témoin d'après qui l'accident serait de ma faute. Montague m'a dit que tu étais présent à ce moment-là, c'est vrai ?

– Un petit peu plus tard. Je n'y ai pas précisément assisté. Tu ne te rappelles pas qu'on s'est parlé, avant l'arrivée de l'ambulance ?

– Tout ce que je sais, c'est que j'ai cru y passer. Mais il y avait d'autres personnes, je les ai aperçues sur le trottoir d'en face, juste au moment du choc. Quelqu'un doit bien avoir vu cet enfoiré brûler le stop. Parce qu'il l'a brûlé, *ça* je m'en souviens.

Je n'ai pu que hocher la tête en témoignage de commisération attristée. Il a ajouté :

– D'après Susan Montague, ça ferait une différence si t'avais été un peu plus près. Assez près pour voir l'accident.

Tony m'a jeté un regard lourd de sens avant de reporter son attention vers le chat. Il ne m'avait pas demandé carrément un faux témoignage, mais on n'en était pas loin.

Inutile de mentionner Manny Gold. Pourquoi tourmenter davantage le pauvre Tony en insistant sur le machiavélisme avec lequel Virgil Dardi pouvait manipuler la défense ? Que le témoignage de Manny soit bidon ou non, mieux valait faire discrètement pression sur lui pour qu'il se rétracte. Ce serait un cadeau de Thanksgiving bien plus utile qu'une volaille fraîchement plumée. Tout ce qu'il me restait à trouver, c'était un *moyen* de pression. Encore un fichu problème dont je me serais volontiers passé.

Un changement de sujet s'imposait :

– Qu'est-ce que les médecins t'ont dit, Tony ? Ça va s'arranger ?

– Je ne pourrai peut-être pas remarcher. Auquel cas, c'est plus ou moins la dèche. J'aurais dû faire étudier la typo à l'un des garçons.

Avec une grimace, je me suis redressé sur mon siège. On aurait pu causer indemnisations corporatives et tout le saint-frusquin, mais je n'avais pas le cœur à ça. Essayant de faire bonne figure, Tony a continué :

– Affaire à suivre. Lui aussi, on le croyait foutu.

Il a gratté le chat derrière les oreilles. On ne savait plus trop quoi se dire. Mitzy s'est mis à ronronner façon moteur débridé. J'ai murmuré :

– Bel animal.

– Trop fier pour renoncer, bon Dieu.

Dehors, Archie a donné un coup de klaxon – un bref bêlement. Je me suis levé, soulagé.

– Mon chauffeur. Les Gants d'Or. Faut que j'y aille. Fais gaffe à toi.

Ce soir-là, Jake Ehrlich était assis au bord du ring illuminé, juste en face de moi. J'ai eu du mal à me concentrer sur les matches. De temps en temps, jetant un œil entre les jambes minces et mobiles des jeunes combattants, je croisais le regard de l'avocat. Un vrai crocodile dont les yeux impassibles et dangereux, aux paupières tombantes, me fixaient depuis l'autre rive de ce marécage de toile.

Chapitre 23

Le dîner de Thanksgiving avec la famille d'Ida était aussi familier et confortable qu'une vieille godasse : le genre qui vous met le talon à vif. Une fois maîtrisées les figures imposées, je n'avais plus qu'à respecter mon programme et résister pendant quinze rounds, à la force des tripes. Cette fois-ci, pourtant, ç'allait être coton de tenir la distance.

Il s'agissait du premier grand rassemblement de la tribu depuis la naissance de Vincent. Les parents d'Ida n'avaient pas fait de commentaires sur la façon dont, après sept ans de mariage, elle avait fini par devenir mère. Ils devaient savoir que ce n'était pas ma semence qui avait engendré leur blondinet de petit-fils. Toutefois, dans la tradition stoïque de la vieille Europe, ils s'étaient abstenus de tout commentaire. Mon beau-père, Karl(heinz) Lindstrom, avait une réaction stéréotypée pour tout ce qu'il lisait dans la presse : « Mais qu'est-ce qu'on en a à fiche ? », demandait-il en tirant nerveusement sur sa pipe chaque fois que l'infortune personnelle d'un individu faisait la une. Concernant ma paternité truquée, son silence n'avait donc rien d'étonnant.

En revanche, les détails sordides de l'aventure d'Ida avaient été disséqués par ses sœurs avec la compréhension et la compassion de vautours se disputant une charogne. Ce soir-là, outre les patates douces confites et les carottes trempées dans le brandy, Paula, Mary et Phyllis allaient servir de généreuses rations de sourires suffisants, de regards obliques et de lourdes allusions.

Ma stratégie consistait à rester près des cordes, en les laissant cogner jusqu'à épuisement. Si je parvenais à éviter les coups et à empêcher mon sang de bouillir, il me serait même possible d'apprécier la camaraderie vacharde d'une telle soirée – tant qu'on utiliserait les couverts comme il est prescrit dans les manuels d'Emily Post, et non comme il est décrit dans les nouvelles d'Edgar Poe.

La veille, Karl avait effectué son pèlerinage annuel jusqu'à un élevage de Half Moon Bay, afin de choisir personnellement l'infortuné volatile qu'il servirait à ses propres dindes glougloutantes. Ma contribution personnelle aux festivités se limitait à lâcher un bon mot de temps en temps, comme des petits oignons dans une soupière de haricots au beurre. Et à découper la dinde.

Ça devait faire bisquer Gil Rayburn et Jack Gallagher, mes beaux-frères, que j'aie chaque année l'honneur de trancher et de servir l'oiseau de cérémonie de Karl Lindstrom. J'avais rechigné une fois, en proposant : « Au tour de Jack d'essayer », mais Karl lui avait pris des mains le couteau à découper pour me le restituer. Mon prétendu privilège avait beau susciter des tensions sous-jacentes chez les frangines et leurs époux, rien n'aurait pu ébranler les instincts hiérarchiques du vieux Karl. Tant que je ne tomberais pas mort, ou qu'un de ses autres gendres n'aurait pas été élu maire, Mister Boxe conserverait le privilège de découper et de servir la volaille.

Mon beau-père, désormais à la retraite, avait travaillé pour l'agence Pinkerton. Pendant sa carrière, il ne s'était abstenu de hanter les quais – à la recherche de cocos et autres anarchistes – que le temps de mettre sa femme enceinte à huit reprises. Seuls quatre enfants avaient survécu, uniquement des filles, et je ne pouvais regarder ma belle-mère, une jument poulinière irlandaise prénommée Irene, clopinante et arthritique, sans tressaillir chaque fois sous le poids de son fardeau. Quatre fois, malgré son bassin abîmé, elle avait attendu un enfant et soit il était mort-né, soit elle avait fait une fausse couche. La détermination est une qualité admirable jusqu'à un certain point ; se sacrifier jusqu'à la mort, c'est une autre question. Cela dit, le sujet n'avait jamais été abordé avec ma belle-famille.

Transperçant un cornichon au moyen d'un cure-dents sous cellophane, Gil a lancé :

– Vous avez vu les gars de l'université de Californie sur Market Street, l'autre jour ? J'ai cru qu'ils allaient mettre le feu au Palace !

– C'est à se demander ce qui se passera l'an prochain, ai-je commenté. Quand les Bears *ne seront pas* invités.

Gallagher s'est mis à rire. C'était un type bien, toujours heureux de parler de sport, ainsi que de sport et, pour changer un peu, de sport. Il travaillait pour un fabricant de tôle. Phyllis et lui avaient deux gamins, un garçon et une fille – qui, à cet instant précis, poussaient des cris et se poursuivaient de haut en bas de l'escalier.

– Ils doivent jouer au papa et à la maman, a suggéré Mary en se bouchant les oreilles.

– Leurs parents ont déteint sur eux, a réparti Paula, qui avait la pique facile.

Les sœurs sont toutes entrées dans la cuisine, en file indienne, pour aller aider leur mère. Toutes sauf Paula, récemment divorcée.

Elle avait quitté son premier mari pour un pilote de chasse décoré. Celui-ci, une fois son Thunderbolt P-47 abattu au-dessus du Pacifique, avait été capturé par les Japonais et nourri exclusivement de boudin, pendant des mois, dans un camp de prisonniers. Une fois rentré au pays, il s'était fiancé à Paula Lindstrom. Ce mec avait toujours quelque chose à prouver, apparemment.

À côté de la radio, les pieds sur un pouf, Paula paressait dans un fauteuil et jetait des regards noirs aux gosses quand ils avaient le malheur de heurter ses talons de dix centimètres. Une vraie bouche d'incendie, cette fille, qui pouvait souffler le chaud et le froid. Son fiancé était parti à une réunion d'informations sur le soulèvement communiste en Chine et, pour l'instant, elle restait d'humeur plutôt tiède ; mais ça pouvait changer à tout instant. Le genre imprévisible.

Placidement assis à côté de moi sur sa chaise haute, Vincent était aussi sage que d'habitude. Il commençait à me plaire, ce petit. Sur le circuit de la boxe, je pouvais me laisser contaminer par une certaine duplicité ; son petit visage constituait un remontant bienvenu quand je rentrais à la maison. Et Ida excellait indéniablement dans son rôle de mère. Je l'avais surprise en train de le contempler avec une expression proche du ravissement, comme si elle n'avait besoin de rien d'autre au monde pour être heureuse.

– Pourquoi ils ont avancé la date des Gants d'Or ? m'a demandé Gil. Je ne me souviens pas d'une année où ça aurait eu lieu pendant Thanksgiving.

– Il fallait éviter que le tournoi coïncide avec le combat de Graziano à la fin du mois. Seulement, du coup, ça tombe sur Thanksgiving et tout le monde fait la gueule. Les jeunes venus de l'extérieur de la ville ne pourront pas passer la fête en famille. Les sponsors ont décidé qu'il n'y aurait pas de match ce soir, ce qui a énervé les ouvriers syndiqués – ils espéraient bosser et être payés en heures sup. La quadrature du cercle.

– Tu l'as dit, vieux.

Karl est sorti de la cuisine en chancelant sous le plateau où trônait l'oiseau doré. Une bouffée parfumée… et plus personne n'a pensé à rien d'autre. Irene Lindstrom savait cuisiner : voilà qui suffisait à justifier une fête.

– Gilbert, veux-tu faire les honneurs ? a demandé Karl Lindstrom en tendant à l'interpellé le couvert à découper.

Mon beau-frère a balbutié :

– Euh, Billy n'a qu'à s'en occuper, il se débrouille toujours bien.

– Eh bien, on peut changer, pour une fois, a déclaré le vieil homme en lui fourrant le couteau dans la main. Cette année, c'est toi qui t'en charges.

Blotties derrière leur père, les frangines ont échangé des regards, comme si elles venaient d'assister à la résurrection de Lazare.

Vers onze heures du soir, pour la cinq-centième fois depuis qu'on était sortis de chez ses parents, Ida m'a resservi l'Incident de la Dinde. Je suis descendu boire un coup au rez-de-chaussée. Ce n'était pas que je lui en veuille, mais elle était incapable de changer de disque – et moi, à bout de patience, je risquais de dire quelque chose de regrettable. Suffisamment alcoolisé pour l'instant, j'ai arrêté mon choix sur un verre de lait.

Le téléphone a sonné. De peur que le petit se réveille, je me suis rué dans le vestibule. À cette heure-là, ça ne pouvait être qu'un pote appelant d'un bar pour me demander d'arbitrer un pari. Une activité parallèle dont je me serais passé, mais à laquelle Mister Boxe ne pouvait se soustraire.

– Billy ? C'est Ginny.

– Où étiez-vous passée, bon Dieu ?

J'avais presque crié. Afin que ma voix porte moins loin, j'ai emporté le téléphone dans la salle à manger en m'efforçant de retrouver mon calme. Le fil était juste assez long. Plus doucement, j'ai repris :

– Vous m'avez laissé en plan, là-haut, à Twin Peaks. Qu'est-ce que c'était que ce numéro ? Après ce qu'on venait de subir ?

– Je vais bien, merci de poser la question. Vos vacances à vous aussi se sont bien passées ?

– Ce n'est pas le moment de la ramener. Je pensais qu'on était ensemble sur ce coup-là et vous m'avez laissé tomber comme une vieille chaussette, ça ne m'a pas beaucoup plu.

– Je vous dédommagerai.

– Vous avez été contactée par quelqu'un du bureau de Jake Ehrlich ?

– L'avocat ? Non. Pourquoi ?

– Vous créchez à votre appart ?

– Non, je ne crois pas que ce serait prudent. Je suis descendue dans un hôtel du centre-ville.

– Il faut qu'on se voie.

– C'est pour ça que j'appelle. Vous pourriez venir demain soir ? J'ai quelque chose pour vous.

– Et moi, j'ai les Gants d'Or.

Je me suis soudain rappelé cette foutue table d'écoute.

– Ginny, je dois vous laisser. Appelez-moi demain matin au bureau. N'utilisez plus ce numéro.

CHAPITRE 24

San Francisco Inquirer, le vendredi 26 novembre 1948

UNE VILLE SELON MON CŒUR
par Sam Francisco

Le procureur « Pat » Brown a passé ses commandes au père Noël. Des sources proches du service postal, au pôle Nord, m'informent qu'il aurait demandé un seul article : une table rase. Voilà pourquoi des lutins juristes font des heures supplémentaires au palais de justice, en essayant de boucler plusieurs affaires importantes avant les fêtes.

Loin de nous l'idée de déverser du charbon dans le petit soulier de Brown, mais un des dossiers déposés sur son bureau – le procès criminel du promoteur de boxe local, Burney Sanders – promet d'être tout sauf une partie de plaisir, contrairement à ce que claironne le ministère public. Votre Fouineur Favori fut le premier à vous en informer : Jake Ehrlich en personne a décidé de défendre Sanders au tribunal, quelques jours seulement avant l'ouverture du procès.

Jake, ô surprise, est resté coi lorsque je l'ai cuisiné ; mais on peut s'attendre à une annonce officielle lundi, moins de quarante-huit heures avant que Votronneur White ne donne les coups de marteau d'inauguration. Sanders est accusé d'avoir tué l'épouse du poids lourd Hack Escalante. Suite à sa récente défaite face au détenteur du titre Chester Carter, le guerrier veuf aurait quitté San Francisco pour les climats plus riants du Sud. Jake Ehrlich a tout intérêt à ce que le procureur ne le fasse pas revenir témoigner en salle d'audience, où ses dépositions pourraient susciter la sympathie du public.

245

En appuyant le journal contre le volant, j'ai pressé le klaxon par mégarde. Les passants dont fourmillait cette rue en pente, Powell Street, ont sursauté et jeté un coup d'œil, puis passé leur chemin dès qu'ils ont compris d'où provenait le bruit : la Cadillac rose garée devant le restaurant Sears Fine Foods. Depuis des années, cette voiture monopolisait une portion de trottoir pour servir de salle d'attente chaude et moelleusement rembourrée aux clients en surnombre attendant des tables. L'établissement concerné avait beau n'être qu'une gargote, il était très fréquenté à l'heure du petit déjeuner et du déjeuner, grâce à la proximité d'hôtels comme le Drake, le Manx, le Cecil, le Saint-Francis.

La lumière du matin était d'une limpidité cristalline ; l'air, glacial. Autour d'Union Square, les rues brillaient d'un éclat qui faisait mal aux yeux. Le contenu de la rubrique « Une ville selon mon cœur » n'en était que plus clair… et menaçant. J'ai posément replié le papier de « Sam Francisco » à l'intérieur de l'édition du matin, en résistant à la tentation de le rouler en boule et de le balancer par la fenêtre sous les roues grinçantes du tramway.

Ce « Sam » était en réalité un certain Bob Pattison, reporter indépendant apparu deux ans plus tôt. Il n'avait pas tardé à obtenir un contrat juteux en tant que collaborateur le plus incontrôlable de l'*Inquirer*. Pattison avait une façon charmante de remuer la vase et de vous l'étaler sans vergogne sur huit ou dix pouces-colonnes. À la différence, par exemple, d'un Woody Montague, il n'avait aucun scrupule à édifier ses articles sur un marécage de ragots et d'insinuations. Pour beaucoup de ses collègues du club de la presse, c'était un paria. Surtout parce qu'il était *sélectivement* incontrôlable. On savait que Hearst, le patron du journal, pouvait lui demander de prendre dans son collimateur qui il voulait, quand il voulait.

En fait, la carrière de fouille-merde de « Sam Francisco » touchait peut-être à sa fin. Des quotidiens rivaux enquêtaient sur certaines rumeurs selon lesquelles « Bob Pattison » était *déjà* le faux nom d'un spécialiste du chèque en bois originaire de la côte Est, à qui sa spécialité avait valu deux ou trois séjours à l'ombre.

246

« Une ville selon mon cœur », cause toujours.

Clients et touristes traversaient aux carrefours, envahissaient les trottoirs. Ce jour-là, marquant le début officiel de la saison des achats de Noël, avait beau être traditionnellement fameux pour les affaires, les commerçants se montraient nerveux. La grève des dockers s'était conclue la veille, mais elle avait duré plusieurs mois, et des tonnes de marchandises restaient entassées sur les quais.

La circulation s'est arrêtée et Manny Gold, amarré au bas de la colline tel un énorme cargo, a traversé Post Street en laissant derrière lui un double sillage d'humains de taille normale. Pendant sa courte ascension de Powell Street, son haleine s'échappait laborieusement sous le bord relevé de son chapeau, en rafales de vapeur tourbillonnantes.

Manny escaladait cette colline comme tous les poids lourds de taille colossale qui sont jamais montés sur un ring : plus sinistre qu'un croque-mort, honteux de son obésité et absolument convaincu de son invincibilité. Je plains cette catégorie de boxeurs gigantesques auxquels le public chahuteur ne réserve qu'insultes ou moqueries ; mais, pour l'instant, je ne pouvais m'offrir le luxe de trop de compassion. Je devais vaincre Manny Gold – ce qui ne serait encore que le match préliminaire de mon programme de la journée. Et, pour ce faire, je devais soumettre mon vieux copain à un jugement d'une impitoyable sévérité.

Il avait remonté la moitié de Powell Street, en soufflant comme un phoque, quand j'ai eu la surprise d'apercevoir Daniel suspendu à sa pogne. La vaste proue du père avait dissimulé le fils. C'était là une complication regrettable, et vraisemblablement voulue par Manny. Il devait se demander ce qui m'avait poussé à l'appeler pour lui souhaiter un joyeux Thanksgiving et le convier à ce petit déjeuner.

J'ai klaxonné avant qu'ils n'atteignent l'entrée de Sears Fine Foods. Manny a incliné son visage renfrogné pour regarder à travers ma vitre, côté passager, et nous avons échangé des signes.

En reconnaissant son complice du Big Dipper, Gold Junior s'est collé à la Cadillac tel un copeau de métal à un aimant. Je me suis penché et j'ai ouvert la longue et lourde portière. Il était crucial de mettre Manny Gold sur la défensive ; la première phase de cette stratégie consistait à l'attirer dans l'automobile.

— Y a pas de file d'attente, a-t-il protesté. On peut avoir une table tout de suite.

— Monte à bord une minute, Manny. Qu'on puisse parler.

— C'est ton auto ? s'est enquis Daniel d'une voix perçante.

Il tirait sur la poignée. La portière s'est ouverte brusquement, en manquant le renverser cul par-dessus tête. Son père a essayé de le retenir ; frêle ou pas, le gamin s'est dégagé pour se jucher tant bien que mal sur le cuir immaculé des spacieuses garnitures rivetées.

— Tu nous emmènes en balade ? s'est-il exclamé.

C'était plus une requête qu'une question.

— La voiture n'est pas à moi, Daniel, elle reste garée ici. Elle appartient au restaurant.

Gold a saisi la balle au bond :

— Viens, on causera devant une pile de crêpes.

Daniel n'a pas mordu à l'hameçon. Trop occupé à tripoter les bidules compliqués dont le tableau de bord était hérissé.

— Un peu d'intimité d'abord, ai-je insisté. Rien qu'une minute ou deux, si ça ne te dérange pas.

Le soupir de Gold a résonné comme une corne de brume. Il s'est mis à râler sur un rythme chantonnant, oratoire :

— Pourquoi, en cette journée plus froide qu'un nichon de sorcière, devrait-on bivouaquer à l'intérieur d'une bagnole garée contre le trottoir, alors qu'on peut se détendre dans un box bien chauffé, comme des gens civilisés, avec une serveuse qui nous apportera du *chocolat chaud* ?

— Pose ton cul là, Manny. Allez, amène-toi.

— Arrête tes conneries, William, il y a des tables libres.

— Monte à bord, nom de Dieu, on se les gèle. Et referme la lourde derrière toi.

Exaspéré, il a ouvert la portière en grand et entrepris de monter à bord. L'assistance de quelques membres de la section locale du syndicat des dockers n'aurait pas été superflue. Celle d'une grue non plus, d'ailleurs. Avant même que ses épaules n'aient franchi l'encadrement de la portière, son postérieur débordait déjà du siège. Daniel a dû se serrer contre moi.

– Tu ferais peut-être mieux de sauter sur la banquette arrière, ai-je suggéré au gosse en le poussant obligeamment.

Bon Dieu, c'était encore pire que ce que j'avais imaginé. L'affaissement de Gold sur le cuir a été salué par un concert de grognements pathétiques, de gémissements, de « merde, merde, merde » étouffés, tandis que les ressorts protestaient en chœur. Son feutre s'est accroché au bord du toit et a roulé sur le trottoir. Il allait devoir ressortir s'il voulait le récupérer.

– Excusez-moi ! a-t-il gueulé à une passante. Vous voulez me tendre ça, mon ange ?

Elle s'est exécutée avec le sourire, de ses doigts gantés. Les gens de San Francisco ont vraiment la classe.

Une fois son couvre-chef en sûreté sur ses genoux, Manny s'est tortillé pour haler péniblement à l'intérieur une première jambe de l'épaisseur d'un tronc, puis une seconde, en se tournant vers le pare-brise. Son pardessus était maintenant plissé et froissé comme une tente de cirque effondrée. Quand il a tiré sur la poignée de la portière, celle-ci n'a pas bronché. En dépit de sa suspension de qualité supérieure, la Cadillac venait de s'abaisser de plus de quinze centimètres. Manny a renoncé.

– C'est assez intime pour toi ? m'a-t-il demandé.

Il avait la figure empourprée par l'effort et l'embarras ; le chauffage monté à bloc ne lui rendait pas service. Le jugeant affaibli au maximum, je me suis mis à l'œuvre :

– Manny, écoute-moi. L'accident, au croisement de la 3e Rue et de Howard Street – il faut que tu oublies cette histoire. Je te demande de le faire pour moi. Je te le demande en tant qu'ami.

– C'est bien ce que j'avais peur d'entendre, a-t-il grogné en secouant la tête.

Voilà sans doute pourquoi tu as amené le gosse. Tu parles d'un tour de cochon.

Les touffes de cheveux dissimulant son début de calvitie s'étaient décollées ; des mèches folles lui pendaient du crâne. Il a plongé une main dans la poche de son pardessus et en a ressorti un carré de soie de la taille d'un drapeau, au moyen duquel il a tamponné son visage rougeaud.

– C'est pas de bol qu'un copain à toi soit concerné, seulement j'ai vu ce que j'ai vu. Je te l'ai déjà expliqué.

– Mon pote est dans la merde jusqu'au cou, Manny, il ne pourra peut-être plus jamais marcher. Tu ne sais pas à quel point il a besoin de soutien.

– Et moi, alors ? Je suis pas un pote, *moi* ? S'il le faut, tu es prêt à mettre notre amitié au rebut ?

À son tour d'adopter l'expression sévère d'un juge. Daniel, brusquement apparu dans l'espace qui nous séparait, laissait pendre ses bras sur le siège.

– On peut aller en promenade maintenant, s'il vous plaît ? a-t-il supplié.

Manny a tendu les bras pour l'attirer contre lui. J'ai pris une pièce de vingt-cinq *cents* dans une poche de ma veste et je l'ai jetée par terre, à l'arrière.

– Elle est à toi si tu la trouves, Danny.

Quand le gosse s'est aplati contre le tapis, j'ai balancé une autre pièce sur les coussins de la banquette arrière :

– Encore une pour toi !

Gold avait l'air triste et dégoûté :

– Qu'est-ce que je n'ai pas fait pour toi, William ? m'a-t-il interrogé d'une voix geignarde. Quand n'ai-je pas été ton ami le plus fidèle dans cette ville ?

– À cet instant précis, ai-je murmuré. Parce que tu mens quand tu prétends avoir assisté à cet accident.

J'ai roulé le journal du matin et contemplé d'un regard absent le bas de la colline. Une volée de pigeons qui descendaient en piqué vers Union Square est venue se percher sur le monument élevé à la mémoire de l'amiral Dewey.

– Comment peux-tu dire ça ? Comment peux-tu me regarder dans les yeux en disant ça ?

Je l'ai regardé dans les yeux :

– Tu mens, pour cet accident de bagnole. Je le sais parce que Jack Early, du *Call-Bulletin*, était aux premières loges, comme d'hab'. Il a pris des dizaines de photos de Howard Street au moment précis où c'est arrivé. Ta bagnole et toi, on ne vous voit sur aucune d'elles. Pour la bonne raison que tu n'étais pas là.

Tu parles d'un bobard. Jack Early n'aurait même pas donné l'heure à un journaliste d'un autre canard – alors, ses bandes-témoins... Mais je misais sur la trouille que mon bluff allait lui flanquer pour rendre son bon sens à Manny Gold.

– Tu te retournes contre moi, a-t-il marmonné. Je n'arrive pas à y croire.

– Manny, fais-le. Ce n'est pas comme si je te demandais de mentir. Je te demande de *ne pas* mentir. Tu saisis la différence ?

– Je l'ai trouvée ! s'est exclamé Daniel.

Il a refait surface en brandissant la pièce de vingt-cinq *cents*.

– Si tu trouves l'autre, l'ai-je encouragé, tu pourras garder les deux.

Manny se répandait en lamentations :

– Le jour où tu as voulu offrir quelque chose d'original à Ida pour son trentième anniversaire, qui t'a dégotté cette fourrure de renard ? Chaque fois qu'une des sœurs de ta femme s'est mariée, qui t'a trouvé les meilleurs tarifs pour la salle, les invitations, les décorations ? Ça ne veut plus rien dire, maintenant ?

Sa rage grandissante emplissait le véhicule et se déversait jusque sur le trottoir :

– Mon contact à Detroit t'a obtenu la première interview qu'un journaliste d'ici ait jamais eue avec Joe Louis. Merci qui ? Toutes les fois que tu m'as demandé un service, William, *toutes* les fois, est-ce qu'il m'est jamais arrivé de te dire non ? Et les faveurs que tu n'as même pas eu à *demander* ? Rappelle-moi une seule occasion où je n'ai pas été un ami loyal et fidèle. Donne-moi un *seul* exemple, je sors mon gros cul de cette foutue bagnole et ta rubrique pourra proclamer que je suis un menteur.

Dans l'art de la culpabilisation, les catholiques avaient un tramway de retard. Daniel, effrayé par la voix grondante et les propos acerbes de son père, se recroquevillait sur la banquette arrière. Intrigués par ces reproches qui s'échappaient de la Cadillac de Sears, les passants nous jetaient des regards.

– Manny, ai-je répliqué platement pour essayer d'endiguer le flux, il ne s'agit pas de notre amitié. Il s'agit de *faits*.

– Parce que toi, tu l'as vu, l'accident ? *Toi*, tu connais les faits ? Mais alors, nom de Dieu, pourquoi tu n'es pas témoin, *toi* ?

Mes poils se sont hérissés. J'ai abaissé si brutalement la manette du chauffage qu'elle a failli se casser, et j'ai rétorqué hargneusement :

– Je te répète que mon pote est dans la purée et...

– Va te faire foutre. Je suis assez clair ? *Va te faire foutre*. C'est bien d'amitié qu'il s'agit. Vas-y, fais passer ce mec avant moi. Comme ça, tu ne vaudras pas mieux que les autres. Sers-toi autant que tu peux du gros Juif marrant et puis, quand *lui* il est dans la merde, laisse-le tomber. Je n'arrive pas à croire que toi – toi ! –, tu puisses me poignarder dans le dos de cette façon.

– Ferme-la ou ferme cette portière, ai-je râlé.

Les curieux commençaient à s'agglutiner devant le restaurant. Manny Gold tremblait tel un volcan sur le point d'entrer en éruption :

– Tu étais plus qu'un simple ami, William. Tu étais mon *mishpocha*. Tu m'as présenté à Benny Leonard. Mon Dieu. Je lui ai serré la main.

– *Nom de Dieu !*

Furieusement, j'ai asséné sur le tableau de bord un grand coup du journal plié. Daniel s'est d'abord rétracté puis il a éclaté en sanglots, comme si c'était lui que je venais de frapper.

– Pourquoi tu me fais ce numéro, Manny ? Des vieux copains comme nous, pourquoi dois-je te supplier de remballer ton témoignage à dormir debout ? Dardi est une vraie pourriture, pourquoi c'est *lui* que tu veux aider ?

– J'ai pas le choix ! a-t-il beuglé.

Il s'est tourné vers moi et la Cadillac a vibré. Les pleurs de son fils s'étaient mués en une plainte prolongée, un vrai hurlement de sirène qui me déchirait les tympans. Manny lui-même ne paraissait pas y faire attention.

– Elle va se T-U-E-R, a-t-il martelé comme si ça expliquait tout. Sauf si je trouve le fric pour les soins médicaux.

– Sans vouloir offenser Peggy, P-U-T-A-I-N, quel rapport entre ta femme et cette discussion ?

– Chez moi, l'autre jour, tu n'écoutais pas, William ?

Sa voix s'est réduite à un murmure rauque :

– Je suis fauché, j'ai besoin d'oseille – tout de suite. On me met le couteau sous la gorge. Il y a aussi d'autres histoires, avec lesquelles on pourrait me coincer. Rien que des mensonges, mais qu'y puis-je ? Peggy est tout ce qui compte pour moi. Je ne peux pas la perdre, William. C'est tout mon univers, c'est moi-même. Quant à Daniel… regarde ce que tu lui fais.

– Ce que je lui fais ? Moi ?

– Humilier son père devant ses yeux. Quelle honte !

– Te servir de ton gamin comme bouclier, *ça*, c'est honteux, Manny.

– J'aurais dû le laisser seul avec elle ? Pas question. Ce n'est plus possible.

Le lamento funèbre de Daniel s'était mué en bourdonnement monotone. Il essayait de couvrir nos voix. Je n'avais qu'une envie, lui flanquer un coup d'*Inquirer* sur la truffe – ce qui n'aurait fait qu'aggraver sa crise de nerfs. À la place, j'ai cogné son père, dans la poitrine :

– *Qui* t'a contacté à propos de cette histoire à la con ? Dardi en personne ? Tu le connais ?

— Tout à l'heure j'étais un menteur et maintenant, pour le même prix, je suis un abruti ? Tu me fais un drôle de *mishpocha*.

Un puits s'est formé au plus profond de cette montagne humaine, et une rafale de rire lui a jailli des lèvres.

— Alors, qui t'a mis sur le coup, Manny ?

— Je n'ai rien d'autre à dire.

— Combien on te paie ? C'est quoi le tarif, au jour d'aujourd'hui, pour l'honneur d'un *mishpocha* ?

Ça, ça l'a blessé.

— Je t'emmerde. Quand il s'agit de Peggy, je suis prêt à faire le nécessaire. Tu n'en ferais pas autant si c'était Ida ?

Pour essayer de me convaincre que son mensonge éhonté représentait un acte héroïque, Manny Gold était vraiment un vendeur de première bourre. N'étant pas moi-même étranger à la manipulation de la vérité, je ne le comprenais que trop aisément. Un peu trop pour mon propre bien.

De l'autre côté de Powell Street, le portier de l'hôtel Drake, dans sa grande tenue de la garde royale, escortait un couple en villégiature vers un taxi Luxor dont le moteur tournait au ralenti. Les visages des tourtereaux rayonnaient à l'idée de la nouvelle journée de liberté qui les attendait. J'avais envie de sauter à bord de ce taxi avec eux pour me tirer n'importe où, en envoyant tout promener. Je voulais retourner au travail. Je voulais être payé pour regarder des types se mettre sur la gueule sans me sentir le moindrement concerné par leur souffrance, leur anxiété, leur désespoir.

Au prix d'un violent effort, Gold s'est retourné, a soulevé son fils par-dessus le dossier du siège et l'a déposé sur ses genoux. Lorsque le gamin lui a écrabouillé son chapeau, il est resté imperturbable et lui a chuchoté à l'oreille :

— Désolé de tous ces cris. Qu'est-ce que tu dirais d'une gaufre ? Avec des fraises, et couverte de crème fouettée ?

Ce colossal enfoiré se retrouvait peut-être dans les cordes, mais il n'était pas près d'aller au tapis.

– D'accord, Manny. Fais ce qui te paraît correct. Seulement, si jamais ça tourne mal, tu ne diras pas que je ne t'avais pas prévenu. Il y a autre chose…

– Quoi ? Encore un service ?

Il m'a jeté un regard en biais, encore plus froid que l'air du dehors. Son gosse aussi m'observait.

– Cette famille, les Threllkyl. Ils sont encore en ville, non ?

– Pour autant que je le sache.

– Tu la connais, hein ? La femme ?

Comme le petit ne baissait pas les yeux, j'ai regardé ailleurs – vers les façades étincelantes des bijouteries Zukor's et Diamond Palace, au-delà de Market Street, tout en bas de Powell Street.

– Astrid… Oh, elle sait qui je suis, pas de doute.

D'après le ton de sa voix, j'ai supposé qu'ils n'étaient pas *mishpocha*.

– Obtiens-moi un rendez-vous, Manny. Dis-lui que ça concerne la fondation du mont Davidson. Et que, si elle veut… Non, si elle *voulait* revoir ces papiers, elle devrait me rencontrer ce week-end. Dimanche au plus tard. Dis-le-lui. Aujourd'hui.

Puisque notre petit numéro de théâtre de rue avait pris fin, les passants reprenaient leurs déambulations. Manny les observait solennellement. Il m'a demandé :

– Et on sera quittes pour l'autre truc ?

J'ai écarté la question d'un geste de lassitude dédaigneuse, et réglé ma tronche sur l'expression « chagrin » plutôt que « colère ».

– C'est le nouveau chapeau que papa t'avait apporté ? m'a demandé Daniel.

CHAPITRE 25

Le dernier match de la soirée amateur s'est conclu à vingt-deux heures et cinquante-huit minutes. À vingt-trois heures trente, j'avais fini de concocter un résumé des réjouissances. Je l'ai confié à un coursier au lieu de le transmettre par téléphone : pas question de laisser poireauter Virginia Wagner dans la rue, elle faisait une cible trop facile.

Après une soirée de boxe, je réservais généralement un peu de temps pour les Crampons, une bande d'habitués qui s'attardaient jusqu'à la toute fin, façon marc au fond du café de la veille. Tout ce qui attendait chez eux ces pauvres corniauds solitaires, c'était une conscience tourmentée ; remettant à plus tard ce triste rendez-vous, ils vous rebattaient les oreilles des combats auxquels ils avaient assisté, sans en omettre un seul – ni oublier un seul coup. Ensuite, ils passaient à ceux dont ils avaient seulement entendu parler. Certains d'entre eux continuaient à bavasser jusqu'à ce qu'ils se fassent virer par les balayeurs, peu avant l'aube.

Ce soir-là, je me suis frayé un chemin au milieu des Crampons en ignorant délibérément leurs pugilistiques palabres. Une fois franchie l'entrée principale, je me suis avancé tout droit vers le Roadmaster spectaculaire garé en évidence devant le Civic Auditorium – illégalement, en pleine zone blanche. Les lumières du grand auvent flattaient les lignes de l'élégante machine, zieutée par deux admirateurs.

Leur admiration n'a pas tardé à se reporter sur la propriétaire. Cette dernière, langoureusement appuyée contre l'aile, côté rue, grillait une sèche d'un air nonchalant.

– Une petite balade, poupée ? a risqué l'un des deux abrutis.

Apparemment, il se prenait pour Clark Gable.

– Tu sais où tu peux te mettre ton levier de vitesses ? a rétorqué Ginny. Allez, rentre chez ta mère.

Tandis que Gable cherchait en vain une réplique, je me suis rapproché discrètement et j'ai gueulé par-dessus le capot étincelant :

– À l'angle des rues McAllister et Larkin. Dans cinq minutes.

Déconcertée par le ton de ma voix, Virginia a froncé les sourcils :

– Pourquoi pas ici ?

– Parce que je suis connu comme le loup blanc, ici. Message reçu ?

Elle a jeté son mégot et imité un salut militaire :

– Cinq sur cinq !

Dès qu'elle a été partie, j'ai remonté Polk Street dans la direction opposée, puis rebroussé chemin sur Market Street et contourné cinq pâtés de maisons pour me retrouver au croisement des rues McAllister et Larkin. Après avoir ouvert la portière du coupé, je me suis effondré, hors d'haleine, sur le siège passager.

– On n'en fait pas un peu trop ? Tout à l'heure, je vous ramenais en bagnole. *Maintenant*, on a l'air suspects. Comme si on mijotait quelque chose.

– Peu importe.

J'ai repoussé une épaisse chemise et un livre non moins épais, empilés entre nous sur le cuir matelassé.

– Je ne pensais pas émettre un jour cette remarque, mais je me sentirais plus en sécurité si vous démarriez. Garés ici, on fait des cibles idéales.

Ginny s'est immiscée dans la circulation fluide en me jetant un regard préoccupé :

– Vous êtes plus nerveux que moi. Qu'est-ce qui se passe ?

– On a mis le téléphone de mon domicile sur écoute.

J'ai enlevé mon chapeau pour tamponner sa coiffe moite, et mon front qui l'était encore plus.

– Ça m'était sorti de l'esprit quand j'ai décroché hier soir. Du coup, j'ai raccroché un peu brusquement.

– Qu'est-ce que vous voulez dire ? On écoute vos appels ?

– Le bureau du procureur. Il est possible qu'on soit surveillés en ce moment même, d'où cette scène de roman d'espionnage. Outre un souci de discrétion évident.

On a dépassé plusieurs rues en silence. À l'affût du moindre phare qui nous aurait filé le train, Ginny consultait constamment ses rétroviseurs.

– Où va-t-on ? j'ai demandé.

Elle a tourné dans Market Street. Nous roulions vers l'ouest le long de grands cinémas – des kilomètres de néons brillant d'un éclat vif. La foule du vendredi soir déferlait encore sur les trottoirs.

Quelque chose a basculé en moi. Le boulevard, soudain, me semblait anonyme. J'essayais de penser à des endroits familiers où nous aurions pu aller, mais leurs noms m'échappaient. Toute la gaieté pétillante et familière de cette soirée avait été chassée par un chagrin de plus en plus lourd qui me bloquait la poitrine, me nouait la gorge.

– Vous voulez que je vous ramène chez vous ? m'a demandé Virginia.

Dans l'innocence de sa sollicitude, naturellement ; ça m'a quand même fait l'effet d'un surin entre les côtes.

Ce n'était pas de sa faute. Elle n'avait aucun moyen de savoir que Claire avait emprunté ce même itinéraire, le jour où elle m'avait ramené chez moi. Le jour où j'avais baissé ma garde et fait l'amour à l'épouse d'un autre homme. Une autre automobile, une autre femme, l'impression de similarité n'en était pas moins horrible. Comme si la vie se répétait.

– Non. Continuez à rouler. Ne vous arrêtez pas.

Je me suis emparé du pavé placé à côté de moi. *L'Arbre de vie*, de Ross Lockridge. J'avais promis à Ginny de lui remplacer le bouquin qu'elle avait perdu, et je ne m'en rappelais même pas le titre. Elle a lu dans mes pensées :

– Ne vous fatiguez pas à chercher ce Faulkner, il est épuisé. Plus moyen d'en trouver un seul exemplaire en ville.

– Peut-être que je pourrais me débrouiller, en passant par l'*Inquirer*.

Sous le livre était apparu le dossier en accordéon, à couverture cartonnée fermée par des lacets, contenant l'intégralité des documents qui établissaient la constitution juridique en société de la fondation du mont Davidson. C'était sans doute l'explication de notre rendez-vous clandestin : Ginny allait retirer ses billes de cette histoire extravagante. Difficile de lui en vouloir.

J'ai opté pour une approche indirecte :

– Eh bien, vous voulez savoir ce que j'ai trouvé chez Califro, l'autre jour ?

Au bout d'un long moment, elle a répondu à voix basse :

– Je le sais déjà.

– C'est pour ça que vous avez filé, j'imagine.

Et j'ai enchaîné sur la question que j'avais répétée pour l'occasion :

– Vous y étiez déjà allée ?

Cela formulé sur un ton d'espoir sceptique.

– Non. Jamais.

De ses phalanges, Ginny a tapoté le tableau de bord plaqué bois. Je ne l'aurais pas crue superstitieuse.

Elle a quitté Market Street pour obliquer dans la rue Van Ness. Quand on craint d'être suivi, il est raisonnable de s'en tenir aux voies les plus importantes, les plus fréquentées. Nous avons de nouveau roulé silencieusement. En vue de l'opéra et de l'hôtel de ville, Ginny a tout lâché d'un coup :

– Claire m'avait demandé si je connaissais un endroit. Ce n'était pas le cas, alors je suis allée voir Sanders. Il m'a donné une adresse, en disant que le docteur était une femme, et qu'il n'y aurait pas de problème parce que tout était arrangé avec les flics. Sanders devait croire que c'était pour moi.

– Quand on s'est garés devant la maison…

– J'ai reconnu l'adresse.

Elle a frissonné. Involontairement, m'a-t-il semblé. C'était mon tour de parole :

– Lors de ma première visite, je ne me doutais de rien. Mais la fois suivante, comme un idiot, je suis tombé par hasard sur la pièce où ils... Je cherchais Califro, l'estimable avocat principal de cette autre foutue embrouille.

Du revers de la main, j'ai flanqué une beigne au dossier.

– Désolée de vous avoir fait faux bond, a déclaré Ginny d'une voix douce. En vous attendant dans l'auto, j'ai commencé à avoir la trouille. Il se passe des choses bizarres, trop bizarres pour que j'aie envie d'y être mêlée. Je crois que j'ai fini par faire le rapprochement.

– C'est-à-dire ?

Elle m'a visé de la pointe du nez et du menton :

– Ce n'est pas Sanders qui a tué Claire, ni cette ordure de Daws, mais ce qu'on lui a fait sur le billard. N'est-ce pas ?

Au lieu de l'accusation redoutée, j'ai lu de la compassion dans son regard.

On s'est arrêtés au croisement des rues Van Ness et Eddy. Sur leur parking, les bagnoles d'occasion du Klassic Kar Korral étaient cernées par des fanions qui pendaient mollement ; au centre, une ampoule nue brillait sous le toit en pente d'une baraque tout droit sortie de la bande dessinée *Li'l Abner*. Il paraissait peu probable que Sid Conte, ex-manager de Hack Escalante et propriétaire de ce garage, soit resté travailler aussi tard quand il y avait des boîtes de nuit à fréquenter, des enjeux à miser, des blondes à qui faire du gringue... Cet enfoiré de Sid, comme la plupart de ses congénères, était incapable de remords. Pendant ce temps-là, assis dans cette bagnole, Ginny et Billy se noyaient dans la culpabilité. Honnêtement convaincus que c'était la réaction appropriée.

– J'ai trouvé le docteur, a-t-elle énoncé d'une voix détachée. Vous avez payé la facture. Tous les deux, on a contribué à la tuer.

À ma propre surprise, je lui ai confié :

– Claire m'avait laissé une lettre.

J'avais pourtant juré que personne n'en saurait jamais rien.

– Elle sentait qu'un malheur allait se produire et elle avait écrit : « … la vie n'a pas voulu me laisser tranquille. » Ce n'est pas seulement nous – il y a les circonstances. Sanders, cette doctoresse, moi… On lui a tendu ensemble un filet dont elle n'a pas pu se dépêtrer.

Au niveau de la rue suivante, le masque de nana coriace que portait Ginny a commencé à se lézarder :

– J'en ai assez, je n'en peux plus. Même si je n'avais pas autant les jetons, ça fait trop de mauvais souvenirs. Je n'ai pas envie de finir dans un filet, moi. Il faut que je prenne un nouveau départ. Loin d'ici.

Elle a pressé contre ma cuisse le dossier bourré à craquer.

– Prenez-le. Vendez-le aux Threllkyl, ou au premier acheteur venu, je m'en fiche. Mais tirez-en un peu de blé pour moi. De quoi m'en aller de cette ville. Un petit quelque chose pour ma peine.

– Je vous l'ai déjà dit, vous n'avez rien à craindre.

Cette fois, ce baratin s'adressait à moi-même autant qu'à elle. *Qui est-ce que j'espère convaincre ?* Pas Ginny. Au stop suivant, elle a tourné vers moi des yeux remplis de larmes :

– J'aimerais pouvoir vous croire.

– Vous devriez, me suis-je cru obligé d'affirmer.

En réussissant même à afficher un sourire crâneur.

Insidieusement, c'était devenu ma seconde nature, de rassurer les gens. Qu'il s'agisse de remonter le moral des boxeurs, des rédacteurs en chef, des promoteurs, des épouses, des amis ou même d'étrangers démoralisés, je m'étais enfermé dans le rôle de représentant en espoir. Une de ces blagues de la vie, conçue pour mon amer amusement. Ou pour me pousser à bout.

Un véhicule s'est approché par-derrière et l'intérieur de la Buick a été inondé d'une lumière crue. Dans la pénombre, les traits de Ginny ont trahi sa vulnérabilité, pour une fois. Je me suis entendu dire :

– Ne vous en faites pas, Virginia. Il vous reste encore beaucoup de livres à lire. Écrits par des auteurs qui ne sont pas encore nés.

De la guimauve en conserve, dispensée sans y penser. Qui me coulait toute seule de la cervelle, comme ça m'arrivait de temps à autre devant le clavier de ma Royal. Des mots alignés dans un certain ordre, ils sonnent bien, en tout cas pas mal – qui sait d'où ils viennent ?

Pressant le frein du bout du pied, elle s'est tournée vers moi et ses lèvres ont effleuré les miennes. Les doigts me démangeaient ; néanmoins, mes mains sont restées à la niche.

– Vous faites de votre mieux, Billy. Ça, au moins, j'en suis sûre.

Une note persistante de tabac épiçait son souffle tiède.

Par bonheur ou par malheur, allez savoir, le conducteur impatient qui nous suivait a joué du klaxon. Après un bref battement de ses longs cils, Ginny a reporté son attention vers le boulevard.

– On est presque arrivés chez vous, ai-je remarqué.

Elle a emprunté la voie de gauche afin de tourner dans Pine Street et j'ai pris le dossier du mont Davidson :

– J'embarque ça, je vais me trouver un taxi.

– Entrez avec moi, m'a-t-elle supplié. Juste une minute, pour vérifier qu'il n'y a pas de danger.

Je n'ai pas répondu. On a monté la colline dans une atmosphère lourde de sous-entendus. Tandis qu'elle examinait le rétroviseur, j'essayais de me convaincre de ma capacité de résister à toute tentation susceptible de surgir. Ginny a stoppé un peu avant l'allée, en face de l'auvent de son immeuble.

– Donnez-moi votre clef, ai-je suggéré, je vais vous ouvrir le garage.

Sans se retourner, elle a murmuré :

– C'est la même bagnole qui nous suit depuis la rue Van Ness.

Coup d'œil au rétro latéral. La silhouette d'une conduite intérieure garée à moins de vingt mètres derrière nous. Moteur allumé, phares aveuglants.

– Encore un tour du pâté de maisons, a suggéré Ginny.

Son talon aiguille a écrasé l'accélérateur et le Roadmaster a bondi en avant. À la première occasion, qui s'est trouvée être Octavia

Street, Ginny a tourné à droite. Trop brusquement pour que je puisse vérifier si nous étions poursuivis. On venait de remonter la rue sur la moitié de sa longueur quand j'ai vu dans le rétroviseur une voiture apparaître à l'angle.

– Une berline noire, ai-je signalé. C'est elle que vous aviez repérée dans la rue Van Ness ?

Ginny a balbutié, avec une assurance proche de zéro :

– Je crois.

Au sommet de la colline, elle a chargé à travers California Street sans s'arrêter, ni même accorder un regard à la circulation est-ouest. Qui, heureusement, était lente et sporadique. Elle a appuyé sur le champignon, car la rue repartait à l'assaut des cieux. Soudain, les palmiers de Lafayette Park se sont dressés au-dessus de nous – Octavia Street nous barrait la route. Dans notre dos, au bas de la côte, la berline noire traversait à fond de train la route à quatre voies et gagnait rapidement du terrain.

Sacramento Street, « T » à droite. Mauvaise pioche. Après ce bloc d'immeubles, la rue était à sens unique. Le flot de véhicules arrivait de front, pour se jeter littéralement dans le carrefour après avoir escaladé le raidillon remontant de Polk Gulch Street. Ils avaient la priorité et en profitaient agressivement, s'égaillant dans toutes les directions.

– Encore Daws ? a interrogé Ginny.

La peur qui luisait dans ses yeux n'était pas feinte. J'ai tenté de détendre l'atmosphère :

– Il aura peut-être amené un garde du corps, cette fois.

Peine perdue.

– Vous croyez qu'ils nous suivent vraiment ? s'est-elle enquise d'une voix tremblante.

– Le mieux est de faire comme si.

Encore un coup d'œil au rétroviseur, et plus besoin de preuves pour Ginny :

– Les voilà.

– *Go !* ai-je gueulé.

Elle a balancé la caisse à gauche, dans Gough Street, barrant la route à un coupé bicolore qui arrivait en aveugle au sommet de la colline. Couchée sur le volant, elle s'est mordu la lèvre avant de remarquer d'un air sombre :

– C'est Gough Street.

– Quoi ?

Mes godasses étaient encastrées dans le plancher.

– On prononce « Gof Street », pas « Go ». Ça rime avec « bof ».

Le carrefour suivant étant dégagé, elle a ignoré sciemment le panneau stop. Un instant plus tard, les quatre pneus prenaient congé de la chaussée et nous étions aéroportés. « Gough » avait disparu au-dessous de nous, comme au fond d'un précipice. Notre vol plané a été de courte durée. Quand le Roadmaster a repris contact avec le sol, le choc nous a fait claquer des mâchoires. Ginny a poussé un glapissement – elle avait réussi à se faire peur. Dopé à l'adrénaline, j'ai beuglé :

– Où est votre sac à main ?

– Sur la banquette arrière.

Elle avait aussitôt compris le sens de ma question.

– Vous le trouverez.

Je me suis retourné pour localiser le sac. Il avait glissé au sol, j'ai eu du mal à l'attraper. Derrière nous, des phares ont survolé le sommet de la colline avant de rebondir violemment à l'atterrissage. Ginny a donné un coup de volant sauvage vers la droite et je me suis retrouvé sur ses genoux. En retombant sur mon siège, j'ai eu un nouveau choc : des bagnoles nous fonçaient dessus.

– Vous roulez à contre-courant ! me suis-je écrié. La rue Jackson est à sens unique !

– Je sais. On va essayer de régler ça.

Elle a viré à tribord comme une possédée, en manquant d'emboutir une longue rangée de voitures, toutes garées en face de nous. Les automobilistes roulant dans le bon sens nous ont fait des appels de phares, distribué des coups de trompe, hurlé des avertissements. Je cherchais à tâtons la crosse d'un pistolet à l'intérieur du sac à main, sans quitter des yeux la lunette arrière. Dans notre sillage, la berline noire remontait le fleuve de véhicules. J'ai grogné :

– Merde !

Ginny :

– Oh, mon Dieu !

Là, juste devant nous – des feux arrière d'un rouge resplendissant. Un véhicule qui sort d'une allée à reculons. Virginia braque et sa Buick fait une embardée, on se retrouve au milieu de la rue dans un crissement de pneus. Le sac m'a échappé des mains. Un barbouillage de phares en travers du pare-brise. Le flingue est tombé par terre. Je ne l'ai su qu'à son bruit sourd, car je n'ai rien vu. Les yeux fermés à double tour et toute respiration cessante, je m'apprête à mourir. Ah, un impact au niveau des côtes. Le coude de Ginny.

– Écartez-vous donc ! braille-t-elle. Comment voulez-vous que je conduise ?

Devant nous, Jackson Street est dégagée. J'ignore comment Virginia a accompli ce tour de force. À l'approche de Van Ness Street, pied au plancher, elle presse violemment de la paume la barre chromée placée dans le volant. Hurlement de l'avertisseur. Un tram qui se dirigeait vers le sud émerge du carrefour. À une seconde près… En traversant à toute berzingue la vaste étendue de Van Ness Street, c'est à peine si on a le temps de sentir la vibration de la voie. Je gueule dans le fracas :

– Vous auriez dû tourner !

Ces foutus passagers et leurs foutus conseils.

– J'ai une autre idée.

Elle serre tellement les dents que je comprends à peine sa réponse.

J'aurais cru qu'à ce stade, les flics nous seraient déjà tombés sur le râble ; mais bon, on sait comment ça marche. Nous remontons Russian Hill en brûlant le bitume, au vu et su de nos poursuivants. Ginny balance le volant à droite dans Polk Street, rue où alternent commerces et pavillons, dominée par l'éclatante enseigne au néon de l'Alhambra Theater. Apparemment, ce cinéma lui donne des idées :

– Je vais m'arrêter dans une de ces allées, en éteignant les phares.

Elle a dû voir ça dans un film.

– Vous ne pensez pas qu'ils vont repérer votre paquebot ?

– Ah bon ?

– Vous avez une veine de pendue. Si on a survécu à ce numéro à la Roy Riegel, on peut se sortir de n'importe quel pétrin. Continuez à rouler.

Pendant le Rose Bowl du 1er janvier 1929, en offrant le point de la victoire à l'ennemi, Georgia Tech, le Californien Riegel propulsait involontairement mais définitivement le football universitaire sur le devant de la scène médiatique.

– Où est le flingue ? contre-t-elle.

Je cherche vainement l'objet au sol.

– Il a dû glisser sous le siège quand on montait la colline.

Elle remet les gaz jusqu'à ce qu'on ait quitté le quartier des affaires. Je n'arrive pas à distinguer si nous sommes suivis. On les a peut-être semés. Comme je me penche pour essayer de récupérer le pistolet par terre, je ne vois pas Ginny tourner dans Chestnut Street. Sa chance a tourné en même temps – c'est, tôt ou tard, le destin de tout joueur.

– Nom de Dieu ! s'exclame-t-elle.

La rue Chestnut termine sa course, abruptement, contre une colline. Ginny a tellement pris l'habitude d'ignorer les panneaux de circulation qu'elle vient d'en manquer un d'une importance cruciale : «Passage interdit». Le passage en question se réduit en effet à deux escaliers zizaguant parmi les arbres.

Elle a enclenché la marche arrière et fait brutalement demi-tour, en laissant des stries de caoutchouc sur le bitume. On vient de perdre un temps précieux.

Une fois revenue sur Polk Street, Ginny met le cap sur la Baie. Un véhicule sombre s'approche du carrefour, je ne parviens pas à l'identifier. On dévale la pente, et en avant pour le tête-à-queue dans un virage à droite. La détermination de Ginny s'effrite. Elle sollicite trop la pédale d'accélérateur. Nous avons grimpé une côte à fond de train et débouchons soudain sur une fourche : la route part dans deux directions différentes, de part et d'autre d'un muret.

– Par où ? demande Ginny d'une voix haletante.

Des phares surgis à gauche lui fournissent la réponse et elle fonce vers la droite. Le talus nous oblige à prendre un virage serré. Les pinceaux lumineux ont éclairé une énorme flèche qui nous impose la direction. La chaussée s'est rétrécie ; tout du long, de mon côté, des automobiles sont garées. Ginny refuse de lever le pied. Un pare-chocs jusque-là irréprochable vient d'être éraflé par le muret de pierre.

– Merde !

Elle a fait du mal à son bébé.

Le ciel nocturne apparaît en haut de la côte, droit devant. On s'y envole. Avant même qu'on ait repris contact avec le sol, j'avertis :

– Ne prenez pas à droite !

Trop tard.

Ses réflexes sont remarquables… contrairement à sa science de la navigation. Ginny tourne et nous précipite vers un massif maçonné, décoré d'un grand losange jaune, isolant le trottoir de la chaussée. Elle monte sur les freins, on s'offre un dérapage vibrant et crissant. La proue du Roadmaster se bat en duel contre le mur. Elle perd. Le métal se ratatine.

Le pistolet manquant jaillit de dessous le siège, entre mes pieds vissés au plancher.

Ginny vient de s'échouer au sommet de cette rue Chestnut en pente dont le bas nous avait déjà bernés. À présent, sous le choc, elle regarde droit devant elle, les traits figés, les yeux écarquillés.

– Reculez, ordonné-je en lui envoyant une bourrade dans l'épaule. Reculez !

Elle malmène le levier de vitesses récalcitrant. Le moteur gronde vainement, telle une bête prise dans un piège à ours.

Par notre lunette arrière, je vois la butée de maçonnerie illuminée par nos feux stop qui pissent le sang. Le pied de Ginny est resté coincé sur le frein. Aucune importance, ils ne peuvent pas nous rater de toute façon. La berline noire, après avoir franchi le sommet, a retrouvé son assiette au carrefour et tourne lentement, en nous balayant de ses phares haut placés.

– Désolée de vous avoir embringué là-dedans, s'excuse Ginny.

La berline s'approche avec circonspection. Je commande :

– Sortez ! Sortez, tirez-vous !

J'empoigne le pistolet. Mes doigts font comme si la détente leur était aussi familière que le clavier de ma machine à écrire. Dominant le tambour tonitruant qui me bat dans la poitrine, des portières s'ouvrent, se referment, des pas traversent précipitamment la chaussée. Nos poursuivants n'ont pas d'armes, en tout cas ils ne les ont pas sorties. *On ne mérite même pas des flingues.* C'est bien notre unique avantage, je m'en convaincs rapidement.

Ginny n'a toujours pas bougé.

Je saisis la poignée et j'ouvre la portière à la volée. Tournoyant sans élégance, tenant à peine debout, je sors de la bagnole. Mon doigt tremblant manque de presser la détente. Je brandis le flingue dans le vide et beugle à l'adresse des apparitions qui s'approchent :

– Putain, reculez ! Reculez, bordel, ou je vous dessoude !

Des cris. Stridents, perçants, aigus. Et les formes se dispersent telles des dindes devant le fer de la hache.

– Oh, doux Jésus ! Oh, doux Jésus ! supplie une voix caractéristique.

Celle de mon épouse.

Paula, sa loyale frangine, s'écrie :

– Il est givré ! Dieu tout-puissant, il va nous zigouiller !

Tous les témoins apparus aux fenêtres alentour peuvent profiter de la scène.

CHAPITRE 26

La serveuse inclinait sa cafetière au-dessus de la tasse d'Ida :

– Vous aussi, mon petit ?

Ma femme a écarté son service de porcelaine si brutalement qu'il s'est renversé. J'ai soulevé ma tasse et ma soucoupe juste à temps pour laisser celles d'Ida valser au-dessus du Formica – et m'atterrir sur les genoux.

– Je ne veux pas de café. Je veux récupérer mon mari !

Assise à mes côtés, dans le box, Virginia levait les yeux au ciel. Elle a fiché une Old Gold au milieu de son sourire crispé et l'a allumée avant de lâcher :

– Eh bien, en voilà des histoires...

Paula est intervenue, façon bagarreuse de bar impatiente d'en découdre avec la première venue :

– Je surveillerais mes paroles si j'étais vous, espèce de *traînée*.

La serveuse m'a versé mon café sans même me demander mon avis.

– Il va vous falloir plus que du café, a-t-elle suggéré d'un ton compréhensif.

– À qui le dites-vous.

Je lui ai tendu avec précaution la tasse et la soucoupe rejetées. Elle a blagué :

– Je devrais confisquer les couteaux ?

Sa coiffure de papier à motif rayé contenait à grand-peine sa pyramide de cheveux blancs ; le reste de sa personne posait de gros problèmes à son uniforme. Son badge de poitrine indiquait « Gertrude ». J'avais envie que Gertrude me ramène tout de suite à la maison. À *sa* maison.

271

– Ne touchez pas à mon couvert, l'a avertie Paula. Je vais prendre de la tarte. Un café et une grosse tranche de tarte.

– Tout s'explique, a lancé Ginny d'un ton venimeux.

Tandis que ma belle-sœur contournait Gertrude pour prendre un cendrier sur le comptoir, Ginny l'a examinée des pieds à la tête avant d'ajouter :

– Vous ne ratez pas beaucoup de desserts.

– Je suis sûre que les putains doivent surveiller leur tour de taille. Puisque c'est tout ce qu'elles ont.

Les yeux de Gertrude étaient sur le point de gicler dans sa cafetière. Je l'ai suppliée :

– Vous voulez servir son café ? Histoire de lui occuper la bouche.

Il avait fallu déployer des trésors de persuasion pour réunir ces trois nanas à bord du véhicule de Paula et les amener au café Florence, ouvert toute la nuit sur Lombard Street. Ma mini-conférence de la Société des Nations, dans un box donnant sur la rue. Dommage que la grève des dockers ait été réglée, j'aurais pu proposer mes services en tant que médiateur. Ni les armateurs de navires à vapeur, ni les autorités portuaires, ni les patrons des syndicats n'auraient pu se montrer plus entêtés que ce combatif trio.

Sur le chemin du café, pendant que je tentais de décrire les sales draps où se trouvait Ginny Wagner et d'expliquer mon propre rôle dans cette histoire, Ida avait boudé en silence. Ce n'était pas le foutu ministère public qui avait écouté indiscrètement l'appel de Ginny, la veille au soir – mais mon épouse. Elle m'avait entendu fixer un rendez-vous clandestin à une fille. Évidemment, Paula avait aussitôt suggéré un truc dans ses cordes : nous tendre un piège. Je ne leur avais dit que la vérité, mais elles ne voulaient rien entendre. Paula, tel un procureur, ne cessait de soulever des objections en rappelant « l'évidence » : je me trouvais en compagnie d'une autre femme après ma journée de travail ; on avait pris la tangente en se voyant coincés ; nous étions tellement coupables qu'on disposait d'un flingue pour faire taire les témoins éventuels. Si Paula avait été dotée d'un cerveau, et d'une once de self-control, elle aurait pu en remontrer à Jake Ehrlich.

Ida reniflait dans un mouchoir et serinait un refrain étouffé comme quoi elle n'avait «jamais voulu croire au pire».

– Ne sois pas aussi naïve, la sermonnait sa frangine. Tu l'as toujours su. Seulement, tu ne pouvais pas affronter la vérité. Eh bien, la voilà devant toi. Elle te convient?

– Depuis combien de temps es-tu avec elle? m'a demandé doucement Ida.

Elle contemplait le reflet de Virginia Wagner dans la vitre, en faisant l'impasse sur l'original.

– Je ne suis pas *avec* votre mari, a répliqué Ginny.

Qui, ayant passé ses nerfs sur la calandre froissée du Roadmaster, la jouait maintenant sereine et flegmatique. «Qu'est-ce que vous croyez que je ressens, moi? s'était exclamée Ida sur les lieux de l'accident. C'est mon *mariage* qui est détruit!»

Ginny a fait glisser son paquet d'Old Gold vers Ida en gage de réconciliation. Son geste ayant été ignoré, elle a poursuivi sans se formaliser:

– Comme l'a dit Billy, j'étais dans une mauvaise passe et il a accepté de me donner un coup de main. Rien de plus.

– Et je suis sûre que vous n'avez rien *proposé* en échange, a aboyé Paula.

Cette fille avait l'esprit aussi mal tourné qu'une bande dessinée porno. À mon tour d'intervenir:

– Paula, si tu la bouclais un peu?

– Très bien, a-t-elle grondé, donne-nous ta version. Voyons comment *Mister Cinquante-Cents-le-Mot* va se sortir de ce guêpier. Allez, on est tout ouïe. Ça devrait valoir son pesant de cacahuètes.

Vu la baisse générale du taux d'adrénaline, j'ai inspiré à fond, prêt à reprendre une fois de plus depuis le début cette histoire à la noix de coco. Avant que j'aie le temps d'expirer, Ginny m'a posé une paume sur la poitrine:

– Économisez votre salive.

Elle a pris Paula dans sa ligne de mire :

– Écoutez, *vous*. Il a déjà exposé toute la situation. Si vous ne le croyez pas, c'est votre problème.

– Alors, en plus, vous *parlez* pour lui, maintenant ? Une de vos nombreuses fonctions, je suppose, a ironisé Paula.

Son sourire, en particulier dans sa version malveillante et sarcastique, était rendu carrément féroce par ses dents de lapin. Désignant mon épouse de sa cigarette, Ginny a remarqué :

– Vous parlez bien tout le temps pour *elle*.

Ida restait affalée contre la vitre, le regard perdu dans Lombard Street. Je lui ai touché le pied du bout de ma chaussure à bout fleuri ; j'aurais aussi bien pu chatouiller un cadavre. Ginny a fait une suggestion :

– Si on écoutait la partie plaignante ?

– Ida est dans tous ses états, a protesté Paula. Elle vient d'avoir le cœur brisé. Et je peux parler pour elle chaque fois que l'envie m'en prend – il n'y a pas d'individus plus proches que nous deux sur cette Terre !

Paula aimait souligner régulièrement qu'un mari et une femme ne seraient jamais aussi liés que deux frangines. En fait, Paula aimait soutenir n'importe quelle théorie pourvu que ça énerve quelqu'un.

– On pourrait aussi bien être jumelles, a-t-elle poursuivi. Pas vrai, Shmoo ?

Elle a serré la main inerte d'Ida. Ce surnom était emprunté à la bande dessinée *Li'l Abner* ; Paula en avait apparemment affublé sa sœur parce qu'un Shmoo suit partout l'humain de son choix, silencieusement et docilement.

Ida n'a pas réagi.

– Mon Dieu, a gémi Paula, elle est encore en état de choc.

– Si c'est le cas, l'ai-je accusée, c'est à cause de ta façon de conduire.

Ida m'a accordé un regard. Son premier signe de reconnaissance depuis que j'avais braqué ce flingue sur elle. Un regard involontaire, instinctif, d'une fraction de seconde ; mais il reflétait des années de compassion pour les mésaventures notoires de Paula... et me laissait entrevoir une lueur au bout du tunnel. Une fois que j'aurais soulevé la montagne.

– *Ma* façon de conduire ? s'est moquée Paula. T'es bien placé pour parler. On sait qui était au volant de *ton* auto, non ?

Exaspérée, Ginny a laissé échapper un grondement. Elle songeait de toute évidence à sa magnifique machine, accidentée et abandonnée en haut de Chestnut Street. À bout de patience, elle guettait la rue en espérant voir apparaître une dépanneuse.

De la première cabine téléphonique que nous avions aperçue, j'avais appelé Willie Egan. Ce poids moyen à la retraite s'était acheté, sur Fulton Street, un garage dont il avait fait un service de dépannage équipé de cinq camions. Son fils boxeur participait aux Gants d'Or, cette année-là. Que je sois pendu si, suite à mon appel, Egan n'avait pas accepté de se déplacer personnellement. « Attendez dans la voiture », avait-il conseillé. J'avais fait valoir que, en l'occurrence, ce n'était pas envisageable. Vu l'ambiance, il risquait de ne trouver en arrivant qu'une Buick bousillée, entourée de cadavres.

Gertrude est revenue servir à Paula une tranche violacée, dégoulinante.

– J'espère que vous aimez la tarte aux mûres, a-t-elle lancé gaiement. C'est tout ce qui nous reste.

Paula orientait son assiette dans un sens puis dans l'autre, en examinant attentivement son contenu ; Ginny a fait tomber sa cendre de cigarette et adressé une esquisse de sourire à la serveuse :

– Je pense que c'est une question de taille, pas de goût.

– Je vous ai déjà avertie ! a grogné Paula.

Elle pointait sa fourchette par-dessus la table. Je me rappelais comment Ginny avait arraché un bout d'oreille à Daws, avant de lui écraser le pif avec la crosse de son flingue. Je me suis demandé si ma belle-sœur n'était pas sur le point de recevoir un traitement similaire. Et si, dans ce cas, j'interviendrais.

Paula s'est lancée à l'attaque de sa tarte, en reprenant :

— Voyons si j'ai bien compris. Vous voulez *nous* faire avaler que *vous* pensiez être poursuivis par des larbins du procureur ? Qui voulaient récupérer une pile de *paperasses* ?

J'ai exhibé la pièce à conviction numéro un, le dossier de la fondation du mont Davidson. Peu pressée de renoncer au spectacle, Gertrude remplissait nos tasses le plus lentement possible. Elle a été visiblement déçue lorsque Ida, histoire de lui tempérer l'éloquence, a asséné un coup de coude à sa sœur sous la table. Pas plus que son vieux, mon épouse n'aimait laver son linge sale ailleurs qu'en famille. Après avoir rangé sa cafetière derrière le comptoir, Gertrude s'est juchée sur un tabouret, assez près pour tout entendre.

Paula repartait déjà à plein régime :

— Arrête ton char ! Tu le savais, que c'était mon auto. T'es monté dedans assez souvent ! Bon Dieu, je t'ai transporté d'un bout à l'autre de ce foutu État ! Vous détaliez comme des voleurs parce qu'on a interrompu votre virée chez elle pour une petite…

Elle a donné dans l'air des coups de fourchette si expressifs qu'Ida et Ginny ont toutes deux poussé des gémissements.

— Avoue ! m'a sommé Paula.

Je voyais clair dans son jeu : me harceler de façon insupportable pour moi, jubilatoire pour elle, jusqu'à ce que je perde mon calme et riposte brutalement en reprochant à Ida sa propre infidélité. Et alors, il serait étalé au grand jour que je n'étais pas le père de Vincent. Ida s'effondrerait, et Paula…

— Merde, où est Vincent ? ai-je interrogé sèchement.

Ida m'a aussitôt rassuré :

— Avec Phyllis et Jack. Chez eux, pas de problème.

— Comme s'il en avait quelque chose à cirer, a raillé Paula.

Et elle s'est concentrée sur la bouchée de tarte piquée au bout de sa fourchette.

J'envisageais de lui coller une beigne lorsque j'ai remarqué l'expression animale qui venait de se peindre sur les traits de Ginny. Oh, mon Dieu – l'heure de Paula était enfin venue. Le masque meurtrier de Ginny n'avait pas échappé à Ida, qui est venue au secours de son inconsciente de sœur :

– Vous *connaissez* mon mari depuis combien de temps ?

Elle reformulait sa question antérieure en termes plus diplomatiques, dans l'espoir de désarmer Ginny. Dont le regard glacial, chose incroyable, s'est mis à fondre ; elle a haussé les épaules :

– Je ne sais pas. Deux semaines.

Ginny a secoué la tête, encore visiblement secouée par le comportement inqualifiable du spécimen assis de l'autre côté de la table. Pour ne pas avoir à supporter cette vue, elle a examiné la trace de rouge à lèvres laissée au bord de sa tasse de café. Ida s'est tournée vers moi :

– Alors, vous ne vous connaissiez pas... à l'époque ? Quand on a eu notre petit, euh, différend ?

C'est à cet instant que Billy Nichols, roi des reporters, a compris qu'Ida recherchait des indices depuis des *mois*. Elle identifiait Ginny à Claire, sans pour autant connaître le nom de celle-ci. D'abord, elle n'avait eu que des soupçons ; à présent, sa hantise avait une forme, un visage, une voix – et elle était assise à côté de moi. Ida s'imaginait que j'entretenais une liaison depuis qu'elle était allée s'isoler pour mettre au monde « notre » bébé. Intuition judicieuse, erreur sur la personne. Tandis que je ramais pour essayer d'effacer les traces d'un désastre qu'Ida ne pourrait jamais, jamais comprendre, elle se rendait malade à cause d'une relation imaginaire née de ses pires appréhensions.

Ginny a saisi la méprise de ma femme ; je l'ai su à la manière dont elle écrasait sa cigarette et expirait tout ce scénario tordu dans une ultime et brûlante bouffée. Elle a demandé abruptement à Ida :

– Vous aimez votre mari ?

– Bien sûr !

Réaction aussi rapide que cinglante.

– Tant mieux pour vous. Vous avez une longueur d'avance. Certaines personnes ne savent même pas ce qu'est l'amour.

– Je vais vous dire ce que c'est, l'amour.

Connaissant Paula, j'attendais la suite avec une impatience perverse. Ma belle-sœur et son ex-mari étaient passés à la maison un soir et, au bout de quelques verres, elle s'était mise à pontifier sur les ignobles réalités de l'amour. Apparemment, on allait avoir droit à une reprise du thème :

– L'amour, nous a informés Paula, c'est quand un type est prêt à avaler des mètres de merde pour vous.

Comme l'ex de Paula avant elle, Ginny en avait assez entendu. Elle s'est levée pour partir. Je me suis demandé comment réagirait le nouvel ami de ma belle-sœur, le pilote d'avion, quand elle lui remettrait sa feuille de route. Ida a imploré Ginny :

– Asseyez-vous, s'il vous plaît.

Elle a tendu sa main gantée de rose par-dessus la table, les doigts écartés.

– On a tous accompli des choses dont on n'est pas spécialement fiers…

– Parle pour toi, sœurette, l'a interrompue Paula en claquant des lèvres d'un air désapprobateur.

Elle ne renonçait jamais.

– C'est ce que je fais, a répliqué Ida.

– Enfin ! l'a encouragée Ginny en se rasseyant.

– Tout ce que je veux vraiment, réellement, a déclaré Ida, c'est avoir un bon père pour notre enfant.

Elle gardait les yeux fixés sur ses doigts écartés.

– Il fut un temps où il y avait un homme que j'étais fière d'appeler mon mari. Je veux le récupérer. De mon côté, je sais que j'ai des efforts à accomplir, et je suis prête à tout pour qu'il soit fier de sa femme lui aussi.

Ida a levé les yeux et nos regards se sont croisés.

– C'est vraiment tout ce que je désire. Qu'on passe notre vie ensemble.

Une fois de plus, le projecteur se braquait sur Mister Réconfort. Comme les mots ne me venaient pas, j'ai pris la main de ma femme et je l'ai serrée. Geste d'engagement ? Stratagème destiné à couvrir le silence ? Bien malin qui aurait pu le dire. Ida a serré aussi, c'était déjà quelque chose.

— Eh bien, voilà, la situation est déjà plus claire, a commenté Paula.

Je la sentais insatisfaite de la tournure des événements. Elle a poursuivi :

— En fait, je dirais qu'il reste au moins une question à laquelle Billy devrait répondre une bonne fois pour toutes.

Nous attendions tous.

— As-tu trompé ma sœur *avant* ?

Les coups fourrés de Paula ne me prenaient plus par surprise :

— Non.

Je jouais l'accusé innocent avec une totale conviction. J'étais devenu un distingué, un fieffé menteur. Pas trop difficile pour un journaliste.

Approchant un reste de tarte de ses lèvres, sur lesquelles flottait un sourire entendu, Paula s'est soudain immobilisée. Ses yeux sont devenus aussi larges que des soucoupes :

— *Merde, pourquoi pas ?* s'est-elle gaussée. *Vu ce que tu te tapes à la maison !*

Sur quoi elle a infligé un coup de fourchette à la tarte, envoyé une bourrade dans le bras de sa sœur et secoué la tête en tous sens, avec un gloussement de crécelle qui a failli éclabousser de mûre son chemisier. Son hilarité était telle qu'Ida a été prise d'un rire communicatif. Les frangines…

Ginny en restait bouche bée.

— Oh, mon Dieu, je vais faire pipi dans ma culotte, a caqueté Paula.

Saisissant le bras de sa sœur, Ida a avoué d'une voix entrecoupée :

— Moi, c'est déjà fait ! Tout à l'heure, quand on s'est envolées en haut de cette colline.

Un tapotement à la fenêtre du café-restaurant nous a tous fait sauter au plafond. Willie Egan, souriant de toutes ses dents, regardait à l'intérieur. Le gyrophare de sa dépanneuse repeignait la rue en rouge.

Ginny a jailli de son siège comme un cheval de course d'une barrière de départ. Elle a pris son livre, mais laissé délibérément les documents du mont Davidson sur la banquette. Je les ai écartés pour la suivre, en essayant d'arrêter une ligne de conduite. Ginny a ouvert la porte du restaurant et m'a adressé de sa main baissée un petit signe discret censé me faire comprendre qu'elle pouvait se débrouiller seule. Je n'en étais pas certain. Ça me paraissait choquant de la laisser s'en aller dans la nuit, sans voiture ni endroit sûr où dormir. À l'instant où je lui emboîtais le bas, Ida est redevenue l'épouse outragée :

— Si tu pars avec elle, tu ne pourras peut-être pas rentrer à la maison !

Ginny, avant que j'aie le temps de reprendre mon souffle, est passée devant moi et a flanqué *L'Arbre de vie* sur la table, en faisant tinter l'assiette de Paula, toute maculée de tarte. Penchée au-dessus des frangines, elle s'est efforcée de rester polie :

— Votre mari a pris des risques pour venir en aide à une parfaite étrangère. Et il s'est toujours comporté en vrai gentleman, même quand je le rendais à moitié dingue. C'est un type bien. Traitez-le comme tel, si vous ne voulez pas qu'une fille plus maligne le fasse.

Avant de sortir avec fracas, Ginny a marmonné à mon intention :

— Vous n'êtes pas sorti de l'auberge. Faites ce que vous avez à faire.

Un instant, je suis resté là, à la regarder exposer sur le trottoir sa triste situation à Willie Egan. En parlant de la Buick, elle avait les larmes aux yeux. Egan, déçu, me jetait des regards à travers la vitre. Il avait espéré qu'on taillerait une petite bavette, voire deux, en tractant le Roadmaster jusqu'à son garage.

Au comptoir, notre serveuse faisait mine d'être plongée dans *Racing Form*, un bulletin d'information détaillé sur les courses de chevaux. Je me suis approché :

– Gertrude, quelle est l'étendue des dégâts ?

– Ce serait plutôt à vous de le dire, a-t-elle murmuré.

Elle a pris la note nichée dans son tablier et l'a posée sur le zinc. Mes doigts, démangés par la perspective de rapports sans complication, avaient envie de courir le long de sa hanche. Ce genre de rapports n'existant pas à ma connaissance, j'ai préféré plonger la main dans ma poche et y prendre une liasse de billets, dont j'ai soustrait ce que je devais à Gertrude, plus un généreux pourboire.

– C'est vous qui devriez nous payer, ai-je badiné. Pour le spectacle.

Comme si je m'approchais d'un guichet à l'hippodrome Golden State, j'ai contourné notre box par l'arrière ; et, m'inclinant entre les deux sœurs pour faire la bise à Ida, j'ai placé mon pari :

– Rendez-vous à la maison. Je ne serai pas long.

J'ai empoigné le dossier, puis décampé. Quand je suis monté dans la cabine de la dépanneuse de Willie Egan, Ginny s'est retrouvée coincée entre nous. Une rapide estimation des forces en présence m'avait convaincu que, ce soir-là, Paula était la seule en lice à n'avoir aucune chance de faire partie des gagnants.

CHAPITRE 27

Le dimanche, Ida et moi sommes allés à l'église Saint-Brendan, au pied du mont Davidson – éminence la plus considérable de San Francisco, surmontée d'une croix de béton. Bien que le journal du matin, imprimé la veille, ait annoncé une belle journée, le brouillard attendait les paroissiens à la sortie de la messe. Un brouillard omniprésent. Vivre à l'ouest de Twin Peaks implique de s'habituer à la rareté des journées d'ensoleillement et oblige à fuir les brumes pour chercher l'astre du jour à l'est. Ida a donc été enchantée, c'est un euphémisme, par ma suggestion de charger le landau du petit Vincent dans l'automobile et de filer vers le quartier de Marina. Au programme, petit déjeuner tardif et shopping.

Après avoir fait le plein de crêpes, de bacon et d'œufs au Horseshoe Restaurant, on a remonté Union Street en flânant parmi les boutiques. Ida rayonnait sous les compliments que lui valait son magnifique bébé. Je lui ai annoncé que je devais m'éclipser un moment, une affaire à régler. Ses doutes résiduels ont été aisément dissipés par un billet de vingt, avec licence de le dépenser à sa guise. On s'est mis d'accord pour se retrouver une heure plus tard.

J'ai monté la colline en savourant le ciel de turquoise étincelant, la douce température, l'absence de vent. Un temps de carte postale. Revigoré, je sentais le dénouement s'approcher.

La veille au soir, les Gants d'Or avaient attiré une énorme assistance, encore plus nombreuse que celle du vendredi, et les jeunes boxeurs nous avaient offert un spectacle grandiose. Les craintes que Thanksgiving ne torpille le tournoi s'étaient révélées infondées ; le fils de Willie Egan avait même gagné son match et, par la même occasion, le droit de concourir lundi soir pour un titre de novices. Willie se sentait fier, mais surtout soulagé.

Quant à Ginny, elle devait être en train de terminer *L'Arbre de vie* dans sa chambre de l'hôtel Palomar, à côté de l'immeuble neuf pour lequel une chaîne de télévision, la National Broadcasting Company, avait claqué un million de dollars. Auparavant, elle créchait dans un établissement miteux d'Ellis Street ; mais j'avais prié Willie de nous conduire à l'angle des rues Taylor et O'Farrell, où j'avais remis six dollars à Ginny afin qu'elle profite pendant deux nuits d'une chambre correcte, avec salle de bains. Je m'étais même fendu d'un petit supplément qui lui permettrait de louer une voiture en attendant que la sienne soit réparée. Elle comptait passer dès lundi au studio de Pine Street pour reprendre ses affaires, puis plaquer San Francisco et aller s'installer temporairement à Alameda. L'une de ses amies y avait repéré une chambre dans une résidence où l'on pouvait louer au mois, les Neptune Court Apartments.

– Dès que je serai retombée sur mes pieds, avait-elle annoncé, ça va se jouer entre le Roadmaster et moi. Et pas question de regarder en arrière !

J'ai remonté Steiner Street en soufflant et en haletant. Parvenu à Vallejo Street, j'ai pris vers l'ouest et je me suis encore tapé cinq pâtés de maison en direction du Presidio, l'ancien fort espagnol. Avec cette serviette que je trimballais comme un poids mort, j'avais l'impression d'escalader les Rocheuses.

Arrivé sur le plat, j'ai fini par trouver la maison que je cherchais. J'ai franchi une grille en fer forgé et suivi un chemin bordé de rosiers bien taillés. La porte d'entrée était précédée d'un porche circulaire évoquant un théâtre grec ; en fait, il s'agissait quasiment d'une miniature du palais des Beaux-Arts, visible au-dessus des arbres une demi-douzaine de rues plus loin. De l'endroit où je me trouvais, le regard portait de l'autre côté de la Porte d'Or, jusqu'aux pointes du comté de Marin et au-delà. À lui seul, le panorama valait déjà dix mille dollars.

La façade de cet hôtel particulier, de deux étages, avait d'élégantes fenêtres à petits carreaux, égayées de bacs remplis de fleurs – dont l'éclosion en cette saison semblait faire un pied de nez aux lois naturelles. L'idée m'est venue que les propriétaires devaient employer des jardiniers à plein temps, rien que pour ces bacs. J'ai pressé longuement la sonnette en essayant de regarder autre chose que le paysage, dans le but d'impressionner de mon attitude blasée quiconque allait ouvrir cette porte.

– Puis-je vous aider, monsieur ?

Un majordome de couleur, sanglé dans son smoking. J'avais un peu roulé ma bosse, dans le temps, et vu pas mal de choses ; mais c'était la première fois que j'étais accueilli par un majordome en grande livrée – et dans ma propre ville, qui plus est.

– Je viens voir madame Threllkyl. Je m'appelle Nichols. Manny Gold l'a prévenue de ma visite.

J'ai tendu une carte, celle qui disait seulement :

« Billy Nichols, *Mister Boxe* ».

– Très bien, monsieur. Je vais voir si madame reçoit.

Il a refermé la porte. Me faire claquer la porte au nez par un Noir, étonnant. C'était décidément la journée des premières. Et il était encore tôt.

Au bout de quelques minutes, le majordome revenait et me faisait entrer. Je l'ai suivi dans un vestibule opulent, plus spacieux que l'appartement de Ginny Wagner. J'ai noté la bonne odeur du mobilier, mêlée au parfum d'un truc qui cuisait au four ; les murs ornés d'objets parfaitement présentés, chacun éclairé par sa petite lampe ; l'écho de mes pas sur le plancher de bois dur, couleur prune – écho étouffé dès que j'ai commencé à fouler la moquette, assez profonde pour me chatouiller les chevilles. Les copains qui venaient me voir à la maison disaient toujours que je vivais comme le roi de Siam. Cet endroit remettait les pendules à l'heure.

Le majordome m'a escorté jusqu'au salon. Ce terrain de football couvert était équipé de plus de meubles que Sloane's, et muni d'une grande baie vitrée ; elle encadrait l'immense décor dont je n'avais eu qu'un aperçu depuis l'avant de la maison – on aurait dit un tableau ajouté à la collection de la famille.

– Madame Threllkyl vous rejoindra dans un instant.

Sa diction était plus raffinée que la mienne. Ou que celle du roi d'Angleterre.

– Puis-je prendre votre serviette, monsieur ?

– Non, non, non. Je la garde, lui ai-je assuré en affermissant ma prise.

– Votre chapeau ?

– Non. Je suis bien comme ça, merci.

Il s'est éloigné. S'il avait un peu de bon sens, c'était pour aller goûter à ce qui se préparait dans la cuisine. J'ai posé mon chapeau sur le canapé, en me demandant si ce geste ne risquait pas de déclencher une alarme ou si une femme de chambre n'allait pas apparaître pour mettre de l'ordre. De nouveau, j'ai ignoré délibérément le paysage et je me suis intéressé à un dessin ridicule, encadré avec recherche, qu'une des filles Threllkyl devait avoir réalisé quand elle était petite. Personnellement, je n'avais pas l'intention d'accorder une telle importance aux gribouillages juvéniles de Vincent ; mais j'étais sûr qu'Ida se préparerait bientôt à couler ses petits chaussons dans le bronze, comme ça se faisait dans la haute. Et pourquoi pas les bronzes qu'il coulait ?

– Vous avez tout de suite repéré ce Miró. Je suis impressionnée.

Ce n'était pas une de ses gamines, apparemment. Je me suis retourné pour lui tendre la main, en exhibant toutes les quenottes à ma disposition.

Elle était royale. Impériale, même. Grande, taille mince, chevelure relevée en épaisses ondulations blanches ; traits fins dont la maturité avait arrondi les angles ; ensemble bleu du dimanche, au corsage bien rempli et agrémenté d'un triangle de dentelle blanche. Plaçant sa main dans la mienne, elle s'est présentée :

– Astrid Threllkyl. Charmée de faire votre connaissance.

– Moi de même. Billy Nichols.

– Vous vous y connaissez en art moderne, monsieur Nichols ?

À peu près autant qu'en gynécologie.

– J'ai mes opinions. Et cette œuvre est exquise.

Deux minutes chez les richards et je maniais déjà des mots comme « exquis ».

– C'est une simple lithographie, mais mon marchand de tableaux possède plusieurs originaux auxquels il aimerait que je jette un coup d'œil. Venez sur la terrasse, qu'on profite de la perspective.

J'ai humé une fragrance de lilas quand elle est passée devant moi. Une fois assis, j'ai fait un geste qui désignait… tout :

– Si seulement j'avais amené ma femme. En voyant ça, Ida serait tombée morte !

– Et ç'aurait été une bonne chose ?

Elle a précisé en souriant, les sourcils froncés :

– Que votre femme soit morte ?

– De temps en temps, c'est à se demander.

Ma remarque s'est écrasée aussi platement que Buddy Baer devant Joe Louis. Je n'avais pas mis longtemps à dégringoler du rang d'amateur d'art snobinard à celui de marchand de tapis. Ce n'est pas en parlant de la pluie et du beau temps que je risquais de faire avancer mes affaires.

Nous étions assis à une table d'acajou circulaire placée devant la longue baie vitrée. Astrid Threllkyl savait forcément que cet éclairage la flattait. Pour une fois, je pouvais dire que cette belle femme valait un million de dollars sans que ce soit une simple métaphore.

– Qu'est-ce qui vous amuse, monsieur Nichols ?

Légèrement amusée à son tour, elle m'a jeté un regard curieux, en s'appuyant contre le dossier de sa chaise. J'ai répondu stupidement :

– On voit Alcatraz, d'ici. Juste au-dessus de votre épaule.

– Oui, a-t-elle confirmé en tendant légèrement le cou.

Madame Threllkyl devait friser la soixantaine, mais le galbe de sa gorge n'en trahissait rien. Cela aussi pouvait-il s'acheter ?

– Mes filles adoraient voir tourner le faisceau, la nuit. Comment appelle-t-on cette chose ?

– Un projecteur de prison.

J'avais failli rire.

– Oui. Elles le trouvaient tout à fait magique.

– Vous leur aviez expliqué ce que c'était ?

Elle m'a jeté un regard de dédain simulé :

– Pour détruire leurs contes de fées ? Non. Nous parlions de « l'Île enchantée ».

J'ai posé la vache à mes pieds. Comme mon hôtesse ne m'avait pas encore demandé ce que je lui voulais, je supposais que Manny l'avait mise au parfum. Avant que je puisse en venir au fait, elle a pris une clochette sur la table et l'a agitée.

– Voudriez-vous du thé ou du café, monsieur Nichols ? Nous avons aussi des pâtisseries qui sortent du four, comme presque tous les dimanches.

– Votre mari et vous ?

Maladroite, la transition – et instantanément regrettée. Pendant que le domestique s'affairait, madame Threllkyl a observé la Baie :

– Vous savez que mon époux est décédé.

Je n'avais jamais entendu de voix plus monocorde.

– C'est vrai. Je suis navré.

Quelque chose venait de se modifier dans son comportement, et cette soudaine froideur était franchement quelque peu intimidante.

– Toutes mes condoléances, ai-je ajouté.

Silence. Et reprise du numéro d'hôtesse modèle dès l'arrivée du majordome :

– Nous allons prendre du thé, Raymond – sauf si monsieur Nichols préférait du café –, et goûter aux pâtisseries de Winnie.

Elle s'est tournée vers moi :

– Beurre et confitures ?

Raymond m'a jeté un regard aussi aimable et accommodant qu'il était possible. Je me suis demandé combien de temps il lui avait fallu pour maîtriser ce rôle.

– Un thé fera l'affaire.

J'ai souri. Dieu sait pourquoi, vu mon horreur du thé.

– Tout de suite, madame. Monsieur.

Ces derniers temps, Ida avait fait allusion à une bonne. Elle prétendait ne plus s'en sortir avec les travaux ménagers depuis l'arrivée du bébé, tout ça. Mais un *majordome*... Mon père serait sorti de sa tombe pour me trancher la gorge.

– Eh bien... Je suppose que vous avez accepté de me recevoir parce que Manny a mis un peu d'huile dans les rou... euh... expliqué que j'avais besoin de parler affaires avec vous.

– C'est exact.

Astrid a hoché la tête et s'est crue obligée d'ajouter :

– Le Juif.

– Il dit avoir été en relation d'affaires avec votre époux.

– Ma famille fréquentait les Winokur. Avez-vous rencontré Peggy ? C'est ainsi que nous avons fait la connaissance d'Emmanuel Gold. Il paraît qu'ils sont très heureux. Cela va faire quoi, maintenant ? Dix ans ?

Elle ouvrait de grands yeux. L'idée que Manny et Peggy aient pu rester ensemble pendant dix minutes, à plus forte raison dix ans, paraissait l'étonner.

– Les choses, je le crains, ne se sont pas passées exactement comme l'avait imaginé Catherine.

J'allais demander «Qui est Catherine ?». M'apercevant que je m'en fichais éperdument, j'ai rectifié le tir :

– Je ne suis pas certain de vous comprendre.

– Vous savez...

Madame Threllkyl a baissé les cils. J'ai traduit :

– Le fait d'avoir épousé un Juif.

La même expression réprobatrice. L'air de s'apprêter à appeler Raymond pour qu'il nettoie, avec une savonnette de luxe, la bouche qui venait de proférer une telle grossièreté dans cet intérieur immaculé.

– Votre mari n'avait aucun scrupule à faire des affaires avec Manny Gold.

Elle a soulevé les sourcils et tourné ses paumes vers le plafond. Une fraction de seconde, j'ai cru qu'elle allait admettre : «Pour gagner de l'argent, ils sont forts.» Mais elle a tenu sa langue.

– Madame Threllkyl, autant régler cette question tout de suite. Je ne dispose pas de beaucoup de temps, et j'aimerais qu'on profite un peu de cette vue splendide, et de cette collation. J'ai en ma possession le contrat original de la fondation du mont Davidson. Tous les documents,...

Je lui ai jeté un coup d'œil éloquent avant d'ajouter :

– ... Avenants compris. J'ai pensé que votre famille pourrait avoir envie de récupérer ce dossier.

Manifestant un profond manque d'intérêt, elle a tourné son regard dédaigneux vers la serviette avant de répondre :

– Merci. Je demanderai à notre avocat de se pencher sur cette question.

– Vous parlez de votre frère ? Il gère encore les affaires de la famille, maintenant qu'il est substitut du procureur ?

– Vous connaissez Bill ?

– On s'est rencontrés. Je ne dirais pas que nous sommes vraiment amis.

Son intérêt était éveillé. Un peu de couleur est apparu sur ses joues et sous ce corsage orné de dentelle.

À cet instant, quatre pieds qui trottinaient le long du couloir ont pénétré dans la pièce. Ils étaient attachés à deux paires de jambes d'albâtre disparaissant sous de courtes robes identiques, en soie rose. Les jumelles aussi, des rouquines, étaient identiques. Elles se sont figées en découvrant que leur mère avait un invité.

– Approchez-vous, mesdemoiselles, et présentez-vous.

Madame Threllkyl semblait ravie de cette diversion.

– Ricky nous a invitées à venir nager chez lui... a expliqué l'une des frangines.

Pour dissimuler le costume de bain qu'elle portait au-dessous, elle a ajusté son fourreau de soie. Un nom y était inscrit en lettres écarlates : «Devin». D'une voix impossible à distinguer de la sienne, sa sœur a complété :

– ... Il pourrait se passer des mois avant qu'on ait une autre journée aussi belle.

Sa robe la nommait «Dulcie». J'ai mis quelques secondes à me lever, le temps de digérer cette révélation : il existait des piscines privées à San Francisco.

– Mes filles, Devin et Dulcie. Les enfants, monsieur Billy Nichols.

Elles m'ont décoché un double sourire à cent mille volts. Je me suis dit que la famille ferait bien de s'assurer en prévision de tous les cœurs que ces deux-là allaient briser.

– Monsieur Nichols travaille pour l'*Inquirer*. Il est journaliste sportif.

Comme quoi elle avait pris ses informations.

– Vous devez connaître monsieur Hearst, alors ! s'est exclamée l'une des jumelles.

Jouant le jeu, j'ai répliqué du tac au tac :

– Oh, ouais. En fait, je lui ai sauvé la vie, un jour.

– Sauvé la vie ?

La curiosité de Dulcie n'était pas feinte.

– Mais comment ? a insisté sa frangine avec un petit rire. Dites-nous.

– Ça fait un bail, ai-je répondu, surpris de leur intérêt. Je devais avoir votre âge.

Les filles ont échangé des regards perplexes. Quelque chose ne collait pas, il y avait un os dans mes calculs. Leur mère m'a affranchi :

– Elles croient que vous parlez de *Randy* Hearst. C'est un ami de la famille.

Hearst, Randy, fils du précédent. Et rédacteur en chef honoraire de mon journal – par conséquent, mon employeur. Le pote d'Astrid. Pas évident de les épater, maintenant.

Mains gracieusement jointes, menton levé, sourire presque imperceptible, lueur de supériorité dans le regard – Astrid Threllkyl n'avait pas besoin de mots pour me signifier la profondeur du gouffre social qui béait entre nous.

291

– Au printemps prochain, mes filles quitteront leur lycée privé, bachot en poche. Et je suis heureuse de proclamer que toutes nos meilleures universités leur ont déroulé le tapis rouge. Les jumelles sont vraiment tout à fait remarquables, monsieur Nichols. Elles ont les mêmes notes à tous leurs examens, presque sans exception.

– Vous m'en direz tant.

– On est partagées entre Radcliffe et Stanford, a déclaré Devin ou Dulcie. Laquelle des deux recommanderiez-vous ?

– Je ne sais pas, ai-je marmonné.

Je me demandais combien de gens auraient eu les moyens d'inscrire simultanément deux enfants dans des universités aussi huppées. Ginny Wagner, le double de leur âge, ne pouvait même pas payer son loyer. Ces filles avaient un avenir garanti et tout tracé ; leur famille aplanirait le moindre obstacle au moyen d'un rouleau compresseur de dollars.

Réflexions qui ont ramené mon attention vers la serviette. Astrid, cependant, n'était pas encore prête :

– Devin, parmi bien d'autres choses, est une pianiste accomplie. Ma chérie, veux-tu jouer pour monsieur Nichols ce morceau de Chopin que tu as travaillé ?

Avec grâce, la jeune fille s'est approchée consciencieusement de l'instrument qui trônait dans l'angle sud-ouest de la pièce. Elle s'est assise, et une musique splendide a retenti. Ne pouvant voir ses mains, j'ai soupçonné un truc. Elle avait pu allumer un magnétophone planqué sous son tabouret. Il paraissait invraisemblable qu'une adolescente puisse jouer aussi bien. J'ai fermé les yeux. Astrid a dû se dire que je me pâmais, que j'étais séduit par ce récital comme par son Miró. En fait, j'avais l'esprit de contradiction ailleurs : j'essayais de me rappeler les visages des deux filles qui avaient attendu devant la clinique illégale de madame Califro, en me demandant ce que leur réservaient les années à venir.

Lorsque j'ai rouvert les yeux, j'ai cru avoir été transporté dans un rêve. Dulcie dansait un ballet. Je suppose qu'elle avait l'habitude de se donner en spectacle à la première occasion, sans que personne ne lui demande rien, et de voir les gens tout laisser tomber pour rendre hommage à la jeune prodige. Le majordome est revenu avec le service à thé.

– Les demoiselles se joindront-elles à vous ? a demandé doucement Raymond à leur mère.

Il a soigneusement disposé les accessoires, sans faire le moindre bruit importun. Astrid a secoué la tête et l'a congédié d'un geste de la main.

Le monde dans lequel je venais de m'égarer était aussi confortable qu'un eczéma généralisé. Un coup d'œil à ma montre – bientôt quarante minutes que j'étais parti. Si j'avais le malheur de n'être pas revenu au bout d'une heure pétante, Ida allait me faire une gueule de raie.

J'observais le duo surdoué et j'imaginais des parents de boxeurs amateurs en train de regarder leurs fils s'entraîner dans la salle de séjour. Ce qui m'a fait repenser aux bagarreurs malchanceux que j'avais connus depuis mon enfance, à commencer par mon propre père. La vie ne lui avait jamais fait de cadeaux, et la plupart des gars qui tournaient sur le circuit de la boxe en étaient encore à tirer le diable par la queue.

Astrid avait dû me voir consulter ma montre ; elle a claqué dans ses mains pour mettre fin au spectacle. En dansant, Dulcie avait failli perdre sa robe, qui pendait sur le côté.

– Les enfants, filez chez Ricky avant qu'il ne fasse trop froid. Dites au revoir à monsieur Nichols.

Devin et Dulcie m'ont tendu leurs mains soignées, pour un léger contact d'adieu.

– Princeton, ai-je suggéré. Ce serait une jolie façon de rendre hommage à votre père.

Suggestion accueillie par deux expressions ébahies et, naturellement, identiques.

– C'est bien l'université où il a fait ses études ? Ce serait approprié, non, puisqu'il n'est plus là pour apprécier vos succès ?

– Oui, est convenue Astrid en se levant. Dommage qu'on n'y accepte pas les filles.

293

Leur mère a guidé les jumelles vers la sortie sans me laisser le temps de les interroger sur leur vieux. Quand elles ont été parties, madame Threllkyl m'a grondé :

– Elles étaient très proches de leur père – elles ont eu du mal à accepter sa disparition.

– Leur chagrin m'a frappé.

– Vous n'aviez pas mentionné un rendez-vous urgent ?

– On n'a pas fini notre thé. Ni ce délicieux… gâteau.

– Je ne voudrais pas me montrer impolie, monsieur Nichols, mais je crois que vous feriez mieux de prendre congé. Merci d'avoir apporté ces documents.

– Vous n'avez peut-être pas bien saisi, madame Threllkyl. Je ne suis pas venu les rendre.

– Pourquoi êtes-vous venu, alors ?

– Certains actionnaires craignent que les actifs de la fondation ne soient pas valides. En fait, certains actionnaires ont qualifié la fondation de « pure arnaque ».

– Balivernes.

– C'est à votre frère qu'il faut le dire, je l'ai cité mot pour mot. Pourquoi pensez-vous qu'il ait fait cette remarque ?

– Je n'en ai pas la moindre idée. Que désirez-vous, monsieur Nichols ?

– Je représente une partie persuadée que la famille souhaite remettre la main sur les documents. Au point d'offrir une récompense en échange.

– Je ne vous suis plus. Mon mari possédait certainement des doubles. Qu'est-ce que ces documents ont donc de si spécial ?

Elle bluffait, histoire de tester ma réaction. Si son frangin envoyait Burney Sanders en taule, c'était pour l'écarter de cette astucieuse combine, sur laquelle Astrid elle-même en savait sans doute plus que n'importe qui. J'ai décidé de la prendre au mot :

– Vous avez sans doute raison. Désolé de vous avoir fait perdre votre temps.

Prêt à partir, j'ai pris la vache et je suis allé chercher mon chapeau sur le canapé où je l'avais posé.

– Si je voyais ces documents, j'y verrais peut-être un peu plus clair.

Je me suis rassis en serrant la serviette sur mes genoux.

– Je crains de ne pouvoir m'en dessaisir qu'en échange d'une certaine somme.

– Et pourquoi quiconque serait-il prêt à vous verser une telle somme ?

– Pour éviter de se retrouver dans une situation désagréable. Les jumelles savent-elles que leur père est – ou *était* – un criminel ? Que tout ceci a été payé avec de l'argent volé à des investisseurs naïfs ? Que le fric qui va financer leurs études provient des poches de braves gens abusés et dévalisés ?

Madame Threllkyl s'est contentée de sourire :

– Vous déraisonnez complètement. Je vais demander à Raymond de vous raccompagner.

– Personne n'est encore venu poser de questions sur la différence entre l'âge porté sur l'acte de décès de votre mari et celui qu'indique sa nécrologie ?

– Suis-je censée comprendre quelque chose à ce que vous racontez ?

– J'ai glissé une copie du certificat de décès, avec la nécro, dans une enveloppe adressée à l'un de mes associés. Le commissaire Francis O'Connor, de la brigade des homicides. Je lui suggère d'essayer de localiser Claude Threllkyl, votre beau-père. Je doute qu'il y parvienne. Des témoins pourront certifier que Claude vivait ici, et que son âge correspondait bien mieux que celui de Dexter à l'âge de l'homme désigné dans cet acte de décès.

– Vous aviez l'air d'un individu relativement équilibré quand vous êtes arrivé ici, monsieur Nichols. Mais je commence à avoir de sérieux doutes sur votre santé mentale.

– Agitez votre sonnette. Si le vieux Claude se pointe, je vous ferai mes excuses à genoux.

– Il est vraiment temps que vous partiez.

– Votre mari n'est pas mort, n'est-ce pas ?

Elle s'est mise à ricaner, réaction qui m'a paru fort étonnante de la part d'une veuve éplorée.

– Vous ne craignez pas de vous être éloigné de votre domaine de compétence, monsieur Nichols ? Ne devriez-vous pas vous inquiéter plutôt des matches de boxe de cette semaine ?

– Écoutez, madame Threllkyl, voilà le topo. L'ami que je représente a eu beaucoup d'ennuis à cause de cette affaire du mont Davidson, et une petite compensation ne serait pas de trop. Seulement, mon père m'a averti un jour que les gens les plus riches sont aussi les plus radins, et je n'étais pas sûr que vous verriez les choses du même œil que moi. C'est pourquoi j'ai mis cet acte de décès et cette nécro dans une enveloppe destinée à O'Connor. Peut-être que je fais fausse route, comme vous dites. Mais croyez-moi, O'Connor peut se révéler un vrai bouledogue quand il a déterré un truc qui pue. J'espérais simplement qu'on puisse éviter ce genre de désordre.

– Vous n'êtes pas un reporter. Vous êtes un petit malfrat. Un maître chanteur. Randy ne sera pas content de l'apprendre.

Sa main s'est tendue vers la clochette.

– Je ne suis pas venu ici pour me faire insulter, madame Threllkyl. Laissez Raymond tranquille, je peux retrouver mon chemin.

J'ai pris ma vache et coiffé mon chapeau avant de repartir tranquillement vers le vestibule. Elle a lancé en direction de mon postérieur qui s'éloignait :

– Nous pouvons peut-être régler cette question amicalement, monsieur Nichols. Est-ce que mille dollars satisferaient ce prétendu associé ?

J'ai ri, avec un naturel qui m'a étonné moi-même, et je suis revenu m'asseoir à la table d'Astrid. Dommage que je n'aie pu retenir cet accès d'hilarité assez longtemps pour qu'elle le prenne en pleine figure.

– Mille dollars ? Qu'est-ce que c'est que ça ? Une cacahuète que vous balancez à un péquenaud ? Cette fondation a plus de deux millions dollars d'actifs, vous ne l'ignorez pas. Et je sais que c'est du sérieux, au moins en partie – malgré les sociétés écrans utilisées par votre mari pour endormir ses créanciers. Et malgré tous les efforts de votre frère pour déguiser la vérité. Mais Burney Sanders, ce petit arnaqueur pouilleux, s'est montré plus malin que votre cher disparu, et il s'est débrouillé pour qu'une partie du pognon lui revienne. Ça vous ferait mal de le perdre, non ? Des Miró, ça ne doit pas être donné. Alors, ne m'insultez pas avec un pourboire.

Je n'avais encore jamais vu de sorcière. En tout cas, aussi riche et aussi belle.

– Dix mille, a-t-elle proposé.

Avec dix mille dollars, Ginny aurait quasiment de quoi se payer un havre de paix, bien loin de toutes ces conneries. Dans les lèvres pincées et les yeux glacials d'Astrid Threllkyl, j'ai reconnu l'arrogance de ceux qui croient que la naissance leur donne tous les droits. Elle s'attendait à me voir prendre cette gratification et la boucler ; ils croyaient pouvoir tout se permettre, elle et son frangin, et peut-être même son « défunt » mari.

Une attitude écœurante mais cohérente. Et infiniment moins dérangeante que le récital improvisé auquel je venais d'être soumis. C'est ce détail qui m'a décidé. Si madame Threllkyl ne m'avait pas jeté la perfection de ses filles à la figure, je lui aurais peut-être fichu la paix. Mais là, rien à faire – mon côté irlandais, sans doute. Je lui ai servi un sourire de ma façon, bien glacé :

– J'ai changé d'avis, je vais garder ces documents. Voir qui d'autre ça pourrait intéresser.

En me retournant, j'ai vu Raymond entrer dans la pièce.

– Raymond, monsieur Nichols tente de s'esquiver avec un bien qui m'appartient.

Ce négro cravaté de noir s'apprêtait vraiment à porter la main sur moi. La première fouille au corps de ma vie, et par un nègre en smoking. Je ne savais pas si je devais me sentir honoré ou insulté.

– La serviette, lui a-t-elle ordonné.

Raymond s'attendait à prendre un pain, au lieu de quoi je lui ai tendu calmement l'objet, sans faire d'histoires. Il m'a jeté des regards menaçants tandis que ses grandes mains gantées de blanc exploraient le contenu de la vache, puis en extrayaient plusieurs épais volumes.

– Des livres, madame. C'est ce que vous souhaitiez récupérer ?

– Laissez-moi jeter un coup d'œil.

– *L'Intrus dans la poussière* était destiné à une amie, ai-je expliqué, mais si vous y tenez, je vous le laisse. Le reste, ce sont les *Annales du ring* des années 41 à 43. Je n'en ai plus besoin. Donnez-les à Devin et Dulcie, ça leur ouvrira des perspectives.

– Vous n'avez pas les papiers, a-t-elle lâché avec un soupir.

Elle a repoussé Raymond d'un geste, en manquant de faire tomber les bouquins qu'il tenait à la main.

– Bien sûr que si, je les ai. Quelque part, sous clef. Vous pensiez que j'allais venir ici et vous les remettre, passez muscade ? Vous me prenez pour un abruti ?

Sa voix, sereine et musicale quelques instants auparavant, a martelé les syllabes comme si elle enfonçait des clous au moyen d'une putain de masse :

– Oui. Un a-bru-ti.

CHAPITRE 28

Le lendemain, comme à la parade, je me pointais chez le substitut du procureur. Son bureau m'a fait un tout autre effet que lors de ma première visite. C'étaient les mêmes locaux étriqués, les mêmes équipements administratifs ; mais murs et boiseries luisaient, cette fois, réchauffés par le soleil ruisselant à travers les stores ouverts. J'aurais pu compter les grains de poussière en suspension autour du fauteuil vide de Corey.

Ça faisait un quart d'heure que la réceptionniste avait décampé, sans m'avoir offert ni encouragements, ni rafraîchissements. Comparé à sa sœur, Corey était un hôte lamentable. Astrid lui avait sûrement fourni tous les détails sur notre charmant thé panoramique de la veille. Pourquoi, sinon, avoir dégagé aussi vite un créneau dans son emploi du temps ?

Les minutes s'écoulaient lentement. Des pigeons roucoulaient sur les rebords de fenêtres ; le système de ventilation asthmatique crachotait ; les particules de poussière se déposaient sur les surfaces. Ostensiblement dressé sur son support de marbre, le stylo à encre de Corey projetait une ombre qui, en s'allongeant, mesurait le temps que je perdais. Je n'étais pas novice à ce jeu de patience. Les boxeurs en sont presque les inventeurs. En général, le tenant du titre laisse son adversaire monter le premier sur le ring, après quoi il le fait poireauter. L'autre va se mettre à gamberger, se crisper jusqu'à l'exaspération. Fanfare... Le roi fait son entrée sous un tonnerre d'acclamations, et le challenger est censé être vaincu par la frousse avant même le premier coup de gong.

J'ai déplié mon édition du matin de l'*Inquirer* et relu l'article. Jake Ehrlich acceptait d'assurer la défense de Burney Sanders, trois jours seulement avant le début du procès. Préoccupante perspective, pour Corey plus que pour moi-même ; du moins, c'est ce que je me répétais. Appliquant l'une des lois les plus cruelles du sport dont j'étais spécialiste, j'avais conclu à la nécessité d'écrabouiller Corey aussi rapidement que possible, pendant qu'il était dans les cordes et vulnérable.

Trente minutes après l'heure convenue, Corey s'est rué dans le bureau en faisant voleter les pans de son manteau, suivi de deux subordonnés. L'un a vomi des commentaires incompréhensibles sur telle et telle affaire, avant de s'éclipser ; l'autre est venu se placer derrière moi, comme ces types qui, lorsqu'une querelle de bar tourne mal, s'apprêtent à placer un coup en traître.

Le substitut du procureur s'est laissé tomber sur son fauteuil. Sans s'encombrer de civilités, il a entrepris d'inventorier les pape-rasses alignées sur son bureau :

– Mon programme de travail est devenu ingérable. J'espère que ce qui vous amène ne prendra pas longtemps.

J'ai pivoté sur mon siège pour jeter un coup d'œil à la force de dissuasion massée contre le mur, dans mon dos. Un malabar ramolli, avec une panse débordant de la ceinture et les chaussures confor-tables, à semelle épaisse, d'un coursier professionnel.

– On n'a pas été présentés, lui ai-je fait observer.

Aucune réaction. Le type s'est contenté de plonger les mains dans ses poches, en se dandinant pour déplacer son énorme poids de l'un à l'autre de ses énormes pieds.

– Voici Frank Moran, est intervenu Corey. Vous pouvez en venir au fait, il va assister à cet entretien.

Moran avait une expression fière et loyale, mais légèrement débile. J'avais l'impression d'avoir déjà vu son visage. Peut-être aux actualités, en chemise brune et brassard noir.

– Vous répondez de lui ?

– Monsieur Moran est mon assistant.

De son crayon, le substitut tapotait un rythme à quatre temps sur une chemise de classement. Il a ajouté :

– Il est au courant de tout ce qui se passe dans ce bureau.

– Si vous le dites. Il sait donc, notamment, que vous envoyez Burney Sanders au trou pour étouffer la vérité sur l'arnaque manigancée par votre beau-frère.

Corey a pincé les lèvres et ralenti son solo de crayon :

– Qu'espérez-vous au juste de ce stratagème inconsidéré ?

– C'est *elle* qui a dit ça, non ? Astrid. À propos de ma visite d'hier. La formule lui correspond mieux qu'à vous.

– Vous voulez montrer à quel point vous êtes malin, monsieur Nichols, c'est cela ? Vous ne réussissez qu'à prouver le contraire. Au fait, si vous recommencez à ennuyer ma sœur, je vous ferai arrêter.

– Ne vous inquiétez pas, je crois qu'on a épuisé notre potentiel de conversation, elle et moi. Pour revenir à votre question initiale, je n'ai strictement rien à gagner. J'aimerais que les gens qui ont investi leurs économies dans ces sociétés bidon récupèrent leur fric. Ça ne devrait pas être tellement compliqué. Conseillez à votre frangine de dissoudre la fondation et de rembourser les actionnaires.

– Il y a un instant, vous vous êtes permis une allégation très grave sur l'intégrité de ce bureau. Elle est non seulement dénuée de fondement, mais diffamatoire. J'ignore où vous voulez en venir, Nichols – et, franchement, cela ne m'intéresse guère. Ne comptez pas sur moi pour donner un vernis de respectabilité à cette comédie, en admettant que j'aie la moindre idée de ce dont vous parlez…

– Ben, voyons. Vous avez accepté ce rendez-vous afin de pouvoir me dire en personne à quel point vous appréciez ma couverture des Gants d'Or dans le journal.

– … Mais je suis prêt à vous accorder une ultime chance de ressortir libre. Retournez gribouiller vos articles sur ces boxeurs démolis et leurs oreilles en chou-fleur. Suivez mon conseil, allez-vous-en d'ici et continuez à jouer les grosses légumes dans vos petits cercles sportifs. Ne vous hasardez pas hors de votre misérable territoire. Ai-je été suffisamment clair ?

Toi, tu restes là comme un bon petit gars. Bien des années plus tôt, c'est ce que m'avait ordonné l'homme de main qui venait

301

d'assassiner mon père, avant d'abandonner son corps meurtri dans une ruelle.

– Très bien, je vous laisse. Pour aller remettre ces documents de la fondation au rédacteur en chef d'un journal de la ville. L'enquête qu'il va lancer fera voler le procès Sanders en éclats. Sans parler de ce qui se produira quand Jake Ehrlich va se mettre sur le coup. Il pourrait y avoir une ou deux vagues dans le bureau du procureur. En découvrant ces conflits d'intérêts tous azimuts, monsieur Brown n'aura rien de plus pressé que de se débarrasser de son substitut.

– Vos employeurs actuels ne vont pas manifester beaucoup de curiosité. Ce n'est qu'une intuition, mais vous pouvez parier dessus.

– Qui vous parle de l'*Inquirer* ? Astrid a-t-elle également des amis bien placés au *Chronicle* ? Au *News* ? Au *Call-Bulletin* ?

Corey s'est levé et a jeté un coup d'œil au gorille planté derrière moi. Sans hâte, il a promené son regard sur la rue, derrière la fenêtre. Quand il a tapé contre la vitre, des pigeons se sont envolés. Revenu s'asseoir derrière son bureau, il a édifié une petite tente de doigts sur le sous-main.

– Vous êtes vraiment trop stupide pour laisser tomber, hein ?

– Dites-lui de rendre le fric. Liquidez tout, avant qu'Ehrlich vous dérouille et que Sanders, lui, récupère sa part.

– Vous croyez que j'ai peur de Jake Ehrlich ?

– Vous devriez. Si vous avez un peu de bon sens.

Il a actionné la manette de l'interphone.

– Faites-le entrer. La sténo aussi.

Moran a pris un fauteuil placé contre le mur du fond et l'a approché du mien. Corey a retiré sa veste ; après l'avoir suspendue à un cintre, il a tendu vivement les bras pour remettre en place ses poignets de chemise, puis s'est assis sur son trône de cuir craquelé, crissant.

Une femme d'âge mûr, vêtue d'une robe sans élégance et d'un pull-over informe, a franchi la porte. Elle poussait devant elle un de ces nouveaux appareils plus rapides qu'une sténographe, une perforeuse. J'en avais déjà aperçu au tribunal, un jour où j'étais allé écouter Ehrlich plaider et me demandais comment la fille arrivait à le suivre.

Triturant nerveusement son feutre entre ses doigts boudinés, Manny Gold a pénétré dans le bureau. Moran lui a désigné le siège voisin du mien et Manny est venu le remplir.

– Merde, qu'est-ce que tu fous ici ? lui ai-je demandé.

Il a fait la sourde oreille et regardé droit devant lui.

– Très bien, a déclaré Corey.

On aurait dit qu'il ouvrait une séance du tribunal. Il a adressé un hochement de tête à la secrétaire :

– Voici la déposition d'Emmanuel Gold. Nous sommes le lundi 29 novembre 1948, dans le bureau du substitut du procureur de San Francisco, William Corey…

J'ai braillé :

– Qu'est-ce qui se passe, nom de Dieu ? Manny, à quoi ça rime ?

– Sont présents Frank Moran et… Doit-on mettre le diminutif « Billy » dans la transcription, ou est-ce légalement William ? Et quel est votre nom officiel, Nichols ou bien l'original, Nicholovich ?

Corey a levé les yeux de ses notes. On ne lui avait pas fourni les menus détails.

– Qu'est-ce que c'est que cette mise en scène ? ai-je protesté.

J'ai envoyé une bourrade dans le bras de Manny et je me suis penché pour lui chuchoter :

– Il mijote quoi, ce gugusse ?

Manny n'a pas bronché. Le substitut a repris son baratin juridique :

– Annulez ces deux dernières questions. Sont présents Frank Moran, William Nicholovich, également connu sous le nom de Billy Nichols, ainsi que William Corey et un greffier agréé.

Il a jeté à Gold le genre de regard qu'un manager adresse à son poulain avant le coup de gong – encourageant et implorant. L'intéressé en avait besoin. Il était aussi hagard qu'on peut l'être en pesant cent trente-cinq kilos.

– Monsieur Gold, jurez-vous devant Dieu que vous allez témoigner au nom de la vérité, rien que la vérité, toute la vérité ?

– Je le jure.

– Venez-vous ici aujourd'hui de votre plein gré, et non sous la contrainte ?

– Oui.

– Veuillez indiquer vos nom et adresse pour l'enregistrement de votre déposition.

– Emmanuel Benjamin Gold, 2212 San Jacinto Way, San Francisco, Californie.

– Veuillez nous dire où vous vous trouviez le soir du 3 novembre 1948. C'était un mercredi, si cela peut vous rafraîchir la mémoire.

– J'étais au centre-ville. Le centre-ville de San Francisco.

– Vous trouviez-vous ce soir-là à proximité de la 3e Rue et de la rue Howard ?

– Ouais. Je suis passé en auto dans le coin, vers vingt-trois heures quinze.

– Vous faites spécifiquement référence à l'angle de la 3e Rue et de la rue Howard ?

– Oui. Après avoir récupéré ma voiture sur Sutter Street, j'avais obliqué vers Montgomery Street. J'ai oublié de tourner dans Mission Street, alors j'ai pris Howard Street pour rentrer chez moi.

– Vous rouliez vers l'ouest dans la rue Howard, n'est-ce pas ?

– Ben, ouais, elle est à sens unique. C'est la seule direction possible.

– Veuillez vous contenter de répondre aux questions.

La figure de Manny était marbrée de rouge et baignée de sueur ; ses lèvres tremblaient. Je ne comprenais pas pourquoi Corey me faisait assister à cet interrogatoire.

– Ce soir-là, lorsque vous avez traversé l'intersection de la 3e Rue et de la rue Howard, vers vingt-trois heures trente, avez-vous été témoin d'un accident d'automobile ?

Il m'a semblé voir une larme perler au coin de l'œil de Manny. Ses mains épaisses, aux phalanges blanchies, broyaient les bras de son fauteuil. C'était une chose de lui avoir fait subir la séance de l'autre jour – on était amis, on avait une histoire commune ; mais ça, dans ce bureau, c'était moche. Pour me distraire, j'observais les doigts agiles de la sténographe.

– Veuillez répondre à la question, monsieur Gold.

– Non.

– Non quoi ?

– Non, je n'ai été témoin d'aucun accident.

Incrédule, j'ai tourné les yeux vers mon voisin. À part ses lèvres toujours tremblantes, cette larme roulant sur sa joue était la seule partie de Manny qui bougeait encore.

– Pourtant, dans une déposition recueillie par les avocats de la Major Liquor Company…

Corey a brassé un peu de paperasse pour soigner son image professionnelle.

– … Déposition datée du vendredi 12 novembre, vous avez dit avoir vu un camion de cette société rouler vers le nord sur la 3e Rue, brûler un stop et percuter une voiture particulière qui venait de tourner de la rue Howard dans la 3e. N'est-ce pas là ce que vous avez déclaré en cette occasion ?

– Oui, je l'avais déclaré.

C'est quoi, ces salades ? Manny était censé avoir affirmé *le contraire* aux avocats.

– Mais vous nous informez à présent que votre déposition antérieure n'était pas véridique ?

– Non. Enfin, oui. En effet, elle n'était pas véridique.

– Alors, quelle est la vérité, monsieur Gold ?

– On m'avait demandé de le dire. Ce que j'ai dit la première fois.

– Qui vous l'avait demandé ?

– Billy Nichols.

– Le journaliste sportif ? Également connu sous le nom de William Nicholovich, ici présent aujourd'hui ?

J'ai repoussé mon siège pour me lever d'un bond, en gueulant :

– Quelles conneries !

Les joues charnues de Gold étaient brillantes de larmes. Je me suis dressé au-dessus de lui et j'ai braqué un regard furieux sur son visage frissonnant :

– Qu'est-ce que ça veut dire, Manny ? Hein ?

Je l'ai cogné. De toutes mes forces, je le jure, j'ai balancé à Manny un direct du gauche dans la poitrine. Il a aspiré de l'air et fait une grimace – pas exactement le résultat que j'avais envisagé, à savoir les spasmes d'une mort par étouffement. Moran m'a aussitôt maîtrisé. Du coin de l'œil, j'ai vu Corey lui faire signe de me lâcher.

– Qu'il soit noté dans le procès-verbal que monsieur Nichols a infligé des coups et blessures à monsieur Gold, cette agression physique ayant été précédée d'injures. Monsieur Nichols, vous y regarderez peut-être désormais à deux fois avant d'ouvrir la bouche en l'absence d'un avocat au cours de cette déposition.

– *Allez-vous faire foutre !* ai-je claironné pour la postérité.

– Retournez vous asseoir, monsieur Nichols. Faute de quoi, monsieur Moran vous escortera jusqu'au rez-de-chaussée, où vous serez inculpé d'agression contre ce témoin. Maintenant, monsieur Gold… Monsieur Nichols vous a-t-il indiqué pourquoi il vous demandait de faire un faux serment à propos de cet incident ?

Manny a commencé à pleurnicher. Il n'arrivait plus à se maîtriser, le con. Ç'avait beau être un salopard et un fourbe, c'était pénible de voir un homme de sa corpulence chialer à s'en faire gicler les yeux des orbites.

– Billy – monsieur Nichols – a parlé de vouloir aider un ami à obtenir une grosse somme de la Major Liquor Company, à titre de dédommagement. Il toucherait sa part s'il trouvait un témoin oculaire confirmant la version de son copain.

Je me suis tourné vivement vers la sténographe, qui a pris un air terrifié.

– Gold pleure toutes les larmes de son corps pendant qu'il ment comme un arracheur de dents. N'omettez pas de le noter !

Elle s'est tournée vers Corey. Il a écarté ma suggestion d'un geste et commenté, sans se donner la peine de déguiser son petit sourire satisfait :

– Il est fréquent qu'un témoin perde son calme pendant une déposition. Cela peut avoir des vertus thérapeutiques.

– Ils sont descendus chez toi hier soir, Manny ? Qu'est-ce qu'ils t'ont raconté ? Qu'ils allaient geler tes comptes bancaires ? Offrir le gîte et le couvert à Peggy aux frais de l'État ? Qu'est-ce que ces ordures t'ont fait miroiter ?

– Je vous ai averti de ne plus vous compromettre, monsieur Nichols. Monsieur Gold, ne tenez pas compte de ses remarques. Lorsqu'il vous a suggéré de mentir au sujet de l'accident, monsieur Nichols a-t-il ajouté autre chose ?

– Il a promis de me réserver ma part du gâteau. Dans le cadre de l'accord passé avec ce type accidenté.

– Joli travail, *mishpocha*, ai-je lancé avec mépris à mon ex-ami. Tu aurais été le premier à faire la queue pour lécher les bottes de la gestapo.

Manny s'est redressé péniblement :

– *Tu n'as pas le droit de me dire ça !*

Moran est venu s'interposer entre nous.

– Frank, escortez monsieur Gold dehors, afin qu'il puisse retrouver sa sérénité. Voyez s'il souhaite engager des poursuites pour coups et blessures.

Empoignant par les bras le fauteuil que Manny venait de libérer, j'ai envisagé de le briser sur son dos d'hippopotame tandis qu'il s'éloignait d'un pas traînant. Je lui ai crié :

– Tu n'as plus rien, Manny ! Tu as vendu les dernières bribes de ton âme. Daniel va pouvoir être vraiment fier de son vieux en grandissant.

– Asseyez-vous et bouclez-la, m'a ordonné Corey.

Le travail de la sténographe était achevé et elle s'est éclipsée en poussant son matériel. Corey et moi nous retrouvions en tête à tête, mais je ne me suis pas assis. Je restais là sans rien faire – à part flageoler.

– Vous allez restituer immédiatement tous les documents en votre possession qui se rapportent à la fondation du mont

Davidson, m'a ordonné le commandant Corey. Faute de quoi, la déposition de monsieur Gold sera versée au dossier de l'affaire Anthony Bernal contre Virgil Dardi et la Major Liquor Company, et nous verrons alors qui risque de perdre son emploi. Monsieur Moran va vous conduire à l'endroit où vous avez mis ces documents «sous clef». Nous allons régler cette question avec la plus grande célérité possible, de manière à ce que je puisse reprendre mon activité normale. Celle-ci consiste à poursuivre les criminels et non à réprimander les reporters imbus de leur personne. À présent, sortez de mon bureau.

CHAPITRE 29

S'il y a un lubrifiant qui, dans ma carrière, a huilé beaucoup de rouages importants, c'est bien l'alcool. Après la rencontre Corbett-Fields, j'ai descendu des Ward Eight au Parente's avec le maire, à ses frais ; en avertissant Votronneur de ne pas miser sur Fields, je lui avais fait économiser un paquet d'oseille – à la suite de quoi, aussi longtemps qu'Angelo Rossi a régné sur la mairie de San Francisco, j'y ai toujours eu mes entrées téléphoniques. L'expérience m'a enseigné avec quel scotch arroser tel manager de passage, pour obtenir un entretien exclusif avec tel boxeur séjournant discrètement en ville. Au Toots Shor de New York, avant le deuxième match de leur protégé contre Joe Louis, les soigneurs de Billy Conn étaient hagards ; j'ai commandé pour chacun sa combinaison whisky-bière favorite, puis envoyé au journal mon compte rendu depuis le bord du ring, et enfin survécu à une nuit blanche en compagnie de poids lourds du journalisme local tels Dan Parker et Frank Graham. Cet article m'a valu un prix, mais j'aurais mérité la médaille des blessés de guerre pour avoir réussi à rentrer de la Grosse Pomme en train avec une gueule de bois aussi carabinée.

J'avais appris de bonne heure que, dans ce boulot, il est aussi important de tenir l'alcool que de produire à volonté des intros accrocheuses. Les boxeurs accoutument leur corps à supporter les rigueurs du ring, en trempant les mains dans l'eau de mer pour se durcir la peau ou en s'en tamponnant les narines pour tanner leurs fragiles muqueuses ; de même, je m'étais entraîné à coups de pur malt, de bourbon, de gin, entrecoupés de libations diverses et variées. En chemin, j'avais déjoué les pièges de l'alcool et réussi à esquiver ses tours les plus pendables.

Cette aptitude m'avait réussi. Elle m'avait notamment permis, après avoir vidé trop de manhattans au Dempsey's avec Jimmy Cannon, de suivre ce dernier au Stork Club jusqu'à la table 50, celle de l'écrivain et journaliste Damon Runyon – et de rester assez lucide pour *ne pas* payer de tournée. Dans les brumes de mon bourbon du Kentucky, je m'étais rappelé que Runyon, quand il réunissait sa cour en soirée à la table dite « des langues de vipères », n'autorisait que le café. Ce fut ma seule et unique rencontre avec ce seigneur de la plume. Si j'étais du genre à aimer citer des célébrités, je mentionnerais tous ceux qui se trouvaient à table ce soir-là et je rapporterais leurs propos. Walter Winchell en personne fit une apparition, et s'attarda une demi-heure.

J'étais devenu un buveur *professionnel*. Question de dosage : n'abusez pas de l'alcool et il n'abusera pas de vous. Je méprisais les abstèmes qui stigmatisaient le démon du rhum. À mes yeux, il n'y avait pas de plus sain sanctuaire qu'un bar aux étagères garnies de rutilants soldats de verre, attendant de se faire déboucher dans la pénombre pour pouvoir accomplir leur mission.

Jusqu'à ce que, ce lundi-là, je débarque au Daily Double à quatre heures de l'après-midi.

Derrière le zinc, California Joe Lynch était parfait dans son rôle : cheveux noirs gominés, mâchoire proéminente, torse musculeux sous une chemise blanche amidonnée, nœud papillon à damier, plis du pantalon aiguisés tels des rasoirs. Je suis sûr que ses sous-vêtements n'étaient jamais froissés. Il préparait des cocktails impeccables, se rappelait les visages et les noms des habitués, ne manifestait nulle propension au vol et n'hésitait pas à mettre une mandale au premier qui ne se tenait pas à carreau. Dans les années 30, il avait appartenu à l'élite des poids coqs. Par ailleurs, il faisait également l'artiste en dehors du ring : féru de peinture à l'huile, Joe avait réalisé le portrait de mézigue accroché au-dessus de la cheminée, à la maison.

Quand je me suis affalé contre le bar, usé et découragé, Joe s'est mis en tête de me remonter le moral. Et pas seulement au moyen d'un verre bien rempli – j'ai eu droit à une *bénédiction*, de cette voix puissante qui s'élevait chaque dimanche du chœur de l'église Saint-Boniface. Tous les consommateurs alignés devant le long comptoir ont pu en profiter :

– C'est un privilège et un honneur d'offrir un verre à celui qui a fait plus qu'aucun autre pour promouvoir l'art et la science de la boxe dans cette ville ! Votre engagement en faveur des boxeurs amateurs étant d'autant plus louable que, au sein de la société actuelle, le courage physique et moral de notre jeunesse laisse grandement à désirer.

Ce genre d'hommage était la dernière chose dont j'avais besoin, ou envie, ou que j'avais mérité de recevoir. Je me suis détourné du reflet que me renvoyait le miroir argenté, en laissant le temps au bourbon de fraterniser avec les glaçons. Après quoi, dans mon état, le couple brûlure à la gorge et bref étourdissement ont été les bienvenus.

Les sourcils de Joe se sont arqués jusqu'à presque rejoindre la naissance de ses cheveux gominés. Il semblait vaguement inquiet :

– Si j'avais su que c'était aussi urgent, je vous aurais servi un tord-boyaux.

Je lui ai fait signe de remettre ça.

Après avoir vidé mon deuxième verre dans un silence morose, j'ai perché mon postérieur sur le tabouret pour m'installer à demeure, à la surprise de Joe. Il a mesuré chichement la troisième dose et l'a diluée à l'aide d'un supplément de glaçons.

La douleur a commencé à me lancer derrière les yeux.

– N'en jette plus, la cour est pleine. Ce n'est qu'un tas de conneries. Une imposture. Cette journée en a apporté la preuve.

Joe, l'air perturbé, n'a pas réclamé de détails et s'est éloigné discrètement pour aller servir d'autres clients. À son retour, je lui ai montré mon verre vide ; il ne s'en est pas occupé tout de suite. Aucune importance, je n'allais nulle part.

– Toutes les coupures de presse et les récompenses ne représentent pas grand-chose, en fin de compte.

Mes lèvres et ma langue s'étaient mises à bouger toutes seules, sans attendre les instructions du cerveau.

– Je me trompe ? Quand tu as combattu ton homonyme, l'autre Joe Lynch, est-ce que ça comptait, ce que les gens disaient de toi ou ce que les reporters écrivaient ? Ça t'apportait quelque chose sur le ring ? À quoi sert une réputation au moment où tu dois la mettre en jeu ?

– Vous avez raison, comme d'habitude. Quand il doit faire son boulot, un boxeur ne peut pas se reposer sur ses lauriers. Il serait idiot de rêver à de futures victoires. Afin de se montrer à la hauteur, il doit attaquer l'obstacle de front, dans l'instant présent.

– Bien dit.

J'ai désigné mon verre, et plongé maladroitement un doigt parmi les glaçons en train de fondre.

– Tu pourrais rhabiller le gamin ? Ce dont tu parles, mon ami, c'est le cran. On montre ce qu'on a dans le ventre, au vu et au su de tout le monde – de quoi on est capable, ni plus ni moins… Et moi, j'ai laissé tomber cette fille. Une fois de plus, je n'ai pas assuré.

Joe prenait tout son temps pour s'essuyer les mains avec un torchon, en retardant l'instant de me resservir un bourbon.

– Ce gorille au gros cul m'a escorté jusqu'à la banque. Et là, devant le personnel réuni, y compris un caissier qui me prend pour la réincarnation de Franklin Delano Roosevelt, je lui ai remis tout le bazar. Comme ça.

Au lieu du claquement net que j'avais espéré, mes doigts ont produit un bruit humide, incertain.

– J'ai jeté l'éponge. Quelle putain de honte ! Hein ? Abandonner de cette façon, sans même me battre. Tu sais pourquoi ? Tu sais pourquoi je l'ai fait ?

– Je serais bien en peine de le dire.

Lynch, qui réprouvait les grossièretés, a reporté calmement son regard vers l'extrémité du comptoir. Un type qui pouvait être Jimmy Ryan, le propriétaire du Daily Double, venait d'entrer par une porte de derrière pour se joindre à quelques piliers de bar. Difficile d'identifier formellement ce client, il ne tenait pas en place.

– Parce que j'en ai trop envie, ai-je poursuivi. Quand on a trop envie d'un truc, ça nous affaiblit. On a peur de le perdre, on s'y agrippe trop fort et ça fait le jeu de l'adversaire.

– Je ne suis plus sûr de vous suivre, Billy.

Sans me quitter des yeux, Joe a fait discrètement disparaître le verre. J'ai continué à déblatérer :

– Quand tu détenais le titre, je parie que tu n'as jamais eu peur de le perdre. Tu devais aborder chaque match au mur… au fur et à mesure. Tu vois, tu vois – c'est *ça !* Tu ne te comportais pas comme si tu étais le tenant du titre et, du coup, tu ne craignais pas de le perdre. Pas vrai ? Voilà comment faut s'y prendre. Parce que, tout bien considéré, à quoi ça se résume ? Qui tu *es*, voilà ce qui compte, et non pas un titre que quelqu'un t'a donné. Pfff… *Mister Boxe !*

– Je n'ai jamais remporté le titre, Billy. Vous le savez bien.

– Ah bon ? Qu'est-ce que je sais, Joe ? Dis-le moi.

– Excusez-moi un instant.

C'était une double humiliation d'être bourré devant un type comme Joe Lynch. Il m'était arrivé de lui rendre visite à l'hôtel où il résidait ; il m'avait montré ses albums de coupures de presse – impeccables. Son chevalet, ses couleurs, ses toiles. Jamais vu une chambre aussi bien rangée, d'une telle dignité. Son bagage se résumait peut-être à un coffre de marin, mais il avait plus de classe qu'Astrid Threllkyl ne pourrait jamais s'en acheter. Je suppose que lui aussi, d'une certaine façon, je venais de le laisser tomber.

Joe était parti s'entretenir, à l'autre bout du comptoir, avec ce personnage qui pouvait être Jimmy Ryan. Ils ont jeté un coup d'œil dans ma direction. Toutes les têtes avaient pivoté pour m'observer. Un type a levé son verre en signe de camaraderie ; j'ai tendu la main vers le mien sans réussir à le localiser. Une voix s'est enquise :

– Hé, Billy, on te verra ce soir aux Gants d'Or ?

On m'a donné une tape dans le dos. Quelqu'un qui passait, une forme floue. À la recherche d'un autre verre, je me suis levé nerveusement pour regarder par-dessus le bar en bois. Les produits de qualité se trouvant sur les étagères, hors de portée, j'allais devoir me contenter du casse-pattes. J'ai tâtonné pour l'attraper et rendre poliment son salut à ce type.

– Hé, Billy, tu penses que Gonsalves va remporter un autre titre, cette année ?

En équilibre instable, j'ai renversé mon tabouret derrière moi d'un coup de pied involontaire.

– Hé, Billy, qu'est-ce que ça te fait que Jake reprenne la défense de Burney ?

Mes doigts ne parvenaient pas tout à fait à atteindre cette saloperie de bouteille.

– Hé, Billy, comment t'as réussi à tout foutre en l'air en voulant rendre service à quelqu'un ?

– Hé, Billy, espèce d'enflure, pourquoi tu cloques pas ta dém à Fuzzy, avant que ce putain de Hearst ait viré ton cul du journal ?

– Hé, Billy, merde, qu'est-ce qui t'est arrivé ?

– Hé, Billy…

– Va te faire foutre !

Jimmy Ryan m'observait, un sourire en coin plaqué sur ses traits placides. Il était entièrement vêtu de noir, à part l'œillet rouge qui semblait tournoyer à son revers.

– Mon ami, tu seras toujours le bienvenu ici.

Il est venu me poser une main sur l'épaule.

– Mais, pour l'instant, je te suggère de filer au Civic. Et de t'arrêter en chemin, le temps de prendre un café.

– Si tu m'apportais une bouteille, mon pote ? Juste une petite pour la route.

– Pas de danger. Je ne plaisante pas, il y a un boulot qui t'attend et, vu ton état, tu n'es pas en mesure de le faire. C'est la finale, ce soir. Reprends-toi.

Il a fait remonter son poignet de chemise d'un geste vif, afin de dégager sa montre.

– Le spectacle commence dans deux heures, bon Dieu ! Soit tu te dessoûles en y allant à pied, soit je te conduis. Mais tu es tricard dans cet établissement.

– Non, non, non, non, non… J'ai pas besoin que tu me conduises.

Persuadé que sa montre déconnait, j'ai jeté un coup d'œil à la mienne. Les aiguilles tournaient comme des folles.

– T'as raison, je vais marcher. Faut d'abord que j'aille quelque part. Un truc à régler.

Après m'être acheté chez un petit épicier un demi-litre d'alcool superfétatoire, je suis parvenu au 1770 Pine Street. Passant et repassant d'une démarche mal assurée devant le grand immeuble blanc, je retournais dans mon esprit diverses excuses aussi fuyantes que tortueuses – autant d'alibis susceptibles d'expliquer mon échec lamentable, absolu. Et, tandis que je titubais de long en large sur le trottoir en évitant le regard des piétons sobres, le crépuscule s'est mué en nuit.

Il m'a fallu une demi-heure, une demi-flasque et toute ma détermination pour parvenir à monter le perron carrelé et affronter mes responsabilités. *Pas la peine de me raconter des histoires.* C'est la honte, non le cran, qui me fit presser cette sonnette.

Ginny portait une salopette, des chaussures en toile, un T-shirt de mec d'un blanc fort peu immaculé. Ses cheveux étaient ramenés en chignon sous une casquette de base-ball portant les insignes des commandos de la marine de San Francisco. Elle était sale, en sueur et n'avait jamais été plus mignonne.

Elle m'a attiré à l'intérieur par la manche de mon pardessus, et annoncé :

– Je nettoie l'appartement pour récupérer le montant de ma caution.

Ginny gambadait devant moi dans le couloir. Quelque chose l'avait mise en joie :

– Vous n'allez jamais croire ce qui est arrivé ce matin.

Sa voix martyrisait les lobes de mon cerveau alcoolisé. Elle m'a fait un grand sourire ; c'était la première fois que je la voyais aussi heureuse. Je me suis efforcé de ne pas bafouiller en demandant :

– Où sont passés tous vos bouquins ?

Les gratte-ciel de volumes empilés le long des plinthes avaient disparu, et les murs étaient désormais nus.

– Vendus. À un marchand d'Irving Street. C'est pour ça que j'étais près du lac Stowe, l'autre jour. Le gars est passé aujourd'hui et il a tout embarqué.

– C'est ça, votre grand… grande nouvelle ?

– Non, non, non. Écoutez-moi : Jake Ehrlich s'est pointé ici. *En personne*. C'est un malin, je peux vous le dire. Très bien élevé, et vraiment tout à fait charmant. Bien plus que je ne m'y attendais.

Je me suis dirigé en flageolant vers le canapé du salon. Le fonctionnement de mes jambes laissait à désirer. En me laissant tomber sur les coussins, j'ai gémi :

– Ehrlich est venu ici ?

D'une chiquenaude, j'ai fait sauter mon chapeau. Il me serrait le crâne à la façon d'un corset fermement lacé. Ginny m'a lancé un regard incertain. Faute de s'être suffisamment approchée pour humer les émanations, elle devait penser que je faisais le pitre. Elle s'est assise sur un pouf, penchée en avant, les coudes sur les genoux. J'ai plissé les yeux, et tenté de réduire à une seule toutes les images que je percevais de cette femme.

– Vous aviez parfaitement raison, Billy. Il a posé un tas de questions sur la fondation du mont Davidson. Il était assis là où vous êtes, à essayer de m'amadouer et de me tirer les vers du nez. Mais je n'ai pas mordu à l'hameçon ! Je n'ai pas paniqué, ni été intimidée, ni rien. Je lui ai répondu que j'ignorais de quoi il parlait. Il m'a menacé de fouiller tout l'appartement si mes explications ne lui convenaient pas. Au début, il avait eu des soupçons en voyant mes préparatifs. « Voilà qui ressemble à un départ précipité », il avait fait. Moi, du tac au tac : « Monsieur Ehrlich, je m'attendais à tout de votre part, sauf à une remarque de flic. » Ça l'avait fait rigoler. Je vais vous dire ce qui m'a aidée à rester aussi calme, c'est le fait de vous avoir donné ce dossier. Du coup, c'était tellement plus facile de bluffer. Je n'avais *vraiment* rien à cacher ! Vous vous rendez compte ? Le fameux Jake Ehrlich ! Il est reparti les mains vides, Billy. Match nul. Qu'est-ce que vous en dites ?

– Célébrons cette victoire sensationnelle, ai-je proposé en sortant la flasque de ma poche de pardessus. C'est moi qui régale.

Ginny m'a décoché un regard encore plus noir que celui dont elle avait gratifié Paula au restaurant.

– Je suis alcoolique, Billy. Moi qui vous pensais doué pour vous rappeler ce genre de détail.

– Buvez un coup, allez-y.

Elle est sortie de la pièce d'un air digne. J'ai vaguement entendu une sorte de clapotis d'eau dans un seau, le couinement de semelles en caoutchouc sur le sol mouillé. Je me suis envoyé une nouvelle rasade et il m'en est coulé un peu sur la chemise. La porte d'un placard a claqué. Le bruit de machins qu'on poussait, qu'on bousculait.

Ginny est revenue, éclaboussée d'eau à divers endroits. Dressée au-dessus de moi, elle a déclaré d'une voix râpeuse :

– D'accord. Il y a deux excuses que je suis prête à admettre. La première, c'est que votre femme et sa sœur vous ont cassé les bonbons. Ça, je l'accepterais *presque*. L'autre, qui a intérêt à être la bonne, c'est que les Threllkyl vous ont signé un gros chèque et que vous avez commencé à célébrer l'événement sans moi.

Elle attendait.

– Eh bien… C'est quoi ?

Je me suis levé, non sans mal ; mais, en effectuant un mouvement tournant pour éviter l'angle de la table basse, j'ai trébuché et je suis tombé sur un genou. Dressée au-dessus de moi, mains sur les hanches, Ginny me fusillait du regard. Il me restait un seul espoir de garder l'équilibre : mettre les deux genoux à terre.

– Vous êtes vraiment pitoyable, vous savez, a-t-elle grondé.

Mon visage surplombait le sol d'un mètre vingt au maximum ; néanmoins, je vacillais, comme perché au bord d'une corniche élevée. J'ai basculé vers l'avant. Si les cuisses de Virginia ne m'avaient pas arrêté, j'aurais piqué du nez contre la moquette.

– Ginny, ai-je marmonné dans la toile de sa salopette, je… j'ai une confession à faire.

J'ai rejeté la tête en arrière. Mes yeux étaient ficelés par des élastiques bien tendus, et un marteau-piqueur me transperçait les tempes.

– C'est quelque chose que je sais depuis longtemps mais que je ne peux plus dissimuler. J'ai essayé, vous savez que j'ai essayé, seulement je ne suis pas le type solide que vous croyez. Je veux que vous me par...

Ginny m'a giflé en pleine figure.

– Après tout ce qui s'est passé, c'est comme *ça* que vous vous y prenez ? Vous ne pouvez pas me sauter sans vous biturer ? Je vous emmerde. Vous croyez que je peux avoir envie de me taper un type dans cet état ?

Elle m'a remis debout à la force du poignet et m'a fait franchir la porte de sa chambre, pour me jeter comme un paquet de linge sale sur le matelas nu.

– Je m'en vais dès que j'ai fini de tout nettoyer. Cuvez pendant ce temps-là, et ensuite cassez-vous.

CHAPITRE 30

Le ring paraissait à des kilomètres. Riant trop fort et renversant de la bière sur les grandes marches en béton, des spectateurs anonymes défilaient. De longs doigts effilés, aux ongles rouges manucurés, se sont posés sur mon genou et j'ai senti un souffle tiède contre mon oreille.

– Je suis étonnée que tu n'aies pas trouvé de meilleure rangée, s'est moquée la voix familière. Heureusement que j'ai apporté des jumelles.

Pas d'erreur, c'était Claire. Cependant, bien qu'elle soit assise à mes côtés, je ne pouvais pas vraiment la distinguer. Ma tête, coincée dans un étau invisible, refusait de bouger ne fût-ce que d'un centimètre. En découvrant qu'il m'était également impossible de former des mots, j'ai été pris de panique. J'aurais eu beaucoup de questions à poser à Claire, mais on m'avait enfoncé dans la bouche un chiffon imbibé de bourbon. Telle était du moins mon impression.

Un des types assis devant nous s'est retourné : Mickey Walker, le meilleur poids moyen que j'aie jamais vu. Depuis une bonne douzaine d'années qu'il avait raccroché les gants, il était parvenu à claquer ses derniers millions. Il tenait dans ses bras un chien moche, à la face camuse ; le surnom de Mick était « P'tit-Bouledogue » et, apparemment, il ne voulait pas qu'on l'oublie.

– C'est qui votre favori, dans ce match ? m'a-t-il demandé avec son sourire patenté d'Irlandais.

J'ai gardé un silence de crétin ordinaire.

– Pariez sur mon mari, est intervenue Claire, sinon je vous en colle une.

319

Elle s'est penchée pour gratter le cabot entre les oreilles, sous le mince pelage. Je ne l'apercevais qu'indistinctement, de profil ; je savais que c'était Claire, mais elle ne se décidait pas à exaucer mon vœu le plus cher en se tournant vers moi. J'avais seulement vue sur un manteau de laine rouge et un chapeau orné de fausses plumes. Comme le bouledogue bavait sur ses mains, le sourire de Mickey Walker s'est encore élargi :

– Vous lui plaisez, s'est-il esclaffé.

Il lui a demandé, en me jetant un regard noir :

– C'est qui, ce gus ?

Je voulais protester, lui rappeler le bon vieux temps – passé notamment à causer de sa glorieuse carrière. *Dois-je te rappeler cette chronique que je t'avais consacrée pendant toute une semaine, il y a quelques années ?*

Pas un son ne m'est sorti de la bouche. Claire a répondu à ma place, sur un ton entendu, tandis que le chien lui léchait la figure :

– Je l'ai emmené en auto une ou deux fois…

D'une voix de conspiratrice, elle a ajouté à voix basse :

– … Mais il m'a mise enceinte.

Walker m'a lancé un coup d'œil féroce. Le côté pugnace et passionné de sa nature prenait brusquement le dessus sur son bon caractère :

– Tu la baises pendant que son mari est là-bas, à risquer sa peau ?

Il s'agissait moins d'une question que d'une déclaration de dégoût. Incapable de me défendre verbalement, j'ai arraché les jumelles des mains de Claire et je les ai braquées sur le carré de lumière. Vigoureuses acclamations. Projecteurs. Walker et son clebs baveur ont reporté leur attention vers l'arène, où pénétraient les boxeurs. Quelque chose d'humide m'est tombé sur le visage : des gouttes de pluie. Ça n'avait pas de sens, puisqu'on se trouvait à l'intérieur du Cow Palace. Quelques instants plus tôt, je me croyais encore au Civic Auditorium, mais je remarquais à présent combien cet endroit était caverneux et bondé.

Il devait s'agir d'un match capital. Et j'étais assis là, parmi les places à bon marché.

J'ai observé le bord du ring au moyen des jumelles. Mon fauteuil habituel, vacant, jouxtait comme d'habitude celui d'Alan Ward, le reporter du *Tribune*. Ma machine à écrire Royal était là ; j'avais oublié d'insérer du papier dans le rouleau. J'ai essayé de me lever. Mon croupion était comme soudé à mon siège dur. La pluie tombait de plus en plus dru. Il fallait que j'y aille. Et que quelqu'un retarde les présentations jusqu'à ce que j'arrive à me localiser. Mais il n'y avait pas un seul visage familier, au sommet de ces gradins où le mal des hauteurs risquait de vous faire saigner du nez ; nous n'étions entourés que de prolos hurlants et exaltés.

Soudain, il s'est mis à flotter à verse. Il tombait des hallebardes, elles rebondissaient sur le carré de toile brillant et les spectateurs étaient trempés. Cette pluie torrentielle, digne de l'Ancien Testament, arrosait directement l'arène, comme pour tout balayer. Les spectateurs, cherchant à s'abriter, couraient en tous sens. Toujours incapable de me mettre debout, j'ai retiré ma veste et je l'ai tendue à Claire en guise de protection.

Son fauteuil était vide.

La foule se ruait vers les sorties et le Cow Palace se vidait rapidement. J'ai levé la tête, en laissant les aiguilles brûlantes me cribler le visage.

Un martèlement obstiné, à travers la bouillasse qui me farcit le crâne.

– Minute, minute !

La voix de Ginny.

J'ai ouvert une paupière. De l'autre côté du couloir, la porte de la salle de bains est entrebâillée. L'eau de la douche coule à flots. Le martèlement a repris – trois coups violents, d'affilée. Ginny se précipite dans la chambre où je suis étendu ; son corps luisant est à peine voilé par une serviette bleue.

– Nom de Dieu ! s'exclame-t-elle en haletant. J'ai dit « minute », espèce de con. Moche et impatient, avec ça.

Je me suis soulevé sur un coude, ce qui a élargi de quelques centimètres supplémentaires le trou que j'avais l'impression d'avoir dans le crâne et aggravé les élancements. Mon autre œil s'est ouvert au moment où Ginny s'enveloppait dans un grand peignoir blanc.

– Ça ne pouvait pas mieux tomber, marmonne-elle. Il ne manquait plus que ça, que le concierge découvre un type bourré dans mon lit. Sensass pour ma réputation.

Sous le peignoir, la serviette glisse par terre. Ginny, d'un coup de pied, l'envoie rejoindre une pile de linge, tout en nouant la ceinture autour de sa taille.

Encore ce martèlement.

– Voilà, minute, *voilà !*

Elle me jette un regard maussade en allant ouvrir :

– Au moins, si vous ne pouvez pas vous rendre utile, restez couché là et tenez-vous tranquille.

En repartant vers le couloir, elle ajoute :

– Peut-être qu'il ne regardera pas dans cette pièce.

Et elle referme la porte derrière elle.

À cet instant, ce simiesque concierge de l'immeuble est le cadet de mes soucis. M'efforçant de consulter ma montre dans la pénombre, je distingue une seule aiguille, parfaitement verticale. Dix-huit heures trente ? Je tâche de rassembler mes idées anarchiques. Quatre heures plus tôt, j'ai restitué le dossier de la fondation du mont Davidson, dans le but spécifique de conserver mon précieux emploi. La finale des Gants d'Or va débuter dans une demi-heure et, de toute ma carrière, je n'ai encore jamais raté un reportage.

Je me laisse rouler sur le dos et me sers de mes coudes comme supports. Je suis drapé dans un couvre-lit. Ginny m'a mis au pieu. Lorsque mes yeux réussissent enfin à s'accommoder, je discerne mon pardessus, mon costard et mon feutre posés sur une chaise, dans un angle. Sous la légère couverture, je ne porte que des chaussettes, un caleçon et un mince maillot de corps. Malgré mon abominable mal de tête, je me rends compte que Ginny Wagner n'est pas une ingénue; elle a fouillé mes vêtements dans l'espoir d'y trouver le pognon que je suis censé avoir reçu des Threllkyl.

J'entends encore deux coups étouffés, puis de nouvelles protestations de Ginny. Un loquet qui se soulève. La porte de la chambre brusquement poussée dans son encadrement. Un choc plus violent dans le couloir, comme si quelque chose cognait contre un mur. Je tente de me lever mais n'y parviens pas en un seul mouvement. La pièce tangue follement.

Ginny hurle. Un choc sourd. Des grognements, des gémissements.

Après m'être forcé à me redresser, je titube à travers la chambre en essayant de ne pas faire trop de barouf. Mon cerveau est broyé par un poing géant. Je colle une oreille contre la porte.

À quelques centimètres seulement, des bruits de lutte.

– D'accord, sale garce, menace une voix aux accents gutturaux. On va régler nos comptes.

Larry Daws.

Ginny a roulé au sol, à moins qu'elle n'y ait été jetée. Un poids que l'on traîne.

– On va voir si t'es toujours aussi coriace, hein?

Elle se débat et se cogne les jambes contre les meubles, le plancher.

– Non! hurle-t-elle. Bouge-toi de là, enfoiré!

Une claque violente, à vous soulever le cœur. Puis un bruit caractéristique, celui d'une tête heurtant le sol. Je l'ai entendu retentir assez de fois sur la toile des rings. Ginny est consciente, mais elle sanglote.

Je ne suis pas en état de me mesurer de nouveau à ce voyou. D'autant qu'instruit par l'expérience il a dû prendre un flingue, cette fois. Il le pointe peut-être, à ce moment précis, sur la tempe de Ginny. La pièce bouge encore, mais pas au point que je ne puisse constater l'absence flagrante de tout instrument utile. Rien que des cartons, et deux ou trois sacs de fringues. Une pile de vêtements. Pas le moindre foutu bidule susceptible de servir d'arme. Je dois faire quelque chose – quelque chose qui, de préférence, n'aboutisse pas à nous faire descendre tous les deux.

Réfléchis. Corey ne l'a pas envoyé chercher ce dossier. C'est une revanche. Il est venu se venger de son humiliation. Je ne peux pas le laisser s'en tirer de cette façon. Il ne peut pas maltraiter Ginny et la laisser étendue par terre. La laisser mourir.

Comme Claire est morte.

C'est Daws qui l'a fait. Chez Claire, dans sa propre maison. Il l'a frappée jusqu'à ce que ses entrailles blessées se mettent à pisser le sang. Et il l'a abandonnée sur le plancher, où elle a saigné à mort.

J'inspecte la pièce en tâchant de l'empêcher de tourner, en tâchant de remettre le monde à l'endroit, tel un boxeur envoyé au tapis. Il faut à tout prix que j'y aille. Si Daws veut refroidir Ginny, il devra d'abord me passer sur le corps.

C'est alors que je le repère, tombé par terre près du lit. Le sac à main de Ginny.

Daws est à califourchon sur la poitrine de Ginny, dont le peignoir écarté expose complètement les jambes – et tout le reste. Une lampe ornementale, tout près, diffuse une lumière tamisée par un abat-jour garni de perles. Un gargouillis de suffocation. En lui serrant le gosier, il répète encore et encore :

– Jolie môme…

Il a légèrement soulevé les hanches. Le bruit d'une fermeture éclair qui s'abaisse. Je gueule :

– Ôte-toi de là !

J'essaie d'avoir l'air sobre et dangereux :

– Ne m'oblige pas à te tirer dans le dos.

Ses larges épaules se sont contractées mais Daws ne se retourne pas, ni ne lâche prise. Après un hochement de tête, il risque un regard par-dessus son épaule. Un légume trop cuit, pâteux, lui pousse au milieu de la figure : son pif cassé. Son oreille écrabouillée est hérissée de points de suture, et ses yeux, cernés de violet. Toujours assis sur le ventre de Ginny, il se fend d'un sourire idiot en redressant le torse.

– Butez-moi ce maudit corniaud, m'ordonne une voix filtrée par un larynx comprimé.

N'ayant encore jamais vu Mister Boxe en sous-vêtements, il ne m'a pas reconnu tout de suite. Je garde mon flingue près du corps et le braque vers lui, le plus fermement possible. J'oscille sur le pont d'un ferry-boat, en eaux extrêmement agitées.

Une ampoule minuscule a fini par s'allumer au fond du cerveau de Daws.

– Quel salaud ! Vous êtes marié.

Étonnant, ce qui peut retenir l'attention des gens à un moment donné.

– Écarte-toi d'elle, bon Dieu.

Il respire à fond, tel un boxeur qui se prépare dans son coin à se lever au coup de gong.

– Merde, fait-il en expulsant l'air de ses poumons. Je voulais juste lui rendre la monnaie de sa pièce. On dirait que j'ai un autre problème, maintenant. Va falloir que je m'occupe de vous deux.

De ses poings, Ginny tente de lui cogner la poitrine ; elle a toujours les poignets attachés par le cordon de son peignoir. Il lui étreint la gorge plus fort et elle laisse échapper un gémissement étranglé, vite étouffé. Je beugle :

– Lâche-la, maintenant, ou je jure de te brûler la cervelle !

Sans lâcher sa gorge, Daws soulève la tête de Ginny d'une secousse, puis la cogne contre le plancher. Elle n'a plus la force de se battre mais, toujours vivante, elle gémit. Mon doigt se crispe sur la détente. Une pression supplémentaire va faire de moi un assassin. Je me dis que je n'ai pas d'autre choix que de le tuer.

– Vous me faites pas peur, grommelle Daws. Et j'ai pas peur des flingues non plus.

Convaincu que Ginny ne représente plus une menace, il commence à se redresser.

– J'ai peur de rien !

Sur sa gueule ravagée apparaît cette expression insensée que j'ai déjà observée lors de la précédente bagarre, dans les bois.

À cet instant, une idée me traverse l'esprit – tel un roitelet voletant parmi les brumes de l'alcool pour venir se nicher dans mon crâne troué d'élancements violents. Soudain, l'oiseau déploie ses ailes, métamorphosé en faucon. Je relâche ma pression sur la détente. Il me reste un zeste de cervelle. Tandis que Daws se met debout, Ginny m'intime d'une voix expirante :

– Descendez-le…

Je me jette sur Daws sans lui laisser le temps de reprendre son équilibre. Instinctivement, il s'est ramassé en position de combat, les mains levées. Je lui balance un direct, certes lamentable mais qui le prend au dépourvu. Sa droite me fonce dessus, par pur réflexe. J'abats le flingue que je tiens dans mon autre main. Le boxeur bloque la force du coup, mais le canon lui entaille la tempe et il doit pivoter d'un quart de tour. Ginny roule sur elle-même et se jette dans les jambes de Daws. Il s'est cogné un genou contre la table basse et doit s'y prendre à deux mains pour ne pas s'écrouler.

C'est le moment ou jamais. Tenant le Beretta par le canon, je lui en assène un coup de crosse sur le crâne. De quoi tuer un homme ordinaire.

Après quoi, je recommence. Et encore. Et encore.

L'extrémité de la crosse comporte une petite langue d'acier dentelée. Elle arrache des touffes de gazon de la tête de Daws ; chaque fois que je relève le bras pour délivrer un nouveau coup de tomahawk, mon visage et mes fringues sont éclaboussés de sang. Chaque craquement humide, écœurant arrache un frisson à Ginny.

J'aurais cru qu'elle me retiendrait, comme je l'ai retenue dans le parc. Elle ne fait pas un geste, ne détourne même pas les yeux :

– Continuez à le crever.

Là, je recouvre mes esprits.

Je contemple cette saleté rouge et sirupeuse qui irrigue la moquette. De ma bouche, ouverte pour mieux haleter, pend un long filet de bave. Je me mets à dégobiller. Ginny ne risque plus de récupérer sa caution, maintenant. Étonnant, ce qui peut retenir l'attention des gens à un moment donné.

Dieu merci, je finis par voir apparaître une bulle d'air et de salive entre les lèvres sanguinolentes de Daws.

– Croyez-le ou non, assuré-je à Ginny, on n'a pas intérêt à ce qu'il meure.

CHAPITRE 31

J'ai reculé en chancelant.

– Où est le téléphone ? ai-je croassé.

Ginny, que je n'avais pas eu la présence d'esprit de détacher, se passait très bien de mon assistance. Après avoir dénoué avec les dents le cordon qui lui liait les poignets, elle s'est mise debout et drapée dans le peignoir, d'abord étroitement – puis *très* étroitement. Parcourue de frissons et comme sur le point, elle aussi, de rendre son dernier repas, elle a désigné la lampe garnie de perles. L'appareil téléphonique se trouvait à côté, sur la table basse.

– Oh, mon Dieu, a-t-elle sangloté en examinant le studio ravagé.

Je lui ai tendu l'arme pour prendre le téléphone. Ma main tremblait tellement que j'arrivais à peine à composer le numéro.

– Visez-le, Ginny. S'il reprend connaissance et qu'il pète les plombs, c'est *vous* qui le butez.

– Pas de balles, a-t-elle répliqué.

Heureusement qu'on n'avait pas le temps de s'appesantir. Une voix de femme a retenti dans l'écouteur :

– Allô ?

– Madame Bernal, ici Billy Nichols. Est-ce que Nate est là ?

– Quoi ?

– Nate, *Nate*. Votre fils. S'il est là, passez-le-moi.

– Il allait sortir. Pourquoi voulez-vous lui parler, à *lui* ? Je vais vous passer Tony.

– *Non !* S'il vous plaît, laissez-moi parler à Nate.

Elle a dû penser que j'auditionnais des chauffeurs. Si seulement… Quelques instants plus tard, j'avais le gosse au bout du fil.

– Tu vas aux Gants d'Or, pas vrai ?

Je n'ai pas perdu de temps. Quand on vient de démolir un mec à coups de crosse, l'adrénaline jaillit vraiment à flots :

– Quelqu'un va t'emmener en bagnole ? D'accord, écoute. Je ne peux pas y aller, il va falloir que tu me couvres, pigé ? Je ne blague pas, pas du tout. Tu veux être journaliste ? C'est ce soir que tu démarres. Colle ce que tu as de plus intéressant au début de l'article, épelle correctement tous les noms – faut vérifier, pas deviner –, et ne fais pas de remplissage. N'oublie pas de mentionner des membres du public. Trouvez un truc à lui mettre sous la tête, une serviette. Non, pas toi. Tu as une machine à écrire, j'espère ? Emporte-la. Non, ne t'assieds pas à côté du ring, contente-toi du siège correspondant à ton billet. Prends des notes, ensuite tu taperas tout à bord de la bagnole. Tu te rappelles comment intituler un papier, tout ça ? Fais comme dans cet article que je t'avais filé. En cas d'ajouts, vérifie que c'est bien *mon* nom que tu indiques chaque fois en haut. Une fois que c'est terminé, file à l'*Inquirer* et remets le texte au service des sports, comme tu as fait après le match de Carter. Tu me suis ? Une dernière chose, Nate. C'est pas Dempsey contre Firpo, ce soir. Te goure pas de gagnant, c'est tout.

J'ai raccroché et je suis reparti à tâtons vers la chambre. Au milieu du couloir, un chapeau noir avait roulé par terre, sans doute perdu par Daws au cours de la bagarre. Quand je suis passé en chaussettes devant la salle de bains, j'ai pataugé dans la moquette trempée et découvert que la douche coulait toujours.

Ginny m'avait suivi comme mon ombre :

– Je croyais que vous appeliez les flics. Qu'est-ce qui se passe, bon Dieu ?

Elle a jeté un coup d'œil à l'intérieur de la salle de bains.

– Oh, merde !

Qui dit bonde obturée dit baignoire qui déborde ; la flotte recouvrait le carrelage gris et blanc. Ginny avait passé la journée à nettoyer son studio et, en quelques minutes, c'était devenu une zone sinistrée *et* une scène de crime.

Pas le temps de nous attarder sur nos malheurs communs.

– Vous avez récupéré votre auto ? ai-je gueulé depuis la chambre.

L'adrénaline ne s'était pas entièrement substituée à l'alcool et, en enfilant mon pantalon, j'ai bien failli me casser la figure. J'ai entendu des pieds nus clapoter dans la salle d'eau inondée. La douche a cessé de couler. Encore un clapotis, suivi d'un bruit de succion provenant de la baignoire débondée. Puis, la voix de Ginny répercutée contre les carreaux :

– J'ai encore la bagnole de location. Au sous-sol, dans le garage. J'ai déjà mis un tas de saloperies à bord. Pourquoi ?

– Elle va accueillir une saloperie supplémentaire. Habillez-vous, on emmène votre gars en balade.

– Vous êtes sérieux ?

Ginny venait de pénétrer dans la chambre, les poings sur les hanches – dont un toujours refermé sur le Beretta privé de balles. Son peignoir imbibé la moulait si intimement qu'elle aurait aussi bien pu être à poil.

– Vous avez des balles pour ce truc ? Au cas où ?

– Non.

– Il a déjà été chargé ?

Elle a secoué la tête :

– Je vais appeler les flics, qu'ils me débarrassent de cette ordure. Ne vous inquiétez pas, je dirai que c'était de la légitime défense.

– Ça me fera une belle jambe. Écoutez, je vous expliquerai en chemin, mais on doit le charger à bord de votre caisse avant qu'il se réveille. J'ai quasiment épuisé toutes mes chances, là. Il m'en reste une dernière et je ne peux pas la tenter sans vous. Je vous en prie, Ginny.

Nous avons toiletté Daws aussi soigneusement que c'était faisable sans le réveiller. Je me fichais pas mal qu'il ressuscite une fois bouclé dans le coffre ; ce que je voulais, c'était qu'il n'oppose aucune résistance lors du parcours entre l'appartement et la cave. Ginny lui a tamponné sa gueule en marmelade avec une serviette de bain pour nettoyer le raisiné, sans réussir à le transformer en beau gosse. À la vue des entailles que je lui avais faites au crâne, elle n'a pu réprimer une grimace.

Le chapeau de Daws, imprégné d'eau du bain, était informe ; je lui ai vissé le mien sur le crâne, en inclinant le bord pour dissimuler les dégâts. Je n'en aurais plus l'usage de toute façon, il me rappelait trop ce traître au cul de saindoux nommé Manny Gold. À la va-vite, je me suis lavé la figure et j'ai balancé mon tricot de peau moucheté de sang sur le tas de linge sale de Ginny. Je me suis rhabillé n'importe comment. Ginny perdait un temps précieux à essayer de localiser une paire de pompes particulière, et j'ai craqué :

– Putain, on n'a pas toute la nuit !

Elle a enfilé des chaussures plates, et riposté :

– Vous n'avez qu'à le conduire vous-même.

La seule autre pièce de vêtement qu'elle avait réussi à passer était une combinaison.

– Filez-moi votre pardessus, a-t-elle exigé.

– Je n'y arriverai pas tout seul, Ginny. Glissez-vous sous son autre bras, on va le soulever et essayer de le porter comme ça jusqu'à votre bagnole. Si quelqu'un nous voit, on fera comme s'il était ivre mort.

Une fois négociée l'embrasure, on s'est retrouvés dans le corridor mal éclairé. D'un coup de pied, Virginia a refermé la porte de l'appartement derrière nous. La porte a claqué, Daws a gémi et la jeune femme a grimacé.

– Allons-y, j'ai fait.

On avait l'air de traîner un boxeur inconscient vers son coin, sauf qu'en l'occurrence le chemin à parcourir était nettement plus long. Nous avons longé des portes que je m'attendais à voir s'ouvrir à tout instant, suivi la courbe du corridor et foulé un bon moment cette moquette verte, avant de dépasser la cage d'escalier et de parvenir à l'ascenseur. Dix-neuf heures n'ayant pas encore sonné, il semblait absurde d'espérer ne faire aucune rencontre. Des gens qui rentraient du travail allaient débouler de la cabine à chaque étage. J'ai grogné :

– On devrait peut-être prendre l'escalier.

– Ou alors le lâcher ici, ce salopard. Vu que je ne vais pas me farcir quatre étages avec lui. Je veux bien le pousser dans l'escalier, mais pas le porter.

C'est vrai qu'il était lourd ; en plus, il penchait du côté de Ginny.

– Vous auriez dû mettre des talons, l'ai-je sermonnée. Ça aurait équilibré la charge.

– Portez votre part et épargnez-moi vos commentaires.

L'ascenseur est arrivé. Miraculeusement vide.

Non sans mal, nous sommes montés à bord. Ginny, décidément habile de ses pieds, s'en est servie pour refermer la grille.

– Pressez « Rdc », m'a-t-elle enjoint.

– On va au garage, non ? au sous-sol ?

– Vous voyez un bouton pour le sous-sol ? On n'y accède que par le hall de l'immeuble.

– Merde, on pourrait aussi bien promener ce gus dans la gare de la Southern Pacific.

– N'oubliez qu'elle vient de vous, cette idée de génie.

Tandis que la cabine entamait sa descente grinçante, on s'est affalés contre le mur du fond. J'ai jeté à Daws un regard oblique. Du rouge suintait à travers le feutre gris, au-dessus de la coiffe de son chapeau ; sa tête pendait vers Ginny et un gémissement continu s'échappait de sa bouche grande ouverte. Le sang coulant de son galure lui pissait sur la rouflaquette et le long de la mâchoire.

– Nom de Dieu, il saigne encore.

L'ascenseur s'est arrêté avec une secousse. Deuxième étage.

La porte s'est ouverte vers l'extérieur, la grille s'est écartée en cliquetant et nous avons été rejoints par un type en costard trois-pièces, dont le crâne commençait à se déplumer. Après un salut minimaliste, il a claqué la grille et pressé vivement « Rdc ».

– Un temps splendide, a-t-il remarqué.

Soubresaut et gémissement de Daws. Le type ne pouvait *pas* ne pas jeter un regard.

– Magnifique, a approuvé Ginny. Pourvu que ça se maintienne en soirée.

Avant que le locataire curieux ait eu le temps de se tourner vers Daws, ses sourcils se sont soulevés ; il a piqué un fard et s'est replongé dans la contemplation des étages qui défilaient. Ses oreilles étaient écarlates. En me penchant, j'ai vu que Ginny avait laissé s'ouvrir le pardessus pour lui permettre de se rincer l'œil.

Nous sommes arrivés au rez-de-chaussée. Monsieur Trois-pièces est sorti et a gracieusement joué les portiers. J'ai réussi à tenir la grille tout en me débattant avec Daws.

Le locataire a fini par détacher son regard de Ginny :

– Il va bien ?

– Le pauvre, il est atteint de narcolepsie, a-t-elle expliqué.

Son admirateur s'est abstenu de poser d'autres questions, de peur d'avoir l'air ignorant. Dès qu'on a été dans le hall, il a lâché la porte de l'ascenseur et s'est dirigé vers la sortie.

– Les marches, là, m'a indiqué Ginny. Elles conduisent à l'entresol.

Elle essayait désespérément de maintenir Daws à la verticale.

– Passé l'angle, on descend l'escalier du garage. Ma bagnole n'est pas loin.

– Qu'est-ce que c'est, bon Dieu, la « narcolepsie » ?

Nous n'avons pas eu le temps de faire un pas de plus : le concierge venait d'apparaître à l'angle, en haut de l'escalier, et il nous fonçait dessus. Même si on se serrait, il n'allait jamais pouvoir passer. Dès qu'il a reconnu Ginny, il l'a l'entreprise sans manifester aucun intérêt pour sa combinaison ou ce qu'elle recouvrait :

– Qu'est-ce que vous foutez là-haut, au 506 ? a-t-il rugi. La dame du dessous vient d'appeler, y a de l'eau qui coule du plafond de sa salle de bains. Le 508 gueule à cause des cris et du remue-ménage. Qu'est-ce que vous avez réussi à nous causer comme ennuis, pour votre dernière journée ? Et *celui-là*, c'est quoi son problème ?

– Tout va bien, a répondu Ginny de sa voix la plus calme. Mon ami a juste bu un coup de trop, on le ramène chez lui.

Daws a été secoué par un spasme et sa tête s'est rejetée en arrière. Il a gargouillé, comme s'il sortait d'un sommeil intermittent.

Le concierge s'est encore approché. Par bonheur, cet emmerdeur était plus myope qu'une taupe :

– Aïe, il pue, votre gars ! Une vraie distillerie.

Il aurait pu travailler pour le *Chronicle*. Je suis intervenu :

– On va se dépêcher de le mettre dans l'auto, des fois qu'il s'agiterait quand il va émerger.

La porte du hall s'est ouverte derrière nous et des locataires sont entrés en bavardant. Toujours plantés devant l'ascenseur, on allait être cernés en quelques instants.

Le concierge a tourné vers moi ses yeux de crétin agrandis par les verres épais :

– Je vous remets, vous...

Sur quoi il a reporté son regard vers Ginny. En toute sportivité, il s'efforçait d'effectuer des rapprochements élémentaires avec des moyens intellectuels inadéquats.

Les mains de Daws, qui nous pendaient sur les épaules, se sont mises à tressauter – volontairement ou non, comment savoir ? Un docteur aurait peut-être compris s'il était en train de se réveiller ou de trépasser, mais pas moi. La tache rouge maculant son feutre allait s'élargissant ; j'ai changé de jambe d'appui afin que sa tête bascule de mon côté, et qu'on ne voie pas le sang qui lui coulait de plus en plus abondamment sur la figure.

Ginny s'est avancée vers l'escalier. Le concierge l'a stoppée d'un geste :

– Vos petits copains se débrouilleront bien tout seuls, vous allez monter avec moi. S'il y a des dommages dans votre appart, pas question que vous filiez.

– Ôtez vos pattes de là ! Regardez-moi, où voulez-vous que je file, habillée comme ça ?

Dans notre dos, des boîtes aux lettres s'ouvraient, se fermaient. Des pas se sont approchés.

– Écoutez, ai-je fait, elle me donne juste un coup de main pour mettre mon frangin dans la bagnole. Après quoi je le ramène chez lui et elle remonte finir de nettoyer. D'accord ? On ferait mieux de laisser passer ces personnes.

Il tenait la porte de l'ascenseur pour les résidants qui affluaient. On en a profité pour passer devant lui sans plus attendre.

– Je monte maintenant, a-t-il averti. Si je trouve quoi que ce soit d'abîmé, vous ne reverrez pas un sou de votre caution.

Marche après marche, nous avons hissé Daws, poids mi-lourd mais surtout poids mort, jusqu'à l'entresol. Dommage qu'on ait été en plein accomplissement d'un crime – j'aurais volontiers souri quand j'ai entendu Ginny lancer vers l'ascenseur dont la porte se refermait en ahanant :

– Va te faire foutre, espèce de pauvre connard bigleux !

CHAPITRE 32

Daws a mis près de deux heures à sortir des bras de Morphée. En réintégrant le monde des vivants, il a d'abord dû se croire mort – et descendu aux enfers. Assis au bord d'un bureau, à quelques centimètres de sa tronche bousillée, Nightbird Jones lui a lancé d'un ton moqueur :

– On m'a dit comme ça que t'étais un boxeur coriace, que t'avais peur de rien ni de personne. Mais que tu monteras pas sur le ring avec un homme de couleur. Rien que d'être dans la même pièce qu'un Noir, ça te plaît pas, hein ? Alors comment tu te sens, là ?

Nightbird s'est levé sans hâte. Depuis une demi-heure, perché sur cette table, il surveillait le souffle court et les battements de cils de Daws, guettant des signes de conscience. Il a reculé tandis que le poids mi-lourd plissait des yeux bouffis, réduits à de simples fentes, pour se familiariser avec ce bureau de direction mal éclairé où il reprenait conscience. D'ordinaire, la pièce n'était guère encombrée : une table, deux chaises et, faisant trophée, une tête de cerf au regard vigilant, aux bois tendus de toiles d'araignées.

Cette fois, cependant, l'endroit évoquait plutôt une voiture du tramway à l'heure de pointe : plus de vingt malabars noirs, le cou tendu pour observer ce visage pâle qui était leur hôte sans pour autant être le bienvenu. Plusieurs d'entre eux arboraient une expression menaçante, comme si Daws représentait à leurs yeux tous les Blancs qui avaient jamais chié sur eux ou sur leurs pères ou leur grands-pères, en remontant jusqu'aux marchands cupides du tout premier vaisseau négrier.

Pour être honnête, je n'étais pas étranger à la fraîcheur de cette réception. Les poignets de Daws ayant été dûment liés par une

Ginny jubilante, dans son garage de Pine Street, au moyen de la ceinture de mon pardessus, nous avions conduit le nervi jusqu'à Cold Springs – où Nightbird l'avait traîné à travers le hall de la station, à la force du poignet. Quelques résidants avaient exprimé une sincère inquiétude :

– Mais qu'est-ce qui lui est arrivé ?

Jugeant inutile d'entrer dans les détails, j'avais annoncé, assez distinctement pour que tout le monde l'entende :

– Il a traité Joe Louis de nullard… En fait, j'aime mieux ne pas répéter les calomnies qu'il a répandues sur monsieur Louis.

Tout vestige de compassion pour son piteux état s'était évaporé instantanément.

Nightbird Jones n'avait pas besoin de mes manipulations de la vérité pour savoir à quoi s'en tenir sur le racisme de son confrère. Lorsque nous avions tassé la carcasse de Daws dans le fauteuil, il s'était clairement exprimé :

– À ma connaissance, ce petit Blanc à la manque a évité deux fois de me combattre. Dans les vestiaires du Royal, il était toujours prêt à défendre les idées des réacs et des nazis, si vous voyez ce que je veux dire.

Je n'avais pas eu à me fatiguer beaucoup pour convaincre Jones de jouer le jeu. Constatant enfin, non sans gratitude, que Daws n'allait pas succomber à ses blessures, je me suis écarté du mur pour lui déclarer :

– Personne au monde ne sait où tu es, Larry. Par ailleurs, je ne vois pas à qui tu pourrais manquer si tu ne quittais pas cette pièce vivant.

Je me suis accroupi devant lui en évitant de voir qu'il était salement amoché, peut-être même incapable de comprendre ce que je disais. Il avait le regard d'un animal meurtri, piégé, paumé.

Pas de temps à perdre.

– Voilà le marché. Ton seul espoir de sortir d'ici est de raconter par écrit, et par le menu, tout ce que Corey t'a dit de faire.

Après que j'ai délié la ceinture qui lui attachait les poignets, il a porté une main à sa tête pour évaluer la gravité des dommages.

C'est *moi* qui ai eu des frissons dans le dos quand il a palpé les profondes entailles… et remarqué l'angle insolite de deux doigts de sa main gauche.

— J'ai des phalanges de pétées, a-t-il annoncé.

Ginny les avait écrabouillés accidentellement en refermant le coffre.

— Encore heureux que tu ne sois pas gaucher. Tu peux toujours écrire.

— J'y entrave que dalle. Je vois pas ce que vous attendez de moi. Je sais pas écrire comme vous voulez.

— Ne t'en fais pas, Larry. Je suis un professionnel, ça va se passer comme une interview. Tu fournis les réponses et je me débrouillerai pour qu'elles soient lisibles. On va d'abord procéder à une répétition, comme ça tu n'auras rien à barrer plus tard. Je te le redemande : quel marché t'a offert Corey ?

Mollement, il a risqué :

— C'est qui, Corey ?

Il n'a pu s'empêcher de grimacer de douleur.

— Pourquoi faire l'andouille, Larry ? Tu as besoin de voir un docteur, et tu n'as pas intérêt à attendre trop longtemps. Tu vas exposer, clairement et simplement, ce que Corey t'a prié de déclarer au jury d'accusation lors de ton témoignage. Fais-le, et tu passeras les prochaines nuits à l'aise dans un bon lit d'hôpital. Ou bien tu choisis l'autre solution, et dans ce cas-là…

— Qu'est-ce que vous déconnez ? a-t-il grogné. J'y suis déjà passé, devant le grand jury.

— Larry, regarde autour de toi. Voilà les seuls jurés dont tu aies à t'inquiéter en ce moment. Tu causes, tu te casses, c'est simple comme bonjour. Pigé ? Alors, après t'avoir fait balancer Burney, Corey t'a donné d'autres instructions – non ?

— C'était pas Corey, a fini par répondre Daws d'une voix rauque.

La souffrance déformait ses traits.

— C'est un autre mec qui m'a forcé la main.

– Pour que tu fasses quoi ?

– Vous le savez bien.

Daws a esquissé un signe de tête vers Ginny, derrière moi. Adossée contre un angle, elle avait hermétiquement boutonné mon pardessus, malgré la chaleur étouffante régnant dans cette pièce.

– Il s'agissait de chouraver certains documents qui se trouvaient en la possession de mademoiselle Wagner, hein ? Si tu nous donnais le nom de cet homme de main ? Ce ne serait pas Frank Moran, le gras du bide qui fait le commando pour Corey ?

Fugitivement, il a trahi sa surprise. J'étais tombé juste.

– Quelles étaient les conditions ? Fric contre docs ?

– Pas de fric. Il a dit que, si je le faisais pas, Corey torpillerait mon accord avec le procureur.

On jette un os au clebs puis on menace de le lui reprendre. Corey était un manipulateur aussi habile qu'ignoble.

– En mettant ça par écrit, il faudra préciser que c'est Corey en personne qui t'avait donné ton ordre de marche. Pigé ? Et Montague, ils t'ont dit aussi ce qu'il fallait faire de lui ? L'obliger à quitter la route, essayer de l'éliminer ?

Il m'a décoché un regard furieux :

– Je vais rien mettre par écrit.

– Pourquoi pas ? Tu sais écrire, pas vrai, *boy* ?

Plusieurs des jeunes Noirs qui nous entouraient ont gloussé en reconnaissant la vacherie de ce langage. Ça devait être agréable de voir un Blanc en faire les frais, pour une fois. Larry n'appréciait pas qu'on se paie sa fiole – alors, venant de faciès basanés…

Il avait l'air furax, comme s'il voulait leur faire rentrer ces rires dans la gorge pour qu'ils s'étouffent dessus. Mais il ne tenterait rien. Même à cent pour cent de ses capacités, les mains libres, il n'attaquerait pas. Tétanisé par la terreur, il en était incapable. Daws s'est affalé sur son siège, en grommelant quelque chose que je n'ai pas réussi à comprendre.

– On ne t'entend pas. Qu'est-ce que tu as dit ?

D'un hochement de tête, il m'a fait signe de m'approcher. Je me suis incliné, prêt à recueillir sa confession désespérée. Entre ses mâchoires crispées et ses dents ensanglantées, il a lancé d'une voix sifflante :

– T'aimes les négros, hein ?

Sur quoi, il m'a craché à la figure.

La pièce a bruissé de menaces et la moitié des poulains de Nightbird se sont portés en avant. Après m'être relevé, les bras étendus afin de protéger Daws, j'ai sorti ma pochette froissée et essuyé d'un geste théâtral ma joue souillée de salive, en réprimant un sourire.

Ça va marcher, finalement. Dans mon âme s'est élevé un chant de louange et d'action de grâces pour l'ignorance, la lâcheté et, plus que tout, la pitoyable prévisibilité qui habitent les pires d'entre nous.

Avant de sortir, Nightbird a ordonné au groupe :

– Tenez-le à l'œil.

Daws sentait tous ces regards braqués sur lui, dont pas un seul bienveillant. Juste retour des choses, il tremblait comme un pauvre nègre des champs à qui des types du Ku Klux Klan auraient passé la corde au cou. Le laissant mijoter dans cette atmosphère, histoire de l'aider à se décider, je suis sorti derrière Bird.

Qui est allé chercher du papier ministre vierge dans le bureau de la réception. Pas d'en-tête, pas de filigrane.

– Une enveloppe, ai-je réclamé. Et un timbre.

Bird s'est exécuté, glacial, implacable. J'ai sorti un stylo du protège-poche – aux armes du « monarque des quotidiens » – dont je comptais me débarrasser dès que je changerais de chemise.

D'un pas mal assuré, Ginny s'est avancée derrière nous pour s'appuyer, désemparée, sur la table de travail.

– Ça ne marchera jamais, a-t-elle soupiré, clairement écœurée par le spectacle. C'est un bureau rempli de *gosses*, pas une cellule bondée de criminels endurcis. Ils ne le démoliraient jamais comme vous le lui avez dit, il va s'en rendre compte.

– Pas seulement des gosses, a rectifié Nightbird – des *braves* gosses. Mais, avec tout le respect que je vous dois, mam'zelle, vous vous sentiez pas trop en sécurité non plus en leur compagnie, la première fois que z'êtes venue ici.

– C'était différent.

– Je suis désolé, mam'zelle Wagner, mais ça l'était pas. Vous et moi, on sait bien que ces gamins vont rien faire d'autre que se dandiner dans cette pièce. Not' maît', lui, il a l'impression de se retrouver en cage, au zoo. Quand y regarde un homme comme moi, il voit pas une personne mais son pire cauchemar. Ça me plaît pas, n'empêche que je suis avec Mister Boxe sur ce coup-là. L'autre abruti va confesser tout ce que monsieur Nichols voudra.

Ginny, rougissante, a examiné le plancher.

Daws avait rédigé l'adresse de Jake Ehrlich d'une main tremblante. Une fois glissée dans l'enveloppe sa bafouille couverte de pattes de mouche et de taches, je l'ai fait remonter dans l'automobile de location avec l'aide de Bird. À ce stade, Daws se trouvait dans un tel état que Ginny aurait pu l'assommer d'une simple caresse. Comme elle faisait faire demi-tour à la bagnole pour redescendre la colline, Nightbird s'est écrié :

– Un instant ! Faudra éviter de vous faire repérer en le déposant.

Il s'est précipité vers la voiture et, à la lueur des feux arrière, a barbouillé de boue la plaque d'immatriculation. Quelques-uns de ses gars l'ont montré du doigt, en ricanant ou même en éclatant de rire. Pour connaître ce genre de ficelles, leur bon Samaritain devait avoir un passé chargé.

J'aurais voulu lui laisser jusqu'au dernier dollar que j'avais en poche. Sachant que ce serait une insulte, je lui ai serré la main par la fenêtre :

– Je te dois une fière chandelle.

– C'est pas faux, a-t-il répondu d'un ton neutre.

Parvenus à l'hôpital central du comté de Napa, Ginny et moi nous sommes arrêtés devant l'entrée des urgences. Tandis que les aide-soignants sortaient l'éclopé de l'auto pour le hisser sur un chariot, j'ai servi au réceptionniste une dose de bobards qui ont épaté Ginny. Je l'ai prise par le bras dès que le chariot de Daws s'est ébranlé dans le couloir, et nous avons filé.

Comme on réintégrait la Nash de location, elle m'a lancé :

– Vous devez être toujours bourré. Tôt ou tard, Daws va leur raconter ce qui s'est vraiment passé.

– Non, il n'en fera rien. Il prétendra avoir tout oublié, et détalera à la première occase.

– Comment pouvez-vous en être aussi sûr ?

Elle a mis le contact et appuyé sur l'accélérateur. On était loin des performances du Roadmaster.

– Parce que je connais bien les gars dans son genre. Il aimerait mieux crever que de voir son point faible exposé au grand jour. Lui, admettre avoir rédigé cette déclaration parce qu'il était enfermé dans une pièce avec des gamins de couleur qui le *regardaient* ? Il se taillerait d'abord les veines.

Ginny s'est mise à parler deux octaves plus bas que d'habitude, en m'imitant :

– *Vous voyez, on n'est pas d'ici. Avec ma bourgeoise, on a raté l'endroit où il fallait tourner. En admirant un peu le paysage, on a vu ce pauvre gars au bord de la route. Non, je ne pourrais pas vous dire où exactement, nous ne sommes pas du coin. Voilà sans doute son portefeuille, il était allongé dessus. Pas d'argent. Vous pensez qu'il a pu être dévalisé ? J'espère qu'il va bien s'en tirer.* Où allez-vous chercher tout ça, bon Dieu ?

– C'est mon gagne-pain, raconter des histoires.

À la faible lueur du tableau de bord, j'ai fini de compter les neuf billets de un dollar trouvés dans le portefeuille de Daws.

– Un peu comme ces grands écrivains que vous aimez lire. Sauf que j'aimerais avoir les mêmes délais qu'eux. Et toucher les mêmes droits d'auteur.

J'ai reconnu la route sur laquelle on roulait et demandé à Ginny de nous arrêter dans le parking du Dew Drop Inn. Devant le routier, en haut des marches, il y avait une cabine téléphonique.

– Vous n'allez pas vous remettre à picoler, m'a sermonné Ginny. Pas question !

– Ne vous en faites pas. J'ai un coup de fil à donner.

En espérant que ce serait la dernière histoire que je raconterais ce jour-là.

– Bonsoir, ma chérie. Écoute, je suis vraiment désolé, mais je vais rentrer plus tard que prévu. Je ne serai sans doute pas de retour avant… deux bonnes heures. Hé, ho ! Assez, tu ne vas pas remettre ça. Non, je ne suis *pas* avec elle. Je croyais qu'on avait dépassé ce cap.

J'observais Ginny à travers la porte vitrée crasseuse de la cabine et la vitrine du restaurant. Juchée sur un tabouret qu'elle agrémentait de ses formes, elle tirait sur une cigarette, indifférente aux clients fascinés par son provocant ensemble combinaison-pardessus. Quand j'ai vu ce qu'elle buvait – apparemment, du soda au gingembre –, mon estomac s'est mis à gargouiller d'aise. Je me suis mis à chapitrer Ida :

– Écoute-moi. On a eu un blessé, ce soir. Non, pas moi, un boxeur. Il a été salement amoché – commotion cérébrale, il a fallu le transporter hors du ring. Je vais filer à l'hôpital, voir comment il se débrouille. D'abord, je dois appeler ses proches, leur dire ce qui s'est passé. J'appelle juste pour que tu ne t'inquiètes pas. D'accord ? Je rentrerai dès que possible. Ne le prends pas comme ça. Tout va bien se passer, voyons. Ida, arrête, je te dis. Ce sont des choses qui arrivent. Il va s'en tirer.

Ida sanglotait. Elle voulait à toute force savoir comment une mère pouvait autoriser son fils à devenir boxeur. Je me suis efforcé de la distraire :

– Dis, tu sais quoi ? Je ne dois pas aller au bureau demain, c'est mon jour de congé. Devine ce qui me ferait le plus plaisir ? Qu'on fasse la grasse matinée. On prend Vincent avec nous et on reste au pieu jusqu'à dix ou onze heures, pour une fois, qu'est-ce que tu en dis ? Après, je te ferai ton plat favori, une blanquette de porc. Elle est pas belle, la vie ? Non, non, pas de problème, ne m'attends pas. À demain matin, alors. Moi aussi, je t'embrasse très fort.

CHAPITRE 33

San Francisco Inquirer, le 1ᵉʳ décembre 1948

ANNULATION D'UN PROCÈS CRIMINEL !

Le substitut du procureur est suspendu
Une nouvelle pièce à conviction crée la surprise

*par William Sonlich, rédacteur permanent à l'*Inquirer

Le procès en homicide de Burney Sanders, homme d'affaires de San Francisco, a été annulé le jour même de son ouverture. En effet, l'avocat Jake Ehrlich a apporté au juge Harlan White la preuve écrite qu'un témoin clef du ministère public avait fait un faux témoignage devant le jury d'accusation.

Dans les heures suivant la sensationnelle révélation de Jake Ehrlich, le procureur Edmund G. « Pat » Brown suspendait son substitut, William Corey, chargé des poursuites engagées par la ville contre Sanders. Ce promoteur de boxe est accusé d'avoir assassiné l'épouse du poids lourd local, Hack Escalante.

La déposition transmise par Jake Ehrlich au juge White est signée d'un certain Lawrence Daws. Ce dernier, également boxeur, prétend avoir été contraint par le ministère public de fournir au jury d'accusation le faux témoignage ayant directement entraîné l'inculpation de Sanders. Des sources proches de l'affaire ont communiqué à l'*Inquirer* une copie de ce document manuscrit, dans lequel Daws assure avoir reçu du substitut du procureur l'ordre d'exercer une pression physique sur des témoins potentiels. « J'étais l'homme de main de Corey », affirme-t-il crûment.

« Ce sont là des allégations très graves, a estimé le procureur Brown lors d'une conférence de presse convoquée en hâte au palais de justice. Nous diligentons une enquête interne pour déterminer dans quelle mesure la déposition de monsieur Daws est valide et recevable. Nous pensons que le juge White, en annulant le procès, agit avec prudence et dans l'intérêt de toutes les parties actuellement concernées, de façon à permettre d'établir la réalité des faits. »

L'*Inquirer* a par ailleurs appris que la police, suite à une information anonyme, avait procédé hier à l'arrestation de Daws dans le comté de Napa, d'où il avait adressé sa « confession » à monsieur Ehrlich. Selon des experts juridiques, Daws pourrait être accusé, en sus de faux témoignage, d'entrave au cours de la justice, de voies de fait, d'extorsion de fonds et peut-être de tentative de meurtre.

On sait peu de choses de ce Lawrence Daws, décrit par Billy Nichols, journaliste sportif à l'*Inquirer*, comme « un tâcheron du noble art, aux directs dignes d'une dame pipi expulsant un importun des toilettes. Il semble être allé au bout de son potentiel. »

Monsieur Ehrlich a manifesté l'intention de prouver non seulement que Daws est coupable de la mort de madame Escalante, mais que le parquet lui a offert illicitement l'immunité en échange de son témoignage contre Sanders – dont l'épouse Florence déclare : « J'espère que cela permettra de faire toute la lumière sur les circonstances entourant la mort de madame Escalante, et que mon mari sera acquitté. »

Plusieurs vétérans du palais de justice sont d'avis que la carrière de monsieur Corey pourrait être irrémédiablement compromise. Selon l'avocat Steven Vender, « Ils vont se débarrasser de [Corey] comme on coupe un pied gangrené… en faisant le nécessaire pour donner l'impression d'un cas isolé de corruption au sein du système judiciaire de notre ville. »

– Incroyable ! s'émerveillait Susan Montague.

Elle venait de lire l'article à voix haute, sur cette terrasse vitrée de l'hôpital central de San Francisco.

– Ehrlich a repris l'affaire depuis moins de trois jours et il a déjà réussi à faire annuler le procès. Comme s'il avait toutes les cartes dans sa manche avant même qu'elles soient distribuées.

– C'est peut-être pour ça qu'on l'appelle le Patron, ai-je suggéré.

J'ai réorienté le fauteuil roulant de Woody, de manière à ce qu'il ne soit plus ébloui par le soleil. Il avait le bras dans un plâtre incurvé, la jambe immobilisée par une attelle ; mais le pire de tout, c'était son visage. Les chirurgiens lui avaient refait la mâchoire sans lui rendre sa belle gueule. Pour que le remodelage ait une chance de tenir, sa bouche était fermée par des fils ; il ne pouvait s'alimenter qu'au moyen d'une paille.

– Vous croyez qu'Ehrlich accepterait de me donner un coup de main dans l'affaire Dardi ?

Susan ne plaisantait qu'à moitié ; elle souhaitait plaider pour Tony Bernal contre la Major Liquor Company. À Tony, que dérangeait l'idée d'être défendu par une femme, j'avais assuré : « Ça pourrait être bien pire. » En réalité, j'aurais aimé qu'ils laissent tout tomber. Je redoutais que la déposition bidon de Manny Gold ne revienne un jour me hanter – encore que tout dossier portant la marque infamante de Corey soit désormais voué à perdre beaucoup de sa crédibilité.

Ayant plié le quotidien en quatre, Susan l'a posé sur les genoux de son époux.

– Très incisive, la citation de Mister Boxe, a-t-elle commenté. « Un tâcheron du noble art… » Vous avez dû le voir boxer souvent, ce Daws.

– Une ou deux fois. Mais j'étais au bord du ring.

Derrière ses épaisses lunettes à monture d'écaille, légèrement de travers sur sa longue figure osseuse, Woody m'a jeté un regard torve. Sa bouche était peut-être hors service, mais ses neurones fonctionnaient toujours à plein régime.

Il a tendu son long bras valide et extrait un crayon de ma poche de chemise pour griffonner quelque chose dans la marge du journal.

Puis il m'a fait lire son message : «Bon travail. Offre un verre de ma part à ce Sonlich.»

Sur quoi, non sans mal, il m'a cligné de l'œil.

Pendant une semaine, les reportages de Sonlich firent vendre plusieurs tirages supplémentaires de l'*Inquirer*. Son investigation portait sur la fondation du mont Davidson et sur les pratiques de chantage que cette fondation avait encouragées avant d'entraîner finalement la mort d'une innocente, Claire Escalante, simple pion dans l'affaire. Chargés d'enquêter sur les opérations commerciales de feu Dexter Threllkyl, plusieurs intrépides pigistes locaux mirent à jour une masse de documents, remontant pour certains au début des années 1930, qui correspondaient à diverses sociétés fictives. Des photographies en demi-teinte de l'opulent hôtel particulier des Threllkyl, déployées sur plusieurs colonnes, accompagnaient les articles de Sonlich; l'une d'elles était finement légendée : «CONSTRUIT SUR UNE FONDATION DE MENSONGES». Histoire d'injecter un peu de charme dans ces arides comptes rendus de méfaits financiers, quelques portraits d'Astrid avaient été exhumés des dossiers mondains conservés parmi les archives de l'*Inquirer*.

Mais *pas un seul* cliché représentant Dexter Threllkyl. Le célèbre avocat devait avoir été l'homme le moins photographié de San Francisco. Non sans raison, s'il fallait en croire la théorie non démontrée de notre reporter, selon laquelle Threllkyl avait truqué sa propre mort – non pas une seule fois, mais deux.

Pour Marty English, directeur de la rédaction, Dex était la pièce manquante du puzzle et, si l'on voulait maintenir la fraîcheur et l'intérêt de cette affaire, il fallait en traquer le maléfique cerveau.

Même le commissaire O'Connor, des forces de police de San Francisco, s'était pris au jeu. On rapporte qu'il aurait recommandé : «Déterrons ce cadavre, qu'on sache qui était vraiment ce vieux de l'Oklahoma.» Opportunément différée jusqu'à l'heure d'affluence des banlieusards dans les rues, l'annonce par les journaux de la crémation de « Dexter Threllkyl » ne fit que jeter de l'huile sur le feu, si l'on peut dire.

Malgré les efforts acharnés du journal pour le ressusciter, ce quidam restait résolument mort.

Sa veuve s'était enfuie de leur luxueuse demeure de Vallejo Street, après avoir vidé jusqu'à la dernière goutte toutes les liquidités de tous les comptes bancaires que l'*Inquirer* avait réussi à retrouver – y compris, naturellement, la fortune héritée à la mort de Threllkyl.

Pendant ce temps, William Corey, le substitut du procureur, en disgrâce et suspendu de ses fonctions, brillait par son absence. Du coup, on se perdait dans la salle de rédaction en folles conjectures comme quoi Corey et la veuve Threllkyl n'étaient nullement frère et sœur, mais amants – et auraient dessoudé le vieux Dex afin de se partager le grisbi. Les théories de ce genre auraient propulsé les ventes de notre quotidien dans la stratosphère ; il n'y avait malheureusement pas assez de preuves pour les soutenir, aussi n'atteignirent-elles jamais l'atelier de composition.

S'il n'y prenait garde, « William Sonlich » allait bientôt se trouver un emploi fixe à la rédaction. Pas mal, pour un type qui n'avait jamais mis les pieds en ville. Le chef de rubrique aurait aimé que sa série d'articles soit signée de son vrai nom, histoire de rendre à César ce qui était à César ; heureusement tué dans l'œuf par Marty English, ce projet n'atteignit jamais le bureau du rédacteur en chef honoraire, William Randolph Hearst junior.

En revanche, avant que « Randy » n'ait pu lever le petit doigt pour l'occulter, toute la lumière avait été faite sur Dexter Threllkyl, sa femme, son frère et l'assortiment de jolis grenouillages financiers qui avaient permis à cette famille de régner sur le gratin de San Francisco.

Mis au pied du mur, Hearst s'avéra un journaliste à la hauteur de son illustre nom. Constatant dès le deuxième jour que la chronique de Sonlich faisait décoller les ventes du quotidien à la criée, il décida d'en poursuivre la publication au mépris de toute solidarité de classe. Et, contraint de choisir entre de loyaux compères et une thématique porteuse, il sut poser la question pertinente : « Dexter et Astrid *qui* ? »

Il advint que Burney Sanders et Larry Daws furent jugés séparément pour le meurtre de Claire Escalante ; changement de décor dans un cas comme dans l'autre, le premier se retrouvant à Los Angeles et le second à Sacramento. Compte tenu du battage autour des articles publiés dans l'*Inquirer*, il importait d'éloigner les accusés de San Francisco si l'on voulait qu'ils soient jugés en toute impartialité.

En dehors de l'*Inquirer*, Burney était l'un des rares à connaître la véritable identité de William Sonlich. Mesurant naturellement ce qu'il devait à ce reporter, il s'abstint durant le procès de la plus minime référence à un certain Mister Boxe.

Même verdict pour les deux hommes, reconnus « coupables d'homicides volontaires », et même condamnation : dix ans de cabane par tête de pipe. Je me suis dit que je les reverrais un jour ; et aussi, que Burney me vouerait une reconnaissance éperdue, ou m'enverrait du moins une petite carte de remerciement. Que j'attends encore.

Avec un peu de bol, pendant qu'il purgeait sa peine, sa femme aussi l'attendrait. Bonne chance, Burney. Florence s'est mise à recevoir des soupirants dès qu'elle a eu emménagé dans son nouveau logement chic de Pacific Heights, financé par les dividendes de la fondation du mont Davidson. Une fois le procès transféré à Los Angeles, Ehrlich a laissé tomber monsieur Sanders comme une vieille chaussette, et décidé de représenter plutôt madame Sanders.

Elle lui a fait explorer le contenu d'une serviette à soufflets trouvée sous la montagne de paperasses saisies dans le bureau de Corey. Parmi tous les cartels crapuleux et autres frauduleuses fondations, celle du mont Davidson avait été jugée survendue mais foncièrement saine.

Comme par hasard, c'était aussi la seule couverture de Threllkyl à laquelle Burney Sanders soit associé légalement ; ainsi, tandis que le signataire croupissait au fond d'une geôle, Florence reçut sa part en tant que conjointe lorsque la fondation fut liquidée par autorité de justice.

La dernière fois que j'ai entendu parler de Florence Sanders, Jake réglait les détails de sa demande de divorce.

À peine liquidée la fondation du mont Davidson, la station de Cold Springs a été mise en vente, et le «centre professionnel pour jeunes gens» de Nightbird Jones, fermé. J'ai contacté la fondation Hearst au sujet d'une donation charitable en faveur de ce noble projet et les tampons se sont mis à danser gaillardement des claquettes. Quand la fondation Hearst a découvert que ce centre était réservé aux jeunes Noirs, la paperasse a été égarée; quand j'ai fait valoir qu'un parrainage représenterait un bon stratagème de marketing pour aider l'*Inquirer* à rivaliser avec l'*Oakland Tribune* sur le marché d'East Bay, Nightbird a fini par toucher son pognon.

Tony Bernal ayant décidé de refuser l'aide juridique gracieuse de Susan Montague et d'attendre le rétablissement de Woody, les poursuites qu'il avait engagées contre Virgil Dardi se sont enlisées. Et, pendant que les deux blessés se débattaient avec des factures de soins médicaux qui les poussaient progressivement vers l'indigence, Dardi a continué de renforcer son monopole de l'alcool à San Francisco.

Peggy Gold a été internée dans une clinique privée – une des meilleures de l'État, d'après ce que j'ai entendu dire. Lorsque je l'aperçois à l'occasion d'un match, plus baratineur que jamais, je ne demande pas à Manny comment il paie la facture mensuelle. Et je dois lui reconnaître ce mérite qu'il ne se pointe jamais sans son fils. Quand Daniel tourne vers moi ses grands yeux, ça me brise le cœur de le voir reconnaître un visage familier parmi ces boxeurs bourrus et bruyants qui le dominent de toute leur hauteur.

Je n'en veux pas à Manny Gold. Il a fait ce qu'il avait à faire. Peut-être même que je lui pardonnerai un jour – ce qui ne veut pas dire qu'entre-temps on soit obligés de se parler.

Virginia Wagner ? Ce sac d'embrouilles ne lui a pas rapporté grand-chose. À part sa liberté, et les réparations de son automobile. Une fois Sanders et Daws sous les verrous, et son nom dûment omis de tous les articles de l'*Inquirer* sur l'affaire Threllkyl, elle s'est sentie suffisamment rassurée pour revenir de son exil à Alameda et se balader dans les rues de San Francisco sans planquer un pistolet dans son sac à main.

En fait, elle s'est même enhardie jusqu'à poser sa candidature à un emploi dans la bibliothèque de l'*Inquirer*. C'est moi qui l'avais appelée pour lui signaler cette offre.

Au hasard de nos allées et venues à l'angle de la 3ᵉ Rue et de Market Street, on se croise de temps en temps, on discute le bout de gras et, parfois, on va même casser la croûte dans un petit restau du coin, où ça nous amuse bien d'évoquer cette histoire.

– Je n'arrive pas à croire qu'elle n'a duré que trois semaines, remarque invariablement Ginny. Il semble qu'on ait vraiment *tout* fait. Sauf, évidemment… Euh, bon…

Voilà pourquoi je l'apprécie autant. Et pourquoi je garde mes distances. Il y avait quelques dettes mutuelles entre nous, mais elles ont été réglées.

Je lui souhaite de rencontrer un type bien, qui sache s'y prendre avec elle ou simplement la comprendre. C'est un mariage que je ne raterai pas – je pourrais peut-être même sortir les chaussures de danse. En attendant, c'est bon de savoir qu'elle bosse sous le même toit. Une abeille de plus pour faire tourner honnêtement la ruche ! J'espère qu'elle économise, et qu'elle garde son joli nez dans le guidon.

Parce qu'il n'y a rien de tel que de bosser pour ce canard.

Vous pouvez me croire sur parole.

ÉPILOGUE

Au printemps suivant, j'ai reçu le prix du meilleur reportage sportif de 1948 pour ma couverture d'une rencontre de championnat, le match Carter-Escalante. C'était la troisième fois que j'avais droit à cette distinction du Press Club local et, de loin, la plus émouvante. Au cours du banquet, en récitant mon discours d'acceptation, je me suis étranglé à plusieurs reprises ; j'ai même dû enlever mes lunettes afin de m'essuyer les yeux. C'était tendre la perche à mes collègues attablés, et ils m'ont charrié à mort.

– Vous voulez vraiment le voir chialer ? a gueulé Fuzzy Reasnor. Et si je lui expliquais qu'il a failli être rétrogradé aux reportages sur les tournois de minimes, il y a quelques mois ? Vous auriez dû voir le papier qu'il m'avait envoyé, avant que je me charge des corrections et que je le rende présentable. Sur ce coup-là, il avait fait semblant, le grand homme. Pour les Gants d'Or, excusez du peu. Le critérium des amateurs ! Regardez-le, maintenant.

– Ouais, ce compte rendu n'était pas terrible, ai-je reconnu. On aurait dit le travail d'un gamin de quinze ans.

Tout le monde a éclaté de rire. Ida m'a serré très fort dans ses bras. Comme les autres continuaient à m'éreinter, elle a essayé d'y mettre le holà :

– Ça suffit, maintenant !

Elle ne comprenait pas que, dans ce milieu, c'est la manière dont nous autres vétérans exprimons notre affection et notre admiration.

Un peu plus tard, on s'est retrouvés entre nous au bar, à boire du brandy et fumer des cigares. J'ai gracieusement accepté les démonstrations de sympathie prodiguées par des camarades du journal, ou des rivaux aimables travaillant pour la concurrence, ou encore de parfaits étrangers désireux de fraterniser en vidant un dernier verre. Un gentleman distingué, aux cheveux gris, m'a serré la main :

– Mes félicitations pour un travail bien fait.

Je n'ai pas identifié d'emblée son accent.

– Merci. Avec un match pareil, il n'y avait pas grand mérite.

– Certes. Mais je ne faisais pas allusion au reportage sur la boxe. Je veux parler de votre chronique sur l'arnaque aux investissements. Quels articles ! Au début, je pédalais franchement dans la maïzena, mais le temps que j'arrive à la fin de la série, nom d'une pipe, vous aviez reconstitué toute l'affaire. Enfin, presque.

Troublé, tant par l'éclat glacial de ses yeux bleus que par son accent vestigial de l'Oklahoma, j'ai répliqué :

– Je crains que vous ne soyez mal renseigné. Ce n'est pas moi qui ai écrit ces articles, monsieur…

– Mes excuses.

Il a esquissé un sourire :

– Ma nièce doit se demander où je suis passé. Mais encore toutes mes félicitations. J'aime voir le talent récompensé.

– Je n'ai pas saisi votre nom, mon ami.

Il m'a salué avant de se frayer un chemin, à travers la foule, vers la porte à double battant qui donnait sur le couloir principal. Priant Ida de m'attendre, j'ai slalomé entre les fêtards éméchés puis parcouru rapidement le couloir, jusqu'au hall d'entrée. La préposée au vestiaire était en train de rendre son pardessus et son chapeau mou au visiteur de l'Oklahoma.

Une ravissante jeune rouquine – Devin ou Dulcie, comment savoir ? – attendait à ses côtés. Elle m'a vu m'approcher du hall et a esquissé un sourire de supériorité, coupant comme un rasoir, consciencieusement imité de sa mère. La même froideur, le même dédain. J'ai continué à me faufiler dans l'assistance, qui s'éclaircissait, pour lui lancer :

– Stanford ou Radcliffe ?

Au lieu de me répondre, elle a pris le bras du vieux monsieur, qui se vissait sur le crâne son couvre-chef à la forme irréprochable. Il m'a également ignoré avant de se diriger sans hâte vers la sortie du club, en murmurant à la rouquine :

– Charmante soirée pour une promenade, n'est-ce pas ?

– Vous en avez une *sacrée* paire, Threllkyl ! me suis-je exclamé.

J'ai saisi son coude libre. L'air perplexe, il m'a écarté avant de me répondre avec une civilité étudiée :

– Vous voudrez bien m'excuser. Je m'appelle Glass. Vous devez me confondre avec quelqu'un d'autre.

Ils ont franchi la porte. Dans Post Street, le vieux gentleman a fait signe à un taxi, qui s'est empressé de les embarquer.

Tandis qu'ils montaient à bord, j'ai cherché quelque réplique aussi acerbe qu'éloquente à leur décocher dans le dos. Une formule qui conclurait cet imbroglio en beauté. À ma grande honte, rien n'est venu et je suis resté muet.

Alors, je les ai laissés s'envoler. J'ai tout laissé s'envoler, en fait.

Avais-je vraiment le droit de râler ?

J'étais redevenu Mister Boxe, à plein temps. Et j'apprenais.

Ça valait le coup de retenir la devinette posée par Marty English, le directeur de la rédaction, pour justifier l'attribution à « William Sonlich » de ma série d'articles sur la fondation du mont Davidson :

« Franchement, qui va croire un journaliste sportif ? »

– 30 –[1]

---

1. « – 30 – » : signe conventionnel du journaliste confirmant au rédacteur en chef qu'ici se termine bien son article.

DÉJÀ PARUS CHEZ FAYARD NOIR

EDITIONS ORIGINALES

Jean-Philippe Arrou-Vignod, *Ferreira revient*

Brigitte Aubert, *Nuits noires*

François Barcelo, *Les Chroniques de Saint-Placide-de-Ramsay*

Noël Balen, *Les Fleurs du bal*

Ken Bruen, *En effeuillant Baudelaire*

Ken Bruen, *Hackman Blues*

James Crumley, *Folie douce*

Jean-Louis Debré, *Quand les brochets font courir les carpes*

Alain Demouzon, *Agence Melchior*

Alain Demouzon, *Un amour de Melchior*

Rolo Diez, *Eclipse de lune*

Roberto Drummond, *Sang de Coca-Cola*

James Durham, *Delta Queen*

Dominique Forma, *Skeud*

Moussa Konaté, *L'Empreinte du renard*

Carlo Lucarelli, *Enquête interdite*

Eddie Muller, *Mister Boxe* (Elu meilleur roman policier de l'année 2007)

Philippe Paringaux, *Blues blanc*

Chantal Pelletier, *L'Enfer des anges*

Chantal Pelletier, *Noir Caméra*

Chris Petit, *Le Tueur aux Psaumes*

Jean-Bernard Pouy, *Nus* (Grand prix de l'Humour noir 2008)

Anne Secret, *L'Escorte*

Romain Slocombe, *Regrets d'hiver*

Tito Topin, *Bentch et Cie*

Tito Topin, *Bentch blues*

Tito Topin, *Cool, Bentch*!
Georgui et Arkadi Vaïner, *38, rue Petrovka*
Don Winslow, *La Griffe du chien*

Cet ouvrage a été composé en Garamond par Palimpseste à Paris

Impression réalisée sur CAMERON par
BRODARD ET TAUPIN
La Flèche

pour le compte des Éditions Fayard
en avril 2008